AU CLAIR DE LUNE

www.editions-jclattes.fr

Dean Koontz

AU CLAIR DE LUNE

Roman

Traduit de l'anglais par Dominique Defert

JC Lattès

17, rue Jacob 75006 Paris

Titre de l'édition originale
BY THE LIGHT OF THE MOON
publiée par Bantam Books,
une filiale de Random House, Inc

Ce livre est dédié à Linda Morris et à Elaine Peterson pour leur aide immense, leur gentillesse, et leur fidélité à toute épreuve.

Et bien sûr, pour m'avoir évité de commettre cette erreur que je frôle une fois par an et qui aurait entaché ma réputation jusque-là immaculée. Et pour m'avoir caché que leur présence assidue était, en fait, destinée à s'assurer que ma chienne Trixie recevait bien son lot de caresses quotidien.

« *Le pilote, à l'avant, soutenait de ses mains sa précieuse charge de vies humaines, les yeux grands ouverts et pleins de lune...* »

Vol de nuit,
Antoine de Saint-Exupéry

« *La vie n'a de sens qu'en termes de responsabilité.* »

Faith and History,
Reinhold Niebuhr

« *À présent, prends ma main et serre-la fort.*
Je ne te ferai pas défaut ce soir,
Car te trahir serait me trahir moi-même
Et placer mon âme sur une étagère
Dans la bibliothèque ténébreuse du Malin.
Je ne te ferai pas défaut ce soir. »

The Book of Counted Sorrows

1.

Juste avant d'être assommé et ficelé à une chaise, de recevoir dans les veines une substance inconnue qui allait lui montrer que le monde était infiniment plus mystérieux qu'il n'y paraissait, Dylan O'Conner quitta tranquillement son motel et traversa la route vers les feux multicolores d'un fast-food pour s'acheter des cheeseburgers, des frites, des chaussons aux pommes et un milk-shake à la vanille.

Le soir était tombé, la lumière du jour était ensevelie sous l'asphalte – un spectre irradié de chaleur hantait la nuit de l'Arizona, chaque pouce de terre que foulait Dylan.

La zone d'activités à la sortie de la ville, destinée à accueillir les voyageurs de la nationale, se parait de mille panneaux aux couleurs électriques pour attirer le chaland. Malgré cette verrue de lumière, le ciel, par cette nuit claire, restait un océan d'étoiles d'un horizon à l'autre. Une pleine lune, ronde comme la roue d'un navire, croisait ces lointaines constellations.

Le vide intersidéral paraissait immaculé et plein de promesses, mais le monde au sol n'était que lassitude et poussière. Au lieu d'être balayée par un véritable vent, la nuit était traversée de risées éparses et contraires, chacune apportant son bouquet de senteurs, chuchotant à sa manière son histoire – parfum du sable du désert, pollen des cactus, relents de gas-oil et de goudron. À mesure que Dylan approchait du restaurant, l'air se chargeait de nou-

velles odeurs : huile rance des friteuses, graisse des hamburgers fumant sur le gril et vapeurs d'oignons poêlés,
presque aussi denses que le *fog* de Londres.

Dylan aurait bien rebroussé chemin pour chercher un
restaurant de meilleure qualité, mais il était harassé par
sa journée de route et ne connaissait pas cette ville ; de
plus, Shepherd, son petit frère, était resté tout seul dans
la chambre, occupé à faire un puzzle. Et quand Shep
s'adonnait à cette activité, rien ni personne ne pouvait le
convaincre d'abandonner son jeu pour aller dîner dans un
lieu public. La seule nourriture qu'il acceptait, c'étaient
des hamburgers bien gras, livrés à domicile.

Le fast-food était plus lumineux à l'intérieur qu'à l'extérieur. Avec ses surfaces blanches et, malgré l'atmosphère
chargée de vapeurs d'huile, l'établissement avait l'air aseptisé d'une clinique.

La culture contemporaine allait à Dylan comme un
gant à trois doigts, et cet endroit n'échappait pas à la règle.
Pour lui, un restaurant devait ressembler à un restaurant,
et pas à un bloc opératoire, ou à une crèche décorée de
posters de clowns. Quand on se rendait dans un endroit
pour manger un morceau de bœuf trop cuit, nappé de fromage, accompagné de pommes de terre frites aussi crous-
tillantes qu'un vieux papyrus trempé dans l'huile, avec,
pour faire passer le tout, des litres de bière ou un milk-
shake renfermant autant de calories qu'un cochon entier,
alors le festin devait avoir lieu dans un décor qui rendait
hommage aux plaisirs interdits, pour ne pas dire à *la
luxure*. L'éclairage devait être chaud et tamisé, le mobilier
sombre – de préférence vieil acajou –, les cuivres lustrés,
les sièges capitonnés bordeaux. De la musique douce
devait être diffusée pour apaiser le carnivore – pas cette
musique d'ascenseur, à vous donner la nausée, interprétée
par des musiciens sous Prozac, mais de bons vieux airs,
offrant la même dose de sensualité que la nourriture – du
rock and roll classique, ou des big-bands, ou encore des
chansons country parlant du remords, de la tentation et
de braves toutous.

Malgré son aversion pour le lieu, Dylan traversa la salle carrelée jusqu'au comptoir en acier brossé ; il passa sa commande à une femme gironde – on aurait dit l'épouse du Père Noël avec ses cheveux blancs, ses joues rouges et son uniforme à rayures rose bonbon. Dylan s'attendait presque à voir sortir de la poche de son chemisier un petit lutin barbu.

Autrefois, dans les fast-foods les serveurs étaient des jeunes gens. Mais ces dernières années, trouvant ces emplois indignes, ils avaient laissé la place aux retraités qui cherchaient à arrondir leurs fins de mois.

La Mère Noël, qui appelait Dylan « mon petit », rangea sa commande dans deux sacs en papier, et se pencha par-dessus le comptoir pour épingler sur sa chemise un pin's. L'écusson portait le slogan *DES FRITES, PAS DES MOUCHES*[1] *!*, avec l'image d'un crapaud vert et souriant qui, comme le vantait la campagne de publicité actuelle de l'enseigne, s'était détourné du régime alimentaire traditionnel de ses congénères pour se régaler de cheeseburgers.

Encore ce maudit gant à trois doigts ! Pourquoi fallait-il qu'il joue les hommes-sandwiches quand il venait acheter son dîner ? En outre, pourquoi fallait-il assurer à la clientèle que les frites étaient meilleures que des mouches ? *Ce n'était pas le cas ?*

Mais Dylan s'abstint de faire tout commentaire antibatracien... ces derniers temps, il menait bien trop de guerres contre des moulins. S'il ne mettait pas de l'eau dans son vin, il allait devenir un vieil aigri avant trente-cinq ans. Il fit un sourire à la Mère Noël et la remercia chaleureusement, pour être sûr qu'elle ne viendrait pas lui gâcher le prochain réveillon.

Une fois dehors, sous la grosse lune, Dylan traversa la route à trois voies pour rejoindre son motel, les bras chargés de cholestérol sous toutes ses formes, tout en se rappelant quelques-uns des nombreux bienfaits que la vie

---

1. Jeu de mots phonétique en anglais : *Fries not flies* (N.d.T.).

lui avait accordés et pour lesquels il devrait se montrer reconnaissant, à savoir : une bonne santé, de bonnes dents, de beaux cheveux, et la jeunesse. Il avait vingt-neuf ans, un certain talent artistique et gagnait sa vie grâce à un travail qu'il jugeait enrichissant et agréable. Même s'il ne deviendrait jamais riche, la vente de ses tableaux lui permettait de couvrir ses dépenses courantes et de mettre un peu d'argent de côté. Il n'avait aucune cicatrice disgracieuse au visage, pas de mycoses aux pieds, pas de double machiavélique venant hanter ses pensées, pas de troubles amnésiques lui cachant un passé sanglant, pas d'ongles incarnés.

Et il avait Shepherd. À la fois bénédiction et malédiction. Shep, dans ses bons moments, lui faisait chaud au cœur et le comblait de joie à l'idée qu'il soit son frère.

Lorsque Dylan passa sous le néon rouge « MOTEL », son ombre noire s'étirant sur le bitume pourpre, et qu'il rasa le bosquet de sagoutiers, de cactus et autres végétaux épineux du désert bordant le parking, pour emprunter l'allée de ciment qui menait aux chambres, peut-être était-il déjà suivi... En tout cas, il l'était lorsqu'il passa devant les distributeurs de boissons sous l'auvent, perdu dans ses pensées, songeant aux douces entraves des liens familiaux. Le fileur était si discret qu'il avait dû prendre le rythme de Dylan, marchant dans ses pas, respirant avec lui. Une fois arrivé devant la porte de sa chambre, les sacs en équilibre sous son bras, la main fouillant sa poche à la recherche de sa clé, il entendit – mais trop tard – le crissement d'une chaussure de cuir dans son dos. Dylan se retourna, écarquilla les yeux : devant lui, il distingua un visage rond blafard, et au-dessus, un truc sombre et flou qui se précipita en arc de cercle vers son crâne.

Curieusement, il ne sentit pas l'impact ; il ne fut pas même conscient de s'écrouler. C'est quand il entendit les sacs se rompre sous le choc, que l'odeur des oignons, du fromage fondu et du ketchup lui parvint, qu'il comprit qu'il gisait au sol, face contre terre... pourvu qu'il n'ait pas renversé le milk-shake de Shep ! songea-t-il avant de voir en rêve un essaim de frites voleter autour de lui.

2.

Jillian Jackson avait une plante verte de compagnie et se souciait beaucoup de son bien-être. Elle lui donnait une dose soigneusement mesurée de nutriments, l'arrosait avec soin et brumisait régulièrement ses petites feuilles ovales et charnues, pour les débarrasser de la poussière et entretenir leur lustre soyeux.

Ce vendredi soir, Jillian faisait le voyage d'Albuquerque au Nouveau-Mexique à Phœnix en Arizona, où elle avait décroché trois représentations pour la semaine suivante. C'est elle qui assurait la conduite car Fred n'avait ni le permis et encore moins les appendices préhensiles pour tenir un volant. Fred était la plante verte.

Jilly était folle de sa Cadillac, une De Ville 1956 bleu roi. Elle savait que Fred ne prenait pas ombrage de cette passion, car sa petite *crassula argentea* (le nom de baptême de Fred) arrivait en seconde position dans le palmarès de ses amours. La jeune femme avait acheté Fred alors qu'il n'était qu'une jeune pousse, exhibant fièrement quatre petits bouts de branches et seize feuilles. Il faisait sans doute peine à voir dans son petit pot de plastique de cinq centimètres de diamètre, mais Jilly, avec les yeux de l'amour, n'avait vu en lui que vigueur et appétit de vivre. Sous ses soins attentifs, Fred devint un magnifique spécimen de trente centimètres de haut pour presque autant de large. Il s'épanouissait désormais à son aise dans un grand pot de terre cuite. Avec son terreau, c'était un beau bébé de six kilos.

Jilly avait taillé, pour Fred, une assise dans de la mousse, qui rappelait ces coussinets à l'usage des patients ayant subi une ablation des hémorroïdes ; l'accessoire lui permettait d'arrimer le pot sur le siège passager sans risquer d'endommager le capitonnage tout en offrant à la plante une position en hauteur. Lorsque la De Ville vit le jour, en 1956, elle n'était pas équipée de ceinture de sécurité, pas plus qu'à la naissance de Jillian en 1977, mais la jeune femme en avait fait installer de rudimentaires, pour Fred et elle. Bien enfoncé dans son coussin de mousse, la ceinture enroulée autour de son pot, Fred jouissait d'une sécurité optimale pour une plante verte, tandis que la Cadillac traversait à cent trente kilomètres à l'heure les terres arides du Nouveau-Mexique.

Assis sous le niveau des fenêtres, Fred ne pouvait profiter du paysage, mais Jilly lui décrivait le désert de temps en temps, quand le panorama valait le coup d'œil.

Jilly aimait user de ses talents de conteuse, particulièrement lorsqu'il s'agissait de descriptions. Si toutes ses prestations dans ces cocktails miteux ou ces cabarets de seconde zone ne faisaient pas d'elle une star de cinéma, elle pourrait toujours se reporter sur l'écriture et devenir romancière à succès !

Tous les gens, même au pire creux de la vague, continuaient à espérer, mais Jillian était un cas unique... Elle était une droguée de l'espoir, c'était ça qui la faisait avancer chaque jour, qui la maintenait en vie, au même titre que la nourriture. Trois ans auparavant, juste avant qu'elle ne décroche son premier numéro sur scène, elle était serveuse et partageait un appartement avec trois autres jeunes femmes, se contentant, pour subsister, des deux repas offerts par le restaurant les jours de travail. Pourtant à cette époque, malgré les vaches maigres, il y avait autant d'espoir dans son sang que de globule rouges, de leucocytes et de plaquettes... Dans la même situation, certaines personnes n'auraient plus osé avoir de tels rêves de grandeur, mais Jilly avait la foi – la foi et l'opiniâtreté. Avec ces alliés, elle pourrait renverser des montagnes et avoir tout ce qu'elle voudrait.

Tout, sauf un homme, le vrai, le bon...

Durant le trajet de Los Lunas à Las Cruces comme durant la longue attente aux douanes d'Akela, où les fouilles étaient désormais plus méticuleuses en ces temps troublés, Jilly faisait l'inventaire des hommes de sa vie... Elle avait eu une relation amoureuse avec seulement trois d'entre eux, et c'était déjà trois de trop. Elle bifurqua vers Lordsburg, au nord de Pyramid Mountains, puis vers Road Forks et enfin franchit la frontière pour entrer en Arizona. Elle songeait encore à son passé, essayant de comprendre pourquoi ces relations avaient échoué, où elle avait commis une erreur...

Certes, la responsabilité de l'implosion de ces trois histoires lui incombait parce que, à l'instar d'un démineur, elle avait choisi, après mûres réflexions, de trancher tel ou tel fil de sa vie pour sauver son monde de la destruction complète ; mais les véritables fautifs, c'étaient ces bons à rien en qui elle avait placé sa confiance. Des traîtres, des menteurs ! Même en leur laissant le bénéfice du doute, en les regardant au travers des lunettes les plus roses et les plus gaies de la terre, ces types-là n'étaient que des porcs, trois petits cochons s'évertuant à exhiber leurs pires défauts porcins. Si le grand méchant loup avait toqué à la porte de leur chaumière, les voisins auraient applaudi des deux mains quand il l'aurait soufflée et apporté le charbon de bois pour griller leurs carcasses au barbecue.

— Je suis une garce aigrie, pleine de rancœur, marmonna Jilly.

À sa manière silencieuse, Fred s'insurgea contre cette assertion.

— Rencontrerai-je jamais un gentil gars ?

Malgré les nombreuses qualités de Fred – la patience, la réserve, la dignité, un talent rare d'écoute, une compassion silencieuse ainsi qu'un stoïcisme profondément enraciné – Fred n'avait aucun don pour lire l'avenir. Il ignorait si Jilly rencontrerait un jour un « type bien ». Pour ces affaires, la plante grasse s'en remettait à la destinée. En effet, comme toutes les espèces dépourvues d'appendices locomoteurs, Fred n'avait d'autre choix que de compter sur sa bonne étoile pour sa survie.

— Bien sûr que je rencontrerai un jour un gars bien, conclut Jilly, sous une brusque résurgence de l'espoir indéfectible qui la caractérisait. J'en rencontrerai des dizaines, des centaines. (Elle poussa un soupir mélancolique en freinant, la circulation se faisant soudain plus dense.) La question n'est pas de savoir si je vais rencontrer un type bien, mais si je vais savoir le reconnaître s'il n'arrive pas en fanfare, avec un chœur d'anges, scandant : *c'est le bon, c'est le bon, c'est le bon...*

Le sourire de Fred était invisible, mais Jillian le percevait quand même.

— Quoi ? Il faut regarder les choses en face, maugréa-t-elle. Quand il s'agit de garçon, je suis aveugle et d'une naïveté crasse.

C'était la vérité vraie. Et Fred, le sage parmi les sages, le savait. Le silence qu'il laissa planer après cette assertion n'avait rien à voir avec l'immobilité revêche qui avait suivi celle où elle prétendait être une garce aigrie.

La circulation s'arrêta.

Sous un crépuscule pourpre, une nouvelle attente. Cette fois, c'était un contrôle du ministère de l'Agriculture, à l'est de San Simon, qui prêtait aujourd'hui main-forte aux autorités locales et fédérales. Outre les inspecteurs du ministère de l'Agriculture, des agents en civil au regard d'acier – envoyés visiblement par des administrations ne s'intéressant que de loin au monde végétal –, cherchaient des nuisibles autrement dangereux que de petites drosophiles se reproduisant dans des oranges de contrebande. Ils fusillèrent littéralement Jilly du regard, comme s'ils étaient persuadés qu'elle dissimulait un tchador et une mitraillette sous son siège, puis examinèrent Fred d'un air sinistre, certains qu'il était originaire du Moyen-Orient et versait dans l'islamisme fanatique.

Même ces gros durs, qui avaient mille raisons de soupçonner tous les voyageurs, ne purent longtemps considérer Fred comme un dangereux terroriste. Ils s'écartèrent et firent signe à la De Ville de passer.

— C'est une chance qu'ils ne t'aient pas mis en taule. Je n'aurais jamais pu payer la caution ! lança-t-elle en remontant sa vitre électrique et en accélérant.

Ils roulèrent quelques kilomètres en silence.

Une lune fantomatique, comme l'œil d'un ectoplasme, s'était levée derrière le couchant. Avec la nuit qui tombait, ce regard de cyclope s'illuminait.

— Parler à une plante n'est peut-être pas une simple excentricité ? marmonna Jilly. Mais le signe que ça ne tourne pas rond dans ma tête.

Tout autour d'elle, des territoires sombres et désolés. Le clair de lune ne parvenait pas à dissiper la chape sinistre qui tombait sur le désert après le coucher du soleil.

— Excuse-moi, Fred. Ce n'est pas gentil de dire ça.

La plante verte connaissait la fierté, mais aussi la miséricorde. Des trois hommes avec qui Jilly avait exploré l'ubac des relations amoureuses, tous auraient profité de ces prémices d'autocritique pour semer en elle les germes de la culpabilité et lui montrer à quel point ils étaient victimes de ses attentes extravagantes. Fred, que Dieu le bénisse, ne jouait jamais à ces petits jeux de pouvoir.

Pendant un moment, ils roulèrent dans un mutisme confortable, économisant des quantités d'essence en profitant de l'aspiration d'un camion, qui, à en juger par la publicité sur son hayon arrière, transportait de toute urgence des glaces vers la côte Ouest.

Lorsque Jilly aperçut une ville tout illuminée d'enseignes de motels et de stations-service, elle sortit de la nationale et alla faire le plein dans une station Union 76 en libre-service. Plus loin, elle acheta son dîner dans un fast-food. L'employée au comptoir, aussi joviale et joufflue qu'une grand-maman de Walt Disney, insista pour épingler sur son chemisier un pin's à l'effigie d'un crapaud souriant.

Le restaurant était suffisamment aseptisé pour pratiquer *in situ* un quadruple pontage au cas où l'un des clients s'obstruerait les artères en avalant un double cheeseburger de trop. La propreté du lieu, toutefois, ne décida pas Jilly à consommer son repas sur l'une des tables en Formica, craignant que la lumière trop crue des halogènes ne provoque chez elle des mutations génétiques.

Sur le parking, dans sa De Ville, Jilly mangea son sandwich poulet frites en écoutant, en compagnie de Fred, son émission de radio préférée – un programme où l'on s'intéressait à des sujets tels que les OVNI, les extraterrestres qui voulaient s'accoupler avec des femmes, Big Foot (et son nouveau rejeton Little Big Foot) ou ces voyageurs du futur qui avaient remonté le temps pour construire les pyramides dans un dessein mystérieux et malveillant... Ce soir, le débat entre Parish Lantern, l'animateur à la voix éraillée par la fumée, et ses auditeurs, portait sur la menace des terribles sangsues, débarquées d'un monde parallèle pour venir sucer le cerveau des êtres humains.

Aucun auditeur n'évoqua la menace des islamistes radicaux qui voulaient détruire la civilisation occidentale pour régner sur le monde – c'était déjà appréciable. Après s'être établie dans le lobe occipital, la sangsue suceuse de cerveau prenait le contrôle de son hôte humain, phagocytait son esprit, faisant de lui son robot. Ces créatures étaient apparemment visqueuses et très vilaines, mais Jilly, en écoutant converser Lantern et ses auditeurs, était curieusement rassurée. Même si ces sales bestioles étaient réelles, ce qui était parfaitement improbable, elle pouvait comprendre leur motivation – c'étaient des parasites, des impératifs génétiques les contraignaient à vampiriser d'autres espèces. En revanche le mal humain, lui, s'expliquait rarement – voire *jamais* – par la simple biologie.

Fred n'avait pas de cerveau susceptible d'offrir un habitat propice aux sangsues ; il pouvait donc écouter l'émission en toute sérénité, sans craindre pour son intégrité mentale.

Jilly espérait se sentir rassérénée par cette collation, mais lorsqu'elle eut terminé son repas, sa lassitude n'avait pas rétrogradé d'un iota. Elle songeait aux quatre heures de route à travers le désert qui lui restaient à faire pour rejoindre Phœnix, avec en fond sonore, durant la moitié du trajet, les gentils délires paranoïaques de Parish Lantern. Dans son état de fatigue, elle risquait de s'endormir au volant et d'être un danger public.

Derrière le pare-brise, elle aperçut l'enseigne d'un motel de l'autre côté de la route.

— Ne t'inquiète pas, annonça-t-elle à Fred. S'ils n'acceptent pas les plantes de compagnie, je te fais passer en douce.

3.

Faire un puzzle à toute vitesse est l'occupation idéale pour tout sujet victime de subtiles lésions cérébrales générant des troubles obsessionnels compulsifs.

Paradoxalement, les déficiences mentales de Shepherd lui donnaient un avantage sur le commun des mortels lorsqu'il focalisait son attention sur un puzzle. Ce soir, le motif à reconstituer était une image d'un temple shinto entouré de cerisiers en fleur.

Il avait commencé ce puzzle de deux mille cinq cents pièces dès leur arrivée au motel, et il en avait déjà assemblé le tiers. Les quatre bords désormais en place, Shepherd poursuivait son avancée inexorable vers le centre du motif.

Le gamin – pour Dylan, Shepherd était toujours resté « le gamin » bien qu'il eût fêté ses vingt ans – était assis au bureau, s'activant à la lueur de la lampe de cuivre. Son bras gauche levé, sa main battant l'air continuellement, comme s'il faisait signe au miroir suspendu au mur en face de lui ; mais, en réalité, son regard passait, sans relâche, du motif en cours au tas de pièces dans la boîte ouverte. Il n'était pas conscient des mouvements de sa main, et, l'eût-il été, qu'il n'aurait pu maîtriser ce tic nerveux.

Gestes de la main, dodelinement de tête et autres mouvements compulsifs étaient inhérents à l'état de Shep.

Parfois, il restait aussi immobile qu'une statue de bronze, oubliant même de battre des paupières. Le plus souvent néanmoins, il tapait du pied, remuait les jambes ou se triturait les doigts des heures durant.

Dylan, quant à lui, était si solidement attaché à une chaise que tout mouvement, que ce fût du tronc ou des membres, lui était impossible. Des spires de ruban adhésif, large de trois centimètres, arrimaient ses chevilles aux pieds de la chaise et ses avant-bras aux accoudoirs. Contrairement à sa main gauche, posée à plat sur le bois, la droite était maintenue paume en l'air.

Un bout de tissu avait été enfoncé dans sa bouche quand il était inconscient, un morceau d'adhésif placé sur les lèvres terminait le bâillon.

Dylan avait retrouvé ses esprits depuis deux ou trois minutes, incapable toutefois de reconstituer le puzzle mystérieux qui s'offrait à lui. Qui était son agresseur ? Que voulait-il ?

À deux reprises, il avait tenté de se tourner vers les lits jumeaux et la salle de bains derrière lui, quand une petite tape sur le crâne, donnée par son ennemi inconnu, avait suffi à refréner sa curiosité. Les coups étaient légers, mais ciblés sur la zone de chair endolorie où s'était abattue la matraque – chaque fois, il avait failli tourner de l'œil sous la douleur.

Inutile d'appeler de l'aide : ses cris, étouffés par le bâillon, n'auraient jamais porté au-delà des murs de la chambre ; son frère les aurait, certes, entendus, mais Shepherd n'aurait jamais réagi à un appel au secours, fût-il tonitruant. Dans ses meilleurs jours, Shep était déjà très peu sensible aux stimuli extérieurs, alors quand il s'adonnait à la construction d'un puzzle, le monde perdait toute consistance et se réduisait à cette image parcellaire à deux dimensions.

De sa main droite, exempte de tics celle-là, Shep prit une pièce aux contours d'amibe, l'examina et la reposa dans la boîte. Il en choisit une autre et trouva aussitôt sa place dans le puzzle. Deux autres pièces lui succédèrent coup sur coup. Shep, apparemment, se croyait tout seul dans la pièce.

Le cœur de Dylan tambourinait contre ses côtes, comme s'il voulait les faire sonner à la manière des lames d'un xylophone. Chaque coup lançait une décharge de douleur dans la tête, et la bourre de tissu se mettait à se tortiller comme un ver dans sa bouche, lui soulevant des haut-le-cœur.

Dylan était en proie à une terreur inattendue pour un homme bâti comme une armoire à glace, mais il n'en éprouvait aucune honte – oui, un grand gaillard comme lui pouvait avoir la pétoche ! Dylan était certain d'une chose : vingt-neuf ans, c'était bien trop jeune pour mourir. S'il avait eu quatre-vingt-dix-neuf ans, passait encore, ses plus belles années auraient été derrière lui...

La mort n'avait jamais eu d'attrait à ses yeux. Il ne comprenait pas ceux qui versaient dans le Gothique macabre, qui voyaient du romantisme chez les morts-vivants ; il ne trouvait pas les vampires « sexy ». Avec leurs apologies du meurtre et leurs odes au viol des femmes, les groupes de *gangsta-rap* le laissaient de glace. Il n'appréciait pas plus les films où l'éviscération et la décapitation étaient les thèmes principaux. Cela gâchait son pop-corn. Il ne serait sans doute jamais à la page – tant pis. Il était carré comme un cracker Belin. Mais la perspective d'être un paria du modernisme jusqu'à la fin de ses jours était une peccadille comparée à celle de mourir ce soir.

Malgré sa peur, il conservait un certain espoir. Si son mystérieux agresseur voulait le tuer, il serait déjà passé à l'acte. Le fait qu'il fût attaché à une chaise et bâillonné prouvait que l'inconnu fomentait d'autres desseins.

La torture ? Dylan n'avait jamais entendu parler de gens torturés à mort dans des chambres de motel, du moins cela restait relativement rare. Les tueurs psychopathes n'aimaient guère perpétrer leurs sinistres besognes dans un lieu qui pouvait à tout moment accueillir un colloque du Rotary Club. Durant toutes ces années passées sur les routes, ses plus grands problèmes de survie s'étaient limités au ménage des chambres mal fait, au service de réveil aléatoire et à la médiocrité de la nourriture des cafétérias. Cependant, maintenant que l'idée de la torture avait germé dans son esprit, elle y prenait racine et refusait de s'en aller.

Il y avait un certain réconfort, toutefois, à voir que son assaillant avait laissé Shepherd libre de ses mouvements. Cela signifiait sans doute que l'inconnu avait remarqué les tendances autistiques de Shepherd et avait jugé que le gamin, dans son état, ne représentait aucune menace pour lui.

Un vrai psychopathe aurait réglé son compte au malheureux garçon, soit par pur plaisir, soit pour parfaire son image de tueur en série. Les meurtriers à l'esprit dérangé étaient convaincus, comme la plupart des citoyens américains, que satisfaire son ego était le meilleur garant d'une bonne santé mentale.

Shepherd poursuivait son puzzle, plaçant une à une les pièces contournées avec un hochement de tête solennel. Le motif progressait à une vitesse étonnante, à raison de six ou sept pièces par minute.

Dylan recouvrait peu à peu la vue, et ses nausées refluaient notablement. Ces signes de rémission auraient dû le mettre en joie, mais il s'interdisait de s'en réjouir tant qu'il ignorait ce qu'on attendait de lui, et surtout ce qu'on comptait lui faire.

La tambourinade dans sa cage thoracique et les pulsations du sang dans ses artères, qui rappelaient le *tchick-tchack* du balai d'un batteur de jazz, masquaient tous les autres bruits que pouvait faire son agresseur derrière lui. Peut-être le gars s'enfilait-il son dîner ? Ou graissait-il la chaîne de sa tronçonneuse avant de la faire démarrer ?

Ficelé à sa chaise, Dylan ne distinguait dans le reflet du miroir, qu'une toute petite partie de la chambre. En observant son frère, la terreur des puzzles, il entr'aperçut un mouvement dans la glace au-dessus de lui, mais le temps de lever les yeux, le fantôme avait disparu.

Quand l'inconnu se planta enfin devant lui, il n'avait

rien de menaçant ; il ressemblait à un maître de chœur
d'une cinquantaine d'années dont le seul et grand plaisir
de la vie consistait à faire chanter des hymnes religieux
à l'unisson. Des épaules voûtées, un ventre rebondi, des
cheveux blancs, de jolies petites oreilles. Un visage rond et
jovial, appétissant comme du bon pain. Ses yeux bleu clair
semblaient briller de sympathie, miroirs d'une âme trop
douce pour abriter de sinistres desseins.

Un être à l'antithèse du méchant ; il arborait un gentil
sourire, mais il tenait un tube de caoutchouc qui se tortillait entre ses mains comme un serpent. Long d'une cinquantaine de centimètres. Un objet inanimé, quel qu'il
soit, qu'il s'agisse d'une cuillère, ou d'un couteau effilé, ne
représente pas en soi une menace ; on pouvait toujours se
dire que le porteur du couteau avait une pomme à éplu-
cher... mais un tube de caoutchouc... Dylan, en cet instant
critique, ne parvenait pas à concevoir pour cet ustensile
quelque usage innocent.

L'imagination échevelée de Dylan, qui nourrissait
d'ordinaire ses dons artistiques, généra dans son esprit
une cohorte d'images à la fois absurdes et cauchemardesques. Il voyait la chose cylindrique enfoncée de force
dans son nez, ou dans d'autres orifices, pour des auscultà-
tions barbares non répertoriées dans le manuel du parfait
proctologue.

Son inquiétude ne diminua en rien lorsque Dylan
comprit qu'il s'agissait d'un garrot. Voilà pourquoi sa main
gauche était attachée, paume en l'air, à l'accoudoir !

Lorsqu'il voulut émettre quelques protestations, sa
voix, à travers le bâillon saturé de salive, ne fut pas plus
intelligible que s'il avait été enterré vivant, six pieds sous
terre.

— Doucement, mon garçon. Du calme. (L'inconnu
n'avait pas le timbre d'acier d'un boucher, mais plutôt le
ton compatissant d'un médecin de campagne venant soulager ses patients de tous leurs maux.) Tout va bien se
passer.

Sa tenue aussi rappelait celle d'un médecin de campagne, une réminiscence d'un âge perdu qu'avait su capter Norman Rockwell dans ses illustrations pour le *Saturday Evening Post*. Ses chaussures de cuir étaient propres et brillaient comme un sou neuf, son pantalon marron était tenu par une paire de bretelles. Il avait tombé la veste, retroussé ses manches. Avec son col ouvert, sa cravate desserrée, il ne lui manquait plus qu'un stéthoscope, pour le faire ressembler comme deux gouttes d'eau à un brave toubib faisant sa tournée des fermes du canton, un gentil bobologue que tout le monde appelait Doc.

Les manches courtes de Dylan facilitèrent la pose du garrot. Le tube de caoutchouc, une fois serré sur le biceps, fit enfler notablement la veine de l'avant-bras.

Doc tapota doucement la veine en murmurant :
— Parfait, parfait.

Contraint de respirer par le nez à cause du bâillon, Dylan entendait sa peur grandir d'instant en instant, au rythme de sa respiration sifflante.

À l'aide d'un coton imbibé d'alcool, Doc nettoya la portion de peau à piquer.

Chaque élément de la scène – Shep qui agitait une main dans le vide, complètement absorbé par son puzzle, le sourire de cet inconnu qui préparait son patient pour l'injection, le goût âcre du bâillon dans sa bouche, l'odeur astringente de l'alcool, la morsure du ruban adhésif sur ses membres – sollicitait tant ses cinq sens que Dylan ne pouvait se croire en train de rêver... Malgré tout, à plusieurs reprises, Dylan ferma les yeux et se pinça mentalement... mais chaque fois qu'il rouvrait les yeux, sa panique grandissait : c'était bel et bien vrai !

Impossible que la seringue hypodermique soit aussi énorme ! L'instrument devait servir à vacciner les éléphants ou les rhinocéros. Sans doute était-ce une illusion d'optique due à la peur...

Doc pressa le piston du pouce et fit jaillir de la seringue un jet de liquide doré, qui dessina un arc de cercle dans l'air avant de se perdre dans la moquette.

En poussant un cri étouffé de protestation, Dylan se cabra et tira sur ses liens, ce qui fit osciller la chaise.

— Je suis déterminé, avec votre coopération ou non, à vous faire cette piqûre, expliqua Doc d'une voix affable.

Dylan secoua la tête frénétiquement.

— Ce machin ne vous tuera pas, mais si vous vous débattez tout peut arriver...

Ce machin... l'idée de se retrouver avec, dans les veines, un médicament ou une drogue illégale, un poison ou une dose de plasma sanguin contaminé par quelque maladie horrible, le terrorisait, mais la répulsion de Dylan se trouva décuplée en entendant ce mot – un *machin* ? Ce terme anodin véhiculait la négligence, la désinvolture, l'amateurisme, comme si ce démon déguisé en bon médecin de campagne ne se rappelait plus lui-même quelle substance diabolique il s'apprêtait à inoculer à sa victime. *Un machin !* Dans le même temps, ce terme familier, par un effet paradoxal, laissait présager que ce fluide doré renfermait un produit plus exotique et raffiné qu'une drogue quelconque, qu'un poison lambda ou que du plasma infecté. Il devait s'agir d'une substance mystérieuse et complexe qu'un simple mot ne suffisait à décrire. La seule vérité accessible, c'était qu'un médecin fou au visage de hamster jovial allait lui injecter des centimètres cubes de ce *machin*, et que d'autres toubibs, parfaitement sains d'esprit, aux services des urgences, se creuseraient en vain les méninges pour trouver un antidote, parce que dans le Vidal, il n'y avait aucun traitement recensé contre une inoculation massive de *machin*.

En voyant Dylan tirer sur ses liens, le VRP du machin secoua la tête avec un air de regret.

— Si vous vous agitez comme ça, je risque de déchirer la veine, ou de vous injecter de l'air involontairement, ce qui provoquera une embolie. Qui vous tuera ou vous laissera comme un légume... (Il désigna Shep à son bureau.) Dans un état bien pire que le sien.

Certains jours où tout allait de travers, quand l'humanité entière semblait se liguer contre lui, Dylan enviait la condition mentale de son frère, son oubli total des vicissitudes de ce monde ; mais Shep n'avait aucune responsabilité, et Dylan en avait trop – dont celle, et non des moindres, de veiller sur son petit frère. Et ce devoir-là, il ne pouvait passer outre, que ce soit pour cause de lassitude ou d'embolie accidentelle.

Dylan fixa des yeux l'aiguille d'acier et cessa de résister. Une sueur aigre perlait sur son visage. Inspirant et expirant avec force, il ronflait comme un cheval fourbu. Son mal de crâne revenait au grand galop, un vortex irradiant à l'endroit où s'était abattue la matraque, ainsi qu'une barre de feu en travers du front. Toute résistance était inutile, humiliante et stupide. Puisqu'il ne pouvait empêcher la piqûre, il lui fallait croire Doc quand il prétendait que le produit n'était pas mortel, et attendre – espérer – qu'une occasion se présente pour prendre l'avantage (à condition de ne pas tomber dans les vapes).

— Voilà qui est mieux. C'est ce qu'il y a de plus intelligent à faire. Finissons-en au plus vite. Ce n'est pas plus dangereux que le BCG. Ayez confiance.

Confiance !

La situation était tellement surréaliste que Dylan n'aurait pas été surpris de voir les murs et le mobilier de la chambre se déformer comme dans un tableau de Dali.

Toujours sans se départir de son sourire, l'inconnu introduisit l'aiguille dans la veine, et desserra le garrot. Il disait vrai sur le caractère indolore de ce viol chimique.

Tandis que l'extrémité de son pouce rougissante pressait le piston de la seringue, Doc prononça alors une sentence inattendue :

— Je vous injecte, jeune homme, le grand œuvre de ma vie.

Dans le cylindre transparent, le tampon de caoutchouc amorça sa descente vers l'aiguille, poussant le liquide dans la veine.

— Vous vous demandez sans doute ce que ce machin va vous faire.

Arrêtez de dire MACHIN ! aurait hurlé Dylan si sa bouche n'était pas obstruée par un bout de chiffon.

— Je ne sais pas au juste. Il est impossible de le prévoir.

Bien que l'aiguille fût de dimension normale, son imagination ne lui avait pas joué des tours : la seringue était réellement énorme ! Un engin terrifiant. Sur la paroi de plastique, une échelle graduée indiquait une contenance de dix-huit centimètres cubes, une dose coutumière pour un vétérinaire de zoo dont les patients pesaient trois cents kilos.

— Ce machin a des effets psychotropes.

Psychotropes... Ce mot-là, aussi, était énorme – exotique également – mais quelque part en lui, dans un recoin de son esprit, il était certain d'en connaître le sens. Ses mâchoires, néanmoins, se crispèrent, devinrent douloureuses, un filet de salive s'écoula au coin de sa bouche déformée par le chiffon trempé, et ses lèvres se firent brûlantes sous le ruban adhésif... Sa terreur enfla comme un ballon de baudruche à mesure qu'il voyait le liquide mystérieux disparaître dans son bras. Et son frère, là-bas, qui agitait la main dans le vide... comment avoir les idées claires en ces circonstances ? Comme un caillou ricochant sur l'eau, le mot *psychotrope* rebondit à la surface de son esprit, une chose brillante et lisse, insondable, la bille véloce d'un flipper se perdant dans un labyrinthe cliquetant.

— C'est différent pour chaque personne.

Dylan sentit, dans la voix de Doc, vibrer la curiosité perverse du scientifique, aussi terrifiante que des éclats de verre glissés dans le pot de miel de Winnie l'Ourson. Sous le glacis du médecin de campagne, sommeillait le docteur Frankenstein...

— Les effets sont toujours intéressants, poursuivit-il, souvent étonnants et parfois positifs.

Intéressants, étonnants, et parfois positifs. On était loin du grand œuvre d'un Jonas Salk[1]. Ce brave Doc s'apparentait davantage aux savants nazis du Troisième Reich.

Le dernier centimètre cube de produit passa de l'aiguille à Dylan.

---

1. Jonas Salk (1914-1995) inventeur du vaccin contre la poliomyélite *(N.d.T.)*.

Dylan s'attendait à sentir une onde brûlante remonter dans ses veines, une chaleur chimique gagner tout son système sanguin, mais le feu ne vint pas. Le froid non plus. Il pensait avoir des hallucinations, sentir des araignées grignoter la surface tendre de son cerveau, entendre des fantômes ululer à l'intérieur de son crâne, ou être pris de spasmes, de convulsions, ou bien être victime d'une incontinence soudaine, de nausées, de vertige, ou encore voir des poils de loup lui pousser sur les mains, la chambre se mettre à tourner comme un manège, mais rien de tout cela ne se produisit. L'injection n'eut aucun effet notable – à l'exception peut-être d'une nouvelle fébrilité de son imagination sur l'échelle de température de l'invraisemblable.

Doc retira l'aiguille.

Une petite goutte de sang apparut au point de la piqûre.

— L'un des deux rachètera peut-être mes fautes, marmonna Doc pour lui-même avant de passer derrière la chaise.

Une déclaration qui resta parfaitement obscure pour Dylan.

La perle pourpre frémit dans le creux du coude, comme si elle vibrait au rythme du cœur duquel on l'avait arrachée. Dylan aurait aimé la sauver et lui faire réintégrer sa place dans ses veines, car il pressentait que dans le combat qui l'attendait chaque goutte de sang lui serait comptée.

— Mais la rédemption n'est pas du parfum, poursuivit Doc en réapparaissant avec un pansement adhésif. Cela ne masquera jamais la puanteur de ma perfidie. Rien ne saurait effacer cette pestilence.

Bien qu'il s'adressât une fois encore à Dylan, l'homme semblait perdu dans ses pensées. Ses paroles étaient des sentences sans appel, mais son ton restait léger ; ce sourire de somnambule continuait de hanter son visage, telle la flamme vacillante d'une bougie, refusant de s'éteindre, frémissant à chaque brise.

— Le remords me ronge depuis si longtemps que mon cœur a été dévoré. Je ne suis plus qu'une coque vide.

Doc se portait remarquablement bien pour un type dépourvu de cœur ! L'homme retira les deux bandelettes protectrices et posa le pansement sur la plaie.

— Je veux faire pénitence pour mes actes. On ne peut trouver la paix sans pénitence. Vous comprenez ?

Dylan, qui ne comprenait pas un traître mot de ce discours d'illuminé, hocha vigoureusement la tête : il ne fallait jamais contrarier un psychopathe si on ne voulait pas se retrouver débité à la machette.

La voix de l'inconnu demeurait douce, mais une vibration d'angoisse la voilait... et le sourire restait là, pugnace.

— Je veux me repentir, me délivrer de cette chose terrible que j'ai commise ; j'aimerais pouvoir dire, en toute honnêteté, que je ne le referais pas si l'on me donnait une seconde vie. Mais le remords est tout ce que j'ai à offrir pour l'heure. Car je le referais, si j'en avais l'occasion, dussé-je endurer à nouveau ces quinze ans de regrets.

La petite goutte de sang fut absorbée par le pansement, laissant un cercle sombre sur la gaze. Le sparadrap, provenant d'une boîte pour enfants, était décoré d'un chien facétieux de dessins animés, ce qui ne remonta pas pour autant le moral de Dylan.

— Je suis trop orgueilleux. Voilà le problème. Oh, je connais mes défauts, je ne les connais que trop, mais cela ne veut pas dire que je saurais les corriger. C'est trop tard, de toute façon. Tout est trop tard.

Après avoir jeté les bandelettes du pansement dans la corbeille au pied du bureau, Doc sortit de sa poche un canif.

D'ordinaire, aux yeux de Dylan, un petit couteau ne représentait pas une menace, mais cette fois un frisson glacé le traversa de part en part. Inutile d'utiliser une dague ou un rasoir effilé pour trancher une gorge ou sectionner une carotide. Un couteau de poche faisait l'affaire.

Doc abandonna le sujet des péchés anciens pour des affaires plus pressantes.

— Ils veulent me tuer et détruire toute mon œuvre.

De l'ongle du pouce, il dégagea la lame de son logement.

Le sourire enfin s'effaça de son visage rond et son front se plissa.

— Les mailles du filet se resserrent. Mes ennemis se rapprochent d'instant en instant.

Les ennemis en question, songea Dylan, devant être un bataillon d'infirmiers en blouse blanche, armés de doses de cheval de Thorazine et de camisoles de force.

La lampe du bureau se reflétait sur la petite lame d'acier inoxydable.

— Il n'y a pas d'issue pour moi, mais je ne les laisserai pas ruiner le travail de toute ma vie. Voler est une chose. Je peux le comprendre. Je l'ai fait moi-même, après tout. Mais ils veulent tout effacer, oblitérer tout ce que j'ai accompli. Comme si je n'avais jamais existé !

En fronçant les sourcils, Doc referma la main sur le manche du couteau et planta la lame dans le bois de l'accoudoir, à un centimètre de la main de son captif.

Ce geste n'eut pas un effet salutaire sur Dylan, déjà tétanisé. Sous le coup de la frayeur, il fit un tel bond, comme s'il avait reçu une décharge électrique, que la chaise décolla du sol.

— Ils seront là dans une demi-heure, peut-être moins, déclara Doc. Je vais m'enfuir, mais je ne me fais aucune illusion. Ces salauds m'auront, tôt ou tard. Et s'ils trouvent ne serait-ce qu'une seule seringue vide, ils vont boucler tout le secteur et tester tout le monde, un par un, jusqu'à ce qu'ils trouvent qui a le machin. Et ce sera vous. Le porteur.

Il se baissa et approcha son visage de Dylan. Son haleine sentait la bière et les cacahuètes.

— Je vous conseille de prendre très au sérieux ce que je vous dis. Si vous vous retrouvez en zone de quarantaine, ils vont vous coincer, c'est sûr, et ils vous tueront. Un petit gars intelligent comme vous devrait trouver le moyen de se détacher avec ce couteau ; d'ici dix minutes vous serez libre, ce qui vous laisse une chance de leur échapper et à moi d'avoir une longueur d'avance sur vous.

Des débris de cacahuètes étaient incrustés entre ses

dents, mais les preuves de sa folie étaient moins faciles à discerner que les reliefs de son dernier repas. Dans ses yeux d'un bleu délavé ne brillait qu'une lueur de regret.

Il se redressa, contempla le couteau planté dans l'accoudoir, et poussa un soupir.

— Ce ne sont pas réellement de mauvaises personnes. À leur place, je vous tuerais aussi. Il n'y a qu'un méchant dans cette affaire, et le méchant, c'est moi. Je sais regarder la vérité en face.

Il recula, sortit de son champ de vision. À en juger par les sons qui se faisaient entendre derrière Dylan, Doc rassemblait son matériel de savant fou, enfilait sa veste, et s'apprêtait à partir.

Voilà comment tout bascule. Je roule tranquillement en voiture pour me rendre à une exposition d'art à Santa Fe (parce que j'y ai vendu quelques tableaux l'année passée), je m'arrête dans un motel respectable, m'achète un repas dont l'excès de calories, aussi efficacement qu'une overdose de Nembutal, doit me garantir un sommeil de plomb pour la nuit, parce que tout ce que je désire, c'est passer une soirée tranquille, à m'abrutir devant la télé en compagnie d'un frère maître ès puzzle, et de dormir tout mon saoul en espérant ne pas être trop dérangé par la fermentation du cheeseburger dans mes entrailles, quand, soudain, ce beau programme vole en éclats... Et je me retrouve attaché à une chaise, bâillonné, avec dans les veines Dieu sait quelle horrible maladie, et à mes basques une armée de tueurs... Et mes amis me reprochent d'avoir une vie trop rangée !

Derrière Dylan, le docteur fou déclara, comme s'il avait également des dons de télépathe :

— Il ne s'agit pas d'une maladie. Pas au sens où vous l'entendez. Ce n'est ni une bactérie, ni un virus. Ce que je vous ai inoculé ne peut être transmis à une autre personne. Si je n'étais pas si lâche, vous pouvez être sûr que c'est à moi que je me serais fait cette piqûre.

Cette belle déclaration ne rassura en rien Dylan.

— Car, oui, la lâcheté est un autre de mes défauts. Je

suis un génie, certes, mais je ne saurais être un modèle pour personne.

Cette auto-flagellation systématique devenait lassante à la longue.

— Comme je vous l'ai dit, ce machin provoque des effets différents suivant les sujets... Si cela n'oblitère pas votre personnalité, ou interrompt tout processus cognitif, ou réduit votre Q.I. de soixante points, il y a une chance pour que votre existence s'en trouve grandement améliorée.

Tout bien réfléchi, ce type n'avait pas un petit côté Frankenstein, c'était Satan en personne !

— Si votre existence s'en trouve améliorée, alors ce sera une certaine compensation du mal que je vous aurais fait. Le diable me garde une place au chaud dans son lit, c'est certain, mais un succès atténuerait quelque peu les crimes que j'ai commis.

La chaînette cliqueta à la porte, le pêne du verrou se retira de son logement...

— Toute ma vie est entre vos mains. Mon œuvre est vôtre, à présent. Alors tâchez de rester vivant le plus longtemps possible.

La porte s'ouvrit puis se referma.

Avec moins de brutalité qu'à son arrivée, le fou s'en alla.

Au bureau, Shep ne faisait plus des saluts dans le vide. Il travaillait à son puzzle des deux mains. Comme un aveugle devant un livre en braille, il semblait « lire » chaque pièce de l'extrémité de ses doigts, ne jetant que des coups d'œil furtifs au motif, parfois même sans s'y reporter du tout, et avec une célérité étonnante, soit il plaçait la pièce, soit il la rejetait sur le tas.

Mu par le fol espoir que l'imminence du danger allait engendrer un lien psychique entre son frère et lui, Dylan appela Shepherd. Le bâillon étouffa l'appel, laissant filtrer un borborygme liquide qui ne ressemblait à rien. Mais il recommença à cinq reprises – espérant que la répétition finirait par attirer l'attention du garçon.

Quand Shep était d'humeur communicative – un événement dont la fréquence était moindre que celle du lever du soleil, mais néanmoins supérieure à celle du passage de la comète de Halley dans nos cieux – il pouvait se montrer très loquace... un véritable déluge de paroles qui vous laissait hagard et pantelant. Mais le plus souvent, Shep passait une journée entière sans remarquer la présence de Dylan. Comme aujourd'hui. En ce moment même. Emporté par sa passion des puzzles, il ne se trouvait plus dans une chambre de motel, mais à l'ombre du temple japonais, déjà à moitié construit sur son bureau, bercé par les senteurs des cerisiers en fleur, sous un ciel bleu lavande ; Dylan ne se trouvait qu'à trois mètres de Shep, mais c'était déjà trop loin pour que le garçon puisse entendre les appels de son grand frère et distinguer son visage rouge de frustration, les tendons de sa nuque crispés de rage, ses tempes battant de fureur, son regard implorant.

Ils étaient ensemble dans la même pièce mais chacun seul dans sa bulle.

Le canif attendait, la pointe enfoncée dans le bois, dressé d'un air de défi comme Excalibur dans son rocher. Malheureusement, le roi Arthur ne risquait pas de traverser l'Arizona pour porter secours à Dylan.

Le *machin* mystérieux coulait dans son corps... à tout moment, il pouvait perdre soixante points de Q.I. ou se retrouver nez à nez avec des tueurs masqués.

Le réveil était électronique et, par conséquent, totalement silencieux, mais Dylan entendait son tic-tac. Un mécanisme aberrant, à en juger par le son, qui égrenait à une vitesse folle chaque seconde de son temps si précieux.

Shep aussi était passé à la vitesse supérieure ; il reconstituait son puzzle en ambidextre, observant deux pièces à la fois. Ses mains voletaient, autonomes, au-dessus du tas, choisissant une portion de ciel, un rameau en fleur, un pan de toit du temple, plaçaient ici ou là une pièce et repartaient aussitôt chercher de nouveaux trésors dans la boîte – ses mains étaient deux moineaux construisant leur nid en un va-et-vient frénétique.

— Doudi-doudou-dida, prononça Shep.

Dylan poussa un grognement.

— Doudi-doudou-dida.

Par expérience, Dylan savait que Shep allait répéter ces mots une centaine de fois, voire un millier, pendant au moins une demi-heure, peut-être même jusqu'à l'aube, avant de s'écrouler de sommeil.

— Doudi-doudou-dida.

En des temps plus paisibles – c'est-à-dire avant que le destin place ce maniaque à la seringue sur son chemin – Dylan avait enduré ces crises verbales en s'amusant à trouver des rimes à chacune des phrases que répétait son frère de façon obsessionnelle.

— Doudi-doudou-dida.

J'aime beaucoup la pizza.

— Doudi-doudou-dida.

Et pas qu'une seule à la fois.

— Doudi-doudou-dida.

Je les commande par trois !

Ainsi attaché à une chaise, le *machin* dans son sang, des assassins aux trousses... ce n'était vraiment pas le moment de faire des rimes. Il fallait réfléchir, trouver une idée lumineuse, un plan d'action. Il fallait récupérer ce canif, d'une façon ou d'une autre, et réaliser un miracle – se libérer !

— Doudi-doudou-dida.

Avec un double coca.

4.

Fred, à sa façon discrète et inimitable, remercia Jillian pour la dose de nutriments qu'elle répandit sur sa terre et pour les deux décilitres d'eau venus humidifier ses racines assoiffées.

Bien à l'aise dans son joli pot, le petit gars étirait ses branches sous la lampe du bureau. Sa présence vert d'eau apportait une touche de grâce et de sérénité dans le décorum criard de la chambre. Visiblement, le décorateur de la chaîne du motel, adepte des couleurs agressives, tenait à faire savoir son aversion viscérale à l'égard des tons harmonieux de Dame nature. Demain matin, elle installerait Fred dans la salle de bains pendant qu'elle prendrait sa douche. Fred adorait la vapeur.

— Je pense me servir davantage de toi dans le numéro, lui annonça Jilly. J'ai concocté quelques trucs que nous pourrions faire ensemble.

D'ordinaire, elle apportait Fred sur scène pour les huit dernières minutes de son spectacle ; elle l'installait sur un grand tabouret, et le présentait : « Voici mon dernier chéri. Le seul qui ne me fera jamais honte en public et qui ne critiquera jamais mon postérieur ! » Perché sur un tabouret à côté de Fred, Jillian parlait de l'amour d'aujourd'hui et Fred jouait le rôle de l'homme parfait. Il avait un talent d'écoute hors pair et se montrait imperturbable en toutes circonstances ; le public l'adorait.

— Ne t'inquiète pas, précisa Jilly. Je ne t'affublerai pas de cache-pots ridicules ; rien qui ne portera atteinte à ta dignité. Promis juré !

Aucune plante grasse, que ce fût un cactus ou même un orpin, n'aurait pu se montrer aussi sereine et impassible que Fred.

Maintenant que son compagnon avait été nourri et arrosé, Jilly prit son sac à main, un seau à glace vide et quitta la chambre ; direction la machine à glaçons et le distributeur de boissons. Ces derniers temps, elle s'était découvert une passion pour la racinette [1]. Bien qu'elle préférât les sodas light, elle en buvait régulièrement deux bouteilles en une soirée, parfois trois. Si elle ne trouvait que la variété saturée de sucre, le matin elle ne mangeait qu'une biscotte pour compenser l'excès glucidique de la veille.

Les gros postérieurs étaient une malédiction chez les femmes de la famille. Sa mère, ses tantes, ses cousines, toutes avaient de jolies fesses bien fermes durant leur jeunesse, parfois même passé leurs trente ans, mais toutes, un jour ou l'autre, se retrouvaient avec deux citrouilles dans leur fond de culotte. Elles grossissaient rarement des cuisses ou de l'estomac, juste autour du petit, moyen et grand fessier, une disgrâce baptisée par sa mère avec facétie : le *muchomega*. Cet héritage génétique ne provenait pas du côté Jackson de la famille, mais de la lignée Armstrong, la branche maternelle, tout comme la calvitie (pour les hommes) et un solide sens de l'humour (pour les deux sexes).

Seule la tante Gloria, aujourd'hui âgée de quarante-huit ans, avait échappé au mal des Armstrong. Parfois, Gloria prétendait que la normalité de son postérieur était un effet des neuvaines qu'elle consacrait à la sainte Vierge trois fois l'an depuis ses neuf printemps, lorsqu'elle avait

---

1. Ou *root-beer*, boisson gazeuse aux extraits végétaux, originaire de Louisiane, non alcoolisée. Ne pas confondre avec le *rootbeer*, cocktail (1/4 de vodka, 1/4 de Galliano, 1/4 de Coca, 1/4 de bière) *(N.d.T.)*.

pris conscience de l'existence de la tare familiale ; parfois encore, elle affirmait que c'était grâce à ses phases boulimiques qu'elle pouvait encore à son âge descendre de vélo sans faire appel à un proctologue pour la dégager de la selle.

Jilly, aussi, était croyante, mais elle n'avait jamais fait une neuvaine dans l'espoir de demander à la Vierge d'être épargnée par le *muchomega* – non parce qu'elle doutait de l'efficacité de ces démarches, mais parce qu'elle se sentait incapable de parler de son postérieur dans un entretien spirituel avec la Vierge Marie.

Elle avait pratiqué la boulimie pendant deux jours de misère, à l'âge de treize ans, avant de décider que vomir tous les jours était plus douloureux encore que de passer les deux tiers de son existence dans des pantalons extensibles, à redouter les passages de porte trop étroits. Aujourd'hui, elle fondait tous ses espoirs dans les biscottes au petit déjeuner et les progrès de la chirurgie esthétique.

Les distributeurs se trouvaient dans l'alcôve au bout de l'allée couverte qui desservait sa chambre, à moins de quinze mètres de sa porte. La faible brise, soufflant du désert, était trop chaude pour rafraîchir la nuit, et si sèche qu'elle s'attendait à sentir ses lèvres se craqueler comme la terre d'un champ du Sahel ; le courant d'air bruissait tel un serpent s'infiltrant dans l'allée, cherchant lui aussi quelque chose pour humidifier sa langue fourchue.

En chemin, Jilly croisa un drôle de bonhomme qui, apparemment, revenait de l'oasis mécanique ; il avait acheté une boîte de Coca et trois sachets de cacahuètes. Ses yeux étaient du même bleu délavé que le ciel mojave en août quand la lumière trop étincelante blanchit toutes les couleurs. Mais il n'était pas natif de la région... son visage rond était cramoisi, usé davantage par l'excès de graisse et les années que par le soleil impitoyable du désert.

Sans la regarder, avec aux lèvres un sourire vague, comme s'il était perdu dans des pensées plaisantes, l'homme lui lança :

— Si je dois mourir dans l'heure qui suit, je veux quitter ce monde avec sur la langue le goût des cacahuètes. C'est mon péché mignon.

Une déclaration pour le moins surprenante. Jilly était une jeune femme suffisamment avertie pour savoir qu'aux États-Unis on ne répondait pas à un inconnu qui, sans crier gare, vous confiait ses réflexions intimes sur la mort et vous donnait le menu de son dernier repas chez les vivants. Peut-être aviez-vous affaire à une âme éreintée par le stress de la vie moderne ? Mais il était plus vraisemblable qu'il s'agissait d'un psychopathe toxicomane qui rêvait de se tailler une pipe à crack dans votre fémur et de prendre votre peau pour en faire un étui pour sa hache-à-décapiter-ses-victimes. Et pourtant, peut-être parce que le gars paraissait inoffensif, ou parce que ces jours de monologues avec une plante commençaient à lui peser, Jilly répliqua :

— Pour moi, c'est la racinette. Quand mon heure viendra, je veux traverser le Styx la racinette à la main !

Sans répondre, l'inconnu poursuivit son chemin, d'un pas curieusement léger pour un homme de sa corpulence, comme s'il faisait du patin à glace, sans se départir de son sourire étrange.

Jillian le regarda s'éloigner. Encore une âme égarée qui avait trop longtemps erré, solitaire, dans le désert ; sans doute un représentant de commerce qui avait perdu la raison dans l'immensité du territoire qu'on lui avait attribué – des heures de route entre chaque client, sur un ruban d'asphalte chauffé à blanc et sans fin.

Elle savait ce que pouvait ressentir ce pauvre gars. Dans son numéro comique, elle se présentait comme une fille de l'Arizona, une « bouffeuse de sable » comme on disait dans le coin, qui avalait un bol de piments au petit déjeuner, passait ses soirées dans des bars country avec des Tex et des Dusty, une jolie nana bronzée de la tête aux pieds, mais qui pouvait attraper un serpent à sonnettes à mains nues si celui-ci avait le malheur de la regarder de travers, et lui arracher la tête d'un coup de dents. Jilly avait des contrats dans des cabarets un peu partout dans le pays, mais elle passait une bonne part de son temps au Texas, au Nouveau-Mexique, en Arizona et au Nevada, histoire de ne pas perdre le contact avec la culture qui l'avait façonnée, et de peaufiner son numéro devant un public en santiags qui poussait des hourras au moindre trait d'humour bien senti mais qui l'aurait éjectée de la scène *illico presto* si elle s'était avisée de confondre ketchup et sauce BBQ ou si elle avait commencé à se prendre pour une star. Faire la route pour se produire dans ces clubs faisait d'elle une « bouffeuse de sable » à part entière... toutefois, même si elle aimait ces terres arides, et les panoramas à couper le souffle, elle savait que le désert pouvait vous griller les neurones et vous laisser vide et béat comme une citrouille d'Halloween, au point de parler de la mort et de cacahuètes à un ami imaginaire.

Dans l'alcôve, les distributeurs proposaient trois marques de cola, deux de soda citron, et une de jus d'orange – tous light... mais en ce qui concernait la racinette, le choix se limitait entre l'abstinence et le concentré de sucre à faire enfler le postérieur d'une anorexique. Elle introduisit ses pièces dans la fente, avec l'air grave et fataliste d'une grand-mère, devant une machine à sous, touchée par le vice du jeu. Trois boîtes tintinnabulèrent dans le réceptacle. Elle marmonna un Ave Maria, non pour demander que le ciel l'aide à éliminer les glucides, mais pour garder sa place au chaud au Paradis.

Avec ses trois boîtes de racinette dans les bras, et son seau débordant de glaçons, elle repartit vers sa chambre. Elle avait laissé la porte entrouverte, sachant qu'elle aurait les mains pleines à son retour.

Sitôt qu'elle aurait ouvert une canette, elle appellerait sa mère à Los Angeles. Elles avaient toujours une foule de choses à se dire ces deux-là... soit pour évoquer la malédiction familiale du *muchomega*, soit pour parler d'un nouveau sketch, du dernier mort par balle dans le quartier, ou encore pour s'enquérir si la bouture prélevée sur Fred continuait de prospérer au domicile maternel et si Fred Bis était aussi mignon que Fred Premier...

En poussant le battant d'un coup d'épaule, la première chose qu'elle vit ce fut Fred, bien sûr, dans sa bulle de sérénité zen au milieu du chaos multicolore de la chambre. Et puis, sur le bureau, à l'ombre de Fred, elle aperçut la boîte de Coca, constellée de perles de condensation, et les trois sachets de cacahuètes.

L'instant suivant, elle vit la sacoche noire, ouverte sur le lit. Celle qu'avait à la main un peu plus tôt le représentant au sourire vague. Sans doute, ses échantillons de démonstration...

Les amazones du désert croqueuses de crotales étaient prêtes, mentalement et physiquement, à gérer les cow-boys en mal d'amour, ceux débordant de bière comme ceux anormalement sobres. Jilly pouvait repousser les assauts du Casanova des ranches le plus insistant, avec autant de rapidité et d'adresse qu'elle exécutait un pas de country, et Dieu savait qu'elle en avait gagné des concours de danse – sa vitrine croulait sous les trophées !

Mais cette fois, bien qu'elle comprît le danger en à peine deux secondes, elle ne fut pas assez rapide pour éviter l'attaque du VRP. Il jaillit derrière elle, refermant un bras autour de son cou, plaquant sur son nez et sa bouche un tampon de chloroforme, ou peut-être de protoxyde d'azote. N'étant pas une spécialiste des anesthésiants, elle ne put en déterminer la variété et le millésime.

Ne respire pas ! se dit-elle en se préparant à lui écraser le pied et à lui donner un grand coup de coude sous le sternum, mais son hoquet de surprise, au moment où le tampon avait jailli devant ses yeux, suffit à la priver de ses forces. Lorsqu'elle tenta de lever la jambe, son pied pendait comme un morceau de guimauve, et elle ne pouvait plus se souvenir où était son coude. Alors, au lieu de bloquer sa respiration, elle avala une grande goulée d'air dans l'espoir de s'éclaircir l'esprit... cette fois, ses poumons s'emplirent tout entiers de la substance des ténèbres ; et elle sombra dans un lac noir et sans fond...

5.

— Doudi-doudou-douda.
C'est le nom de mon chihuahua.
— Doudi-doudou-dida.
Qui savait faire ouah-ouah.

Ce petit jeu, d'ordinaire, permettait à Dylan O'Conner de ne pas devenir fou à force d'entendre cette litanie hexa-syllabique. Mais aujourd'hui il lui fallait à tout prix faire abstraction de cette psalmodie s'il voulait parvenir à se délivrer. Sinon, les assassins allaient le trouver encore scotché sur sa chaise, une boule de chiffon dans la bouche ; ils pourraient alors à loisir tester son sang et débiter son corps en morceaux pour la plus grande délectation des vautours du désert.

Les mains de Shep continuaient de voleter au-dessus du temple japonais, et leurs ailes faisaient *doudi-doudou-dida...*

Dylan tenta de se concentrer sur sa situation et le problème qui lui était posé.

La taille du tissu dans sa bouche – une boule de chiffon qui lui distendait douloureusement les joues – l'empê-chait de serrer les mâchoires... toutefois, en faisant jouer ses muscles faciaux, il parvint à tirer sur le ruban adhésif, qui commença à se distendre comme une bandelette de momie.

Il passa la langue derrière la boule de chiffon et

poussa de toutes ses forces pour la faire sortir de sa bouche. La pression du corps étranger acheva de décoller un coin du ruban adhésif, lui arrachant, au passage, quelques poils.

Telle une créature mi-homme, mi-mite d'un film de série Z, régurgitant son repas, Dylan cracha le tissu détrempé, qui dégoulina sur son menton puis le long de son torse. Il observa la déjection luisante de salive : c'était l'une de ses grandes chaussettes blanches de sport. Apparemment, Doc avait fouillé dans ses affaires. Dieu merci, elle était propre !

Deux morceaux d'adhésif s'accrochaient aux coins des lèvres comme des moustaches de chat. Il tordit la bouche, secoua la tête, mais rien n'y fit, les moustaches restèrent en place.

Au moins, il pouvait appeler à l'aide, mais Dylan préféra garder le silence. Si quelqu'un venait le délivrer, il y aurait forcément des questions, des citoyens scrupuleux pour appeler la police. Dylan n'aurait jamais le temps de charger ses sacs et Shep dans la voiture et de prendre la fuite. Si des tueurs étaient réellement en route, toute perte de temps risquait de lui être fatale.

Fiché dans le bois, scintillant comme un phare, le canif attendait de remplir son office.

Dylan se pencha et attrapa le manche de caoutchouc entre ses dents. Bien serrer, faire bouger la lame d'avant en arrière, élargir l'entaille, jusqu'à ce que la pointe se libère de l'accoudoir.

— Doudi-doudou-dida.

Dylan se redressa sur sa chaise, le canif entre les mâchoires, louchant sur la pointe d'acier où s'accrochait une écharde de lumière. Il était armé, à présent ! mais ne se sentait guère plus puissant.

Il n'osait pas lâcher le canif. S'il tombait par terre, Shepherd ne le ramasserait pas pour lui. Pour le récupérer, il lui faudrait faire basculer sa chaise et chuter au sol, au risque de se blesser. Les dommages physiques figuraient toujours en bonne place sur sa liste personnelle des

dangers à éviter. Même s'il atterrissait sans mal, rien ne
garantissait qu'il pourrait encore attraper le manche avec
ses dents, en particulier si le canif glissait sous le lit.

Dylan ferma les yeux, tentant de faire le tour des pos-
sibilités qui s'offraient à lui.

— Doudi-doudou-dida.

En tant qu'artiste, on pouvait le croire enclin à verser
dans le pessimisme. Mais il n'était pas de cette race d'artistes qui se lamentaient sur la condition humaine et le
fait que l'homme était un loup pour l'homme. À l'échelle
de l'individu, la condition humaine était une notion très
fluctuante, qui changeait tous les jours, voir toutes les
heures... à trop s'apitoyer sur son sort, on manquait l'occasion d'aider son prochain. Pour chaque acte de cruauté,
des centaines de bonnes actions étaient accomplies ; si
vous êtes du genre à broyer du noir, songez donc à l'extraordinaire bonne volonté dont font montre la plupart
des gens pour autrui, en dépit d'une société où les élites
se moquent des valeurs morales et écrivent des odes à la
violence.

En la circonstance, le choix de Dylan était si limité
qu'il arrêta rapidement un plan d'action. Il se pencha de
nouveau, et approcha le côté tranchant de la lame des
spires d'adhésif enserrant son poignet gauche. Un peu
comme une oie dodelinant de la tête – ou plutôt comme
Shep imitant une oie (ce qu'il faisait parfois pendant des
heures) – Dylan se mit à couper le ruban. Les bandes
commencèrent à se déchirer ; sitôt sa main gauche libre,
il prit le couteau et acheva de trancher ses liens ; l'accroc
au puzzle, qui plaçait ses pièces avec une célérité qu'aucune amphétamine connue n'aurait pu générer, changea
soudain de refrain et passa à « Doudou-dada-didi ».

— Poil à la vessie.

— Doudou-dada-didi.

— J'ai envie de faire pipi !

6.

Allongée sur le lit, Jilly ouvrit les yeux et vit, dans un flou artistique, le représentant de commerce et son double se pencher au-dessus d'elle.

Elle aurait dû être terrorisée, mais, curieusement, il n'y avait aucune peur en elle. Au contraire, elle se sentait si détendue qu'elle en bâilla.

Si le premier frère était le méchant – et nul doute qu'il l'était – alors l'autre devait être le gentil... elle avait donc son champion pour la défendre. Dans les films, dans les livres aussi, la gémellité était souvent traitée ainsi : un bon pour un méchant.

Elle n'avait jamais rencontré de jumeaux dans sa vie. Heureusement, car elle n'aurait su auquel des deux faire confiance. Sans ce discernement élémentaire, les héroïnes se retrouvaient tabassées à mort dès l'Acte 2 ou le chapitre 12... en tout cas, elles passaient toutes à la casserole avant la fin de l'histoire.

Ces deux gars paraissaient pourtant aussi inoffensifs l'un que l'autre... mais l'un des deux desserrait un garrot sur son biceps, tandis que le frangin lui faisait une piqûre. Aucune de ces actions ne portait réellement la marque du mal, mais toutes les deux étaient inquiétantes.

— Lequel de vous deux va me tabasser ? demanda-t-elle, toute surprise d'entendre sa voix traînante, comme si elle avait bu.

Comme un seul homme, les deux jumeaux la regardèrent avec une expression de surprise.

— Je vous préviens, poursuivit-elle. Je suis championne de karaoké.

Les deux frères avaient dans la main droite une seringue hypodermique et, dans la gauche, au même moment, un mouchoir de coton blanc, qu'ils sortaient d'une poche. Quelle chorégraphie ! On eût dit de la danse synchronisée !

— Pas le karaoké, rectifia-t-elle. Le karaté.

C'était un mensonge, mais cela pouvait avoir des accents de vérité, malgré sa drôle de voix.

Les jumeaux, dans un unisson exemplaire, répondirent, syllabes pour syllabes :

— Je veux que vous vous reposiez encore, jeune demoiselle. Dormez. Dormez.

Les deux frères, tels des prestidigitateurs, agitèrent dans les airs leurs mouchoirs blancs et les déposèrent sur le visage de Jillian avec une telle dextérité que la jeune femme s'attendit à voir s'en échapper des colombes. Mais ce furent les effluves de l'oubli qui sortirent des fibres humides... au lieu de colombes immaculées, des corbeaux noirs déployèrent leurs ailes et jetèrent un voile de ténèbres devant ses yeux.

Elle eut l'impression de rouvrir les yeux dans l'instant, mais plusieurs minutes s'étaient écoulées durant ce battement de paupières improbable. L'aiguille avait été retirée de son bras. Les jumeaux n'étaient plus dans son champ de vision.

Il y avait un seul homme dans la chambre et Jilly prit conscience que le double n'avait jamais existé. L'inconnu se tenait au pied du lit, rangeant la seringue dans sa sacoche de cuir. Ce n'était pas un représentant de commerce, mais plutôt une sorte de médecin...

L'homme marmonnait des choses, parlait de l'œuvre de sa vie, mais tout était si décousu... peut-être était-ce un psychopathe en plein délire, ou bien la drogue, qui brûlait encore les narines de Jilly, l'empêchait de comprendre ce qu'il disait.

Quand elle voulut se lever, elle fut prise de vertige et sa tête retomba lourdement sur l'oreiller. Elle s'agrippa au matelas des deux mains, telle une naufragée dans la tourmente, s'accrochant aux planches de son radeau.

Au moins cette sensation de tournis fit naître enfin la peur tant attendue, qui était restée jusqu'alors au tréfonds de son esprit. Sa respiration se fit plus forte, plus rapide, les battements de son cœur s'accélérèrent, faisant naître des courants de terreur dans ses veines, et la peur se mua en panique...

Avoir le pouvoir sur ses congénères ne comptait pas parmi ses fantasmes, mais elle voulait rester maîtresse de son destin. Elle pouvait commettre des erreurs – et même beaucoup – mais si elle devait gâcher sa vie, elle tenait à le faire toute seule ! Et aujourd'hui, on l'avait privée de son libre arbitre, on l'avait agressée, physiquement, puis chimiquement, pour des raisons qui lui restaient inconnues, malgré le soliloque repentant de son assaillant.

Alors la peur se mua en colère. Malgré la menace du karaoké-karaté et son physique d'Amazone du désert, Jilly n'était pas d'une nature belliqueuse. L'humour et le charme avaient toujours été ses armes de prédilection. Mais il y avait devant elle ce large postérieur qu'elle brûlait d'envie de botter... Lorsque le représentant-médecin-fou lui tourna le dos pour aller récupérer son Coca et ses cacahuètes sur le bureau, Jilly, portée par une juste fureur, tenta à nouveau de se lever.

Encore une fois, son radeau se mit à tanguer sous la houle multicolore de la chambre. Un nouveau vertige, pire encore que le premier, la cloua sur le matelas, dans un vortex nauséeux, et au lieu de l'assaut tant espéré, elle bredouilla :

— Je vais vomir.

L'inconnu avait son Coca et ses cacahuètes dans une main, dans l'autre sa sacoche...

— Tâchez de vous retenir. L'effet de l'anesthésie va durer encore un moment. Vous pouvez de nouveau perdre conscience et, si vous vomissez dans votre sommeil, vous risquez de mourir étouffée, comme Janis Joplin ou Jimi Hendrix.

Magnifique ! Elle était juste partie acheter de la racinette. Une action innocente. Rien d'héroïque ou de dangereux. Certes, elle savait qu'il lui faudrait compenser l'apport calorique par un petit déjeuner aux biscottes, mais de là à se retrouver dans les vapes avec le risque de mourir étouffée dans son propre vomi... Si elle avait su, elle serait restée dans sa chambre à boire de l'eau du robinet ; après tout, si c'était bon pour Fred, c'était bon pour elle.

— Restez tranquille, lui dit l'anesthésiste-fou, avec dans sa voix non pas de l'autorité mais de la sollicitude. Évitez de bouger... les nausées et les vertiges vont passer d'ici quelques minutes. Je ne tiens pas à ce que vous mourriez dans votre vomi, ce serait trop bête, mais je ne peux rester auprès de vous, à jouer les gardes-malades. Rappelez-vous : s'ils m'attrapent et découvrent ce que j'ai fait, ils vont chercher tous ceux à qui j'ai inoculé mon machin et ils vous tueront, vous comme les autres.

Me rappeler quoi ? Comment ça « me tuer » ? Qui ça « ils » ?

Elle n'avait aucun souvenir de ces avertissements... il avait dû les lui donner quand elle avait le cerveau embrumé – une brume qui avait eu la densité de la poix.

Il se retourna sur le seuil.

— La police ne pourra pas vous protéger de ces gens. Vous ne pouvez compter que sur vous.

Sur son lit-radeau, dansant au milieu d'une mer de couleurs, Jilly ne pouvait s'empêcher de penser à son sandwich au poulet, imbibé de mayonnaise, et aux frites grasses qui l'accompagnaient. Elle s'efforça de se concentrer sur son assaillant, brûlant, à défaut de lui botter les fesses, de lui lancer une salve d'injures, mais même cette petite consolation lui fut refusée tant elle avait mal au cœur.

— Votre seul espoir, poursuivit-il, c'est de fuir la zone de recherche pour qu'ils ne puissent pas vous faire de test, sanguin.

Le sandwich au poulet s'agitait dans son ventre, comme si le volatile revenait à la vie et tentait de reconstituer sa carcasse déchiquetée.

Jilly parvint enfin à parler, et elle fulmina de rage en s'entendant prononcer une insulte aussi pauvrette même sans la contrepèterie involontaire :

— Eskèce d'enpulé !

Dans les cabarets, Jillian avait souvent maille à partir avec des chahuteurs braillards qui trouvaient irrésistible de lui lancer des insanités pendant son numéro et elle n'avait pas son pareil alors pour les affubler de noms d'oiseaux qui clouaient le bec de ces importuns aussi efficacement qu'un enchaînement de directs de Mohammed Ali en plein âge d'or, en déclenchant, qui plus est, une belle hilarité dans la salle. Mais, dans sa confusion post-anesthésique, sa verve était aussi molle et sinistre que la mayonnaise dans son ventre – et, pour l'heure, la substance la moins drôle de l'univers connu.

— Une fille jolie comme vous ne devrait pas avoir trop de mal à trouver une âme charitable.

— Cale son ! lâcha-t-elle, honteuse encore de voir sa machine à insultes complètement enrayée.

— Dans les prochains jours, il vaut mieux que vous ne parliez pas de ce qui s'est passé ici...

— Fale pon, tenta-t-elle de rectifier, sans succès encore.

— ... baissez la tête, ne vous faites pas remarquer...

— Sale con...

Youpi ! elle l'avait dit correctement, mais cela restait aussi nul...

— ... et ne dites à personne ce qui vous est arrivé, parce que dans l'instant, ils vont tous vous tomber dessus.

Elle parvint encore à lancer « tête de bœud », un sobriquet qui, malgré une certaine verdeur (qu'il fût correctement prononcé ou non), ne faisait pas partie de son artillerie courante.

— Je vous souhaite bonne chance, déclara-t-il avant de disparaître avec son Coca, ses cacahuètes et son sourire ineffable.

7.

Après s'être libéré de ses entraves et rué aux toilettes pour soulager sa vessie – doudou-dada-didi – Dylan découvrit, en revenant dans la chambre, que Shep avait quitté le bureau et tournait le dos à son temple shinto inachevé. D'ordinaire, lorsque le garçon se lançait dans un puzzle, rien – que ce soit les cajoleries, les bonbons, ou la force – ne pouvait lui faire quitter son activité jusqu'à la pose de la pièce finale. Et pourtant, son petit frère se tenait debout, près du lit, regardant fixement l'air comme s'il y observait les évolutions d'un ectoplasme invisible. Il marmonna alors quelque chose, non à l'intention de Dylan, ni même à la sienne, mais à l'adresse du fantôme devant lui :

— *Au clair de lune.*

Durant ses heures de veille, il émanait de Shep un parfum d'étrangeté tangible et continuel. Dylan s'était habitué à vivre dans la bulle mystérieuse de son petit frère. Il était le tuteur légal de Shep depuis dix ans, depuis la mort de leur mère ; Shep avait alors dix ans, Dylan presque dix-neuf. Après tout ce temps, rien de ce que pouvait dire ou faire Shep ne surprenait plus Dylan. Dans sa jeunesse, il lui arrivait de trouver le comportement du gamin inquiétant, et pas seulement bizarre. Mais jamais, en toutes ces années, son frère ne lui avait fait dresser les poils de la nuque de terreur – jusqu'à cet instant...

— *Au clair de lune.*

Shep avait sa fixité habituelle, mais il y avait chez lui une rudesse nouvelle. Son front, d'ordinaire lisse comme celui d'un Bouddha, était froncé et donnait à son visage une férocité inattendue. Il semblait se renfrogner devant une chose qu'il était seul à voir, se mordillait la lèvre inférieure, l'air en colère et inquiet. Ses mains étaient serrées en poings sur ses hanches, comme s'il s'apprêtait à cogner, alors que, de toute sa vie, Shep n'avait jamais levé la main sur qui que ce soit.

— Shep, qu'est-ce qui ne va pas ?

À en croire le médecin fou à la grosse seringue, ils devaient partir d'ici au plus vite. Mais pour s'en aller rapidement, Dylan avait besoin de la coopération active de Shep. Le gamin semblait au bord d'un tourbillon émotionnel, prêt à sauter dans le bouillon... si Dylan ne parvenait pas à l'apaiser, la situation risquait de se compliquer. Shep n'était pas aussi grand que Dylan, mais il mesurait quand même son mètre soixante-quinze et pesait ses quatre-vingts kilos ; il ne pouvait le soulever par la ceinture de son pantalon et l'emporter dans la voiture comme une vulgaire valise. Si le gamin ne voulait pas quitter les lieux, il allait s'accrocher à un pied de lit, ou se retenir comme un grappin au chambranle de la porte.

— Shep ? Hé, Shep, tu m'entends ?

Le gamin n'avait pas plus conscience de la présence de Dylan que lorsqu'il faisait son puzzle. Les interactions avec les autres êtres humains étaient rares avec Shep, encore plus rares qu'avec un anachorète de l'Himalaya. Parfois, il y avait contact, fugace et intense comme un éclair. Mais la majeure partie du temps, Shep vivait dans son monde, un monde si lointain qu'il devait appartenir à un autre système solaire, à des années lumière de notre Terre.

Shep quitta des yeux la chose invisible et baissa la tête pour regarder un motif de la moquette ; ses yeux s'écarquillèrent, sa bouche s'ouvrit, comme s'il allait pleurer. L'émotion gagna tout son visage, telle une vague irrépressible, transformant sa colère en un masque de Pierrot triste et désespéré. La fureur s'échappa comme du sable de ses poings serrés ; il ouvrit lentement les doigts, contemplant ses paumes vides.

Lorsque Dylan vit les larmes, il vint vers le garçon, lui tapota doucement l'épaule et murmura :

— Regarde-moi, petit frère. Dis-moi ce qui ne va pas. Regarde-moi, sois avec moi, Shep. Avec moi.

Parfois, sans incitation, Shepherd pouvait raconter des choses à Dylan ou à quelqu'un d'autre, d'une façon quasi normale, mais la plupart du temps, on devait le guider, l'encourager patiemment sur le chemin de la communication, et une fois le contact établi, il fallait maintenir la connexion d'arrache-pied.

Une conversation avec Shep naissait souvent d'un contact visuel, mais le gamin refusait souvent ce degré d'intimité. Il évitait de regarder les gens dans les yeux ; pas seulement à cause de ses problèmes mentaux, pas non plus par simple timidité... Quelquefois, Dylan avait l'impression que Shep s'était retiré dans son monde lorsqu'il avait découvert, dans sa tendre enfance, qu'en regardant les gens dans les yeux il pouvait lire dans leurs âmes et que ce qu'il y avait vu l'avait terrorisé.

— *Au clair de lune*, répéta Shep, mais cette fois la tête baissée.

Un murmure à peine audible, vibrant de chagrin, la voix vacillante.

Shep parlait rarement, mais quand cela se produisait, c'était toujours pour dire des choses sérieuses – même s'il s'agissait de déclarer des évidences telles que « le cheddar est un fromage ». Derrière ces assertions, il y avait toujours un sens caché, une raison... Dans ses phases les plus ésotériques, le message pouvait échapper à Dylan, à la fois parce qu'il manquait de patience et parce qu'il n'avait pas le code pour décrypter le langage du gamin. Cette fois, cette vibration, cette émotion dans la voix, laissait présager que ce qu'il avait à dire était d'une importance primordiale – du moins pour lui.

— Regarde-moi, Shep. Il faut que l'on parle, tous les deux. Tu veux bien, Shepherd ?

Shep secoua la tête – soit pour chasser ce qu'il voyait sur la moquette, ou ce qu'il avait vu dans l'air et qui l'avait fait pleurer, ou encore simplement en réponse à ce que lui disait son frère.

Dylan passa la main sous le menton du garçon et lui souleva doucement la tête.

— Qu'est-ce qui ne va pas ?

Peut-être Shep distinguait-il les circonvolutions délicates de l'âme de son frère, mais pour Dylan, les prunelles de Shep restaient deux hiéroglyphes indéchiffrables.

Les yeux de Shep séchèrent, s'éclaircirent.

— La lune, articula-t-il. L'astre de la nuit. L'œil du cyclope. La tomme de gruyère. La lanterne de saint Pierre, le vaisseau fantôme, le grand errant...

Un comportement courant chez Shep... peut-être une réelle obsession pour les synonymes, ou alors un subterfuge pour éviter une conversation sensée. Même après toutes ces années, cette réaction avait le don d'agacer Dylan. Mais aujourd'hui qu'un poison inconnu circulait dans ses veines et qu'une armée de tueurs chevauchait la brise du désert pour fondre sur lui, l'agacement virait à l'exaspération.

— ... le disque d'argent, la putain vérolée, la maîtresse de la mélancolie profonde.

La main toujours sous le menton de Shep pour conserver son attention, Dylan demanda :

— C'est quoi le dernier, Shakespeare ? Épargne-moi les classiques, Shep. Donne-moi du vrai, du consistant. Que se passe-t-il ? Dépêche-toi. Il faut que tu m'aides. Pourquoi la lune ? Qu'est-ce qu'elle a, la lune ? Pourquoi es-tu si bouleversé ? Que puis-je faire pour que tu te sentes mieux ?

Ayant épuisé synonymes et métaphores pour la lune, Shep passa au mot *lumière*, et se mit à énumérer une nouvelle liste avec une intensité troublante, comme si ces noms constituaient un rébus mystérieux :

— Lumière, éclat, rayonnement, rayon, brillance, faisceau, lueur, fille aînée de Dieu...

— Arrête, Shep, l'interrompit Dylan. Je ne te

demande pas de me parler comme tu parles à un mur, je veux que tu parles *avec* moi. *Avec moi !*

Shep ne chercha pas à détourner la tête ; il se contenta de fermer les yeux, mettant un terme au contact visuel. Tout espoir de communication était perdu.

— ... éclatant, resplendissant, aveuglant, scintillant, miroitant...

— Aide-moi, le supplia Dylan. Range ton puzzle.

— ... brillant, luisant, lustre...

Dylan s'aperçut que Shep était en chaussettes.

— Mets tes chaussures, s'il te plaît.

— ... incandescence, rémanence...

— Range ton puzzle, mets tes chaussures.

Parfois, la répétition – sans énervement – finissait par porter ses fruits :

— Puzzle, chaussures. Puzzle, chaussures.

— ... luminosité, luisance, fulgurance, flash, poursuivait Shep, ses yeux s'agitant derrière ses paupières closes, comme s'il était en train de rêver.

Une valise se trouvait au pied du lit, l'autre trônait, ouverte, sur la commode. Dylan ferma le couvercle, attrapa les deux valises et se dirigea vers la porte.

— Hé, Shep, Puzzle, chaussures. Puzzle, chaussures.

Toujours planté à la même place, Shep continua à psalmodier :

— ... étincelle, scintillement, papillotement...

Avant que sa frustration ne se transforme en fureur noire, Dylan ouvrit la porte et posa ses bagages sur le seuil. La nuit était toujours aussi chaude qu'un grille-pain et aussi sèche qu'un toast brûlé.

Une flaque de lumière éclaboussait de jaune le parking aux trois quarts désert, aussitôt avalée par le bitume comme la lumière d'une étoile par un trou noir. De grandes ombres aux arêtes tranchantes s'étiraient telles des lames de guillotine. Mais point de tueurs armés jusqu'aux dents...

Sa Ford Expedition blanche était garée à proximité. Sur la galerie, un coffre de toit contenant son matériel de peinture, et un assortiment de tableaux qu'il avait exposés au salon de Tucson (il en avait vendu cinq) et qu'il exposerait encore à Santa Fe et dans d'autres festivals d'art de la région.

Tout en ouvrant le hayon pour charger rapidement les valises dans le 4 × 4, il surveilla les alentours, de crainte d'être victime d'une nouvelle attaque... allez savoir, les médecins fous, avec des seringues débordantes de machin, se déplaçaient peut-être dans le secteur par bandes organisées, tels les coyotes dans le désert, les loups dans les forêts du grand Nord et les avocats là où il y avait des procès juteux à gagner ?

Lorsque Dylan retourna dans la chambre, Shep n'avait pas bougé d'un millimètre – debout en chaussettes, les yeux clos, énumérant sa litanie de termes analogiques.

— ... fluorescence, phosphorescence, biolumines-cence, thermoluminescence...

Dylan marcha vers le bureau, démantela les parties achevées du puzzle, prenant à pleines mains des pans entiers de temple japonais et de cerisiers en fleur pour les jeter dans la boîte. Il aurait préféré abandonner le puzzle sur place pour gagner du temps, mais Shep aurait refusé de partir sans lui.

Shepherd avait entendu les bruits des pièces tombant pêle-mêle dans la boîte... En temps normal, il se serait pré-cipité pour protéger son œuvre, mais pas cette fois. Les yeux fermés, il poursuivait sa litanie de termes relatifs à la lumière :

— ... éclair, décharge, fulmination, foudre, étoile filante, bolide, boule de feu, arc...

Dylan referma la boîte et contempla les chaussures de Shep. Des Rockports, exactement les mêmes que celles de Dylan, mais quelques pointures en dessous. Pas le temps de faire asseoir le gamin sur le lit, de lui enfiler ses chaus-sures, d'attacher ses lacets... Dylan les ramassa et les posa sur la boîte du puzzle.

— ... bougie, torche, lampe, lanterne...

Le point d'injection commençait à brûler et à le

démanger. Dylan résista à l'envie d'arracher le pansement au chien hilare pour se gratter. Il craignait de découvrir, sous la gaze, la preuve que le produit qu'on lui avait inoculé était pire que toutes les drogues connues, pire que le plus toxique des poisons, pire que toutes les maladies recensées à ce jour. Peut-être des champignons orange croissaient-ils sous le sparadrap ou des bubons noirs, ou encore des écailles vertes avaient-elles remplacé sa peau, augure de sa prochaine métamorphose en reptile... En plein délire paranoïaque à la X-Files, Dylan ne voulait surtout pas savoir ce qui le démangeait !

— ... bec de gaz, lampe à pétrole, feu follet, mirage...

Avec, dans les bras, la boîte du puzzle et les chaussures, Dylan passa devant Shep pour se rendre dans la salle de bains. Il n'avait pas encore sorti leurs brosses à dents et leur nécessaire de rasage, mais il avait laissé son flacon de lotion antihistaminique sur le rebord du lavabo. Pour l'heure, les allergies étaient le cadet de ses soucis, mais s'il devait être dévoré vivant par une pullulation de champignons affamés tout en se transformant en gros lézard, avec aux trousses une armée d'assassins, il préférait ne pas éternuer à tout bout de champ à cause de sinus encombrés.

— ... chimioluminescence, cristalloluminescence, lumière anti-solaire, gegenschein...

En retournant dans la chambre, Dylan lança, plein d'espoir :

— Allons-y, Shep. Allez viens. On y va.

— ... rayon vert, rayons ultraviolets...

— C'est sérieux, Shep.

— ... rayons infrarouges...

— On a de gros ennuis, Shep.

— ... rayons actiniques...

— Ne me force pas à me mettre en colère, l'implora Dylan.

— ... jour, journée...

— Je t'en prie.

— ... soleil, zénith...

8.

— Tête de « bœud », répéta Jilly vers la porte fermée.

Elle dut perdre à nouveau conscience, car lorsqu'elle rouvrit les yeux, elle n'était plus sur son lit-radeau, mais par terre, face contre sol. Pendant un instant, elle ne parvint plus à se souvenir de l'endroit où elle se trouvait, mais quand elle sentit l'odeur de moisi de la moquette, elle sut qu'elle n'avait pas dormi dans la suite présidentielle du Ritz-Carlton.

Après des efforts héroïques, elle parvint, en rampant, à s'éloigner du lit hostile qui l'avait jetée à terre. Quand elle prit conscience que le téléphone se trouvait sur la table de nuit, elle dut faire demi-tour et parcourir, toujours à quatre pattes, le chemin en sens inverse.

Passant la main sur la table, elle renversa le réveil, puis trouva enfin le téléphone et le tira à elle. Le combiné vint trop facilement, traînant derrière lui son fil sectionné. Évidemment, le mangeur de cacahuètes l'avait coupé pour qu'elle ne puisse appeler la police !

Jilly songea à crier au secours, mais elle craignait que son assaillant, s'il était toujours dans les parages, ne soit le premier à répondre à ses appels. Pas question de recevoir une nouvelle injection, ou d'être réduite au silence par un coup de gourdin sur le crâne, ou, pis encore, de devoir supporter une fois de plus ses soliloques !

Rassemblant toute sa volonté et ses forces d'Amazone du désert, elle parvint à se redresser et à s'asseoir sur le lit. C'était déjà un bel exploit. Elle sourit, soudain envahie de fierté. Youpi ! le bébé tient assis tout seul !

Grisée par ce succès, Jilly tenta de se mettre debout. Elle chancela sur ses jambes, dut se retenir à la table de nuit, mais ne s'écroula pas. Encore une nouvelle prouesse ! Le bébé se tient debout – bras écartés, jambes fléchies comme un petit singe !

Mais la vraie grande victoire, c'était qu'elle n'avait pas vomi. D'ailleurs, elle n'avait plus de nausées... elle se sentait simplement « bizarre ».

Gageant qu'elle saurait tenir à la verticale sans s'accrocher aux meubles ainsi que mettre alternativement un pied devant l'autre pour avancer, Jilly se dirigea vers la porte, selon une trajectoire parabolique destinée à compenser les mouvements de roulis du sol.

Le maniement de la poignée de la porte lui posa autant de soucis qu'un casse-tête chinois, mais une fois sur le seuil, la tiédeur de la nuit se révéla plus revigorante que sa chambre de motel climatisée. L'air sec du désert absorba dans l'instant toute sa sueur, et avec elle, une bonne part des miasmes qui troublaient ses sens.

Elle tourna à droite, en direction de la réception, qui se trouvait tout au bout d'un réseau complexe d'allées couvertes, conçu, à n'en pas douter, à l'image des labyrinthes pour rats de laboratoire.

Au bout de quelques pas, elle s'aperçut que sa Cadillac avait disparu. Elle l'avait garée à dix mètres de sa chambre ; mais à l'endroit où Jilly se souvenait de l'avoir laissée, il n'y avait plus qu'un rectangle de bitume noir.

Elle s'approcha, fixant des yeux le macadam comme si elle espérait y trouver la clé de la disparition de son auto : un petit mot, par exemple, concis mais empreint de reconnaissance, disant : *Merci pour cette magnifique Cadillac De Ville bleu marine et au réservoir plein.*

Mais sur le sol, elle trouva un sachet de cacahuètes encore fermé (à l'évidence, il était tombé de la poche du représentant au grand sourire) ainsi que le cadavre gigantesque d'un coléoptère de la taille d'un demi-noyau d'avocat.

L'insecte reposait sur ses élytres luisants, ses six pattes figées en l'air ; une vision qui inspira à Jilly beaucoup moins de pitié que s'il était agi d'un chien ou d'un chat dans le même état.

N'ayant guère d'intérêt pour l'entomologie, elle abandonna l'insecte à son sort, mais se baissa pour ramasser le sachet de cacahuètes. Après avoir lu un certain nombre de livres d'Agatha Christie, elle était certaine que ce serait une pièce à conviction très utile pour la police.

En se redressant, elle s'aperçut que l'air sec du désert ne l'avait pas totalement lavée des effets de l'anesthésiant. Une vague de vertige déferla en elle, puis se retira. N'avait-elle pas garé sa voiture autre part – bel et bien à dix mètres de sa chambre, mais sur la *gauche* ?

Elle se retourna dans cette direction et distingua une Ford Expedition. Peut-être sa Cadillac était-elle garée juste derrière le 4 × 4 ?

Enjambant soigneusement le coléoptère, elle rejoignit l'allée couverte et s'approcha de la Ford, consciente qu'elle se dirigeait vers les distributeurs de boissons qui avaient été à l'origine de tous ses maux.

Elle dépassa le 4 × 4, mais point de Cadillac derrière... C'est alors qu'elle aperçut deux types courant dans sa direction.

— Ce salaud, avec son petit sourire, m'a piqué ma voiture ! lança-t-elle, tout en se disant que ces deux gars-là formaient vraiment un couple étrange.

Le plus grand – bâti comme un arrière de football américain – avait dans les bras une boîte de la taille d'un carton à pizza, avec une paire de chaussures posée en équilibre dessus. Malgré ses dimensions imposantes, il n'avait rien de menaçant – peut-être était-ce dû à son côté nounours ? Il portait un pantalon de toile, une chemise hawaiienne jaune et bleue, et à voir la lueur farouche dans ses yeux, il devait avoir volé un pot de miel et craindre d'être attaqué par une armada d'abeilles très en colère.

Derrière lui, un garçon plus petit, plus jeune – un mètre soixante-quinze, quatre-vingts kilos, blue jean, T-shirt blanc à l'effigie de Vile Coyote, le méchant prédateur de Bip-Bip. Avec réticence, il suivait son compère ; il était en chaussettes, la gauche complètement descendue, le bout battant dans l'air à chaque pas.

Bien que le fan de Vile Coyote avançât les bras le long du corps sans offrir de résistance, il était évident qu'il aurait préféré ne pas se trouver avec gros nounours, puisque celui-ci le tirait par l'oreille. Jilly crut l'entendre protester contre ses manières coercitives indignes. Mais lorsque la paire se fut approchée, les paroles que prononçait le cadet n'exprimaient guère le mécontement :

— ... électroluminescence, luminescence cathodique...

Le nounours s'arrêta devant Jilly, immobilisant son jeune compagnon du même coup. Avec une voix plus grave, mais pas moins gentille que Winnie l'Ourson, il déclara :

— Excusez-moi, mademoiselle. Je n'ai pas entendu ce que vous disiez...

La tête soulevée de guingois par la main qui lui tirait l'oreille gauche, le garçon continuait de parler, apparemment pour lui-même.

— ... nimbe, auréole, halo, corolle, parhélie...

Cette rencontre était-elle réellement aussi bizarre, ou était-ce encore un effet pervers de l'anesthésie ? D'ordinaire, la prudence lui aurait conseillé de ne pas répondre et de piquer un sprint vers la réception du motel, loin de ces deux inconnus... mais la prudence était aphone ce soir...

— Ce salaud, avec son petit sourire, m'a piqué ma voiture, répéta-t-elle.

— ... aurore boréale, aurore polaire, lumière stellaire...

Voyant l'air étonné de Jilly, le géant annonça :

— C'est mon frère, Shep.

— ... intensité lumineuse, pied-bougie, flux lumineux...

— Bonjour, Shep, répondit-elle, ne sachant trop quoi dire.

Jamais, elle ne s'était trouvée dans cette situation.

— ... candéla, photon, bougie décimale..., continua Shep sans la regarder.

— Je m'appelle Dylan, se présenta Nounours, tandis que son petit frère poursuivait sa litanie.

Il n'avait pas une tête à s'appeler Dylan, jugea Jilly – mais plutôt Boris, Samson, ou Petit Jean.

— Shep a un problème neurologique, expliqua Dylan. Il est inoffensif, ne vous inquiétez pas. Il est juste pas... normal.

— Qui l'est aujourd'hui ? rétorqua Jilly. La normalité a quitté ce monde depuis cinquante ans au bas mot...

Une nouvelle vague de vertige... elle dut se soutenir à l'un des poteaux de l'auvent pour ne pas tomber.

— Il faut que j'appelle les flics, reprit-elle.

— Vous avez parlé « d'un salaud avec un petit sourire »...

— Je l'ai même dit deux fois.

— Vous pouvez le décrire ? demanda-t-il, avec un soudain empressement comme si c'était *sa* Cadillac qu'on avait volée.

— Un bouffeur de cacahuètes, un dingue avec une seringue et un voleur de bagnole ! Cela vous dit quelque chose ?

— Sur votre bras, c'est quoi ?

Un instant, elle crut que le gros insecte avait ressuscité et était venu lui faire une visite de courtoisie...

— Oh, ça, répondit-elle soulagée. C'est un pansement.

— Un lapin, dit-il, son visage rond se fripant d'inquiétude.

— Non, non, un pansement.

— Un lapin, insista-t-il. Ce fils de pute vous a mis un lapin, et moi j'ai eu droit à un toutou !

Malgré les ombres de l'allée couverte, Jilly distingua les motifs sur les deux pansements -- sur le sien, un lapin effectivement, faisant des cabrioles, sur celui de Dylan, un chien hilare. Derrière elle, Shep psalmodiait : « ... lumen, bougie-heure, lumen-heure... », mais elle parvint à oblitérer cette mélopée parasite.

— Je dois appeler les flics, se souvint-elle.

La voix de Dylan, déjà très sérieuse, se para d'une solennité nouvelle :

— Non, non. Il ne faut surtout pas appeler la police. Il ne vous a rien dit ?

— Qui ça ?

— Le docteur fou...

— Quel docteur ?

— Le maniaque de la seringue.

— Il est docteur ? Je croyais qu'il était représentant de commerce ?

— Qu'est-ce qui vous fait croire ça ? questionna Dylan.

Jilly fronça les sourcils.

— Je n'en sais rien. Juste une impression.

— À l'évidence, c'est une espèce de médecin, un docteur Mabuse...

— Pourquoi rôde-t-il dans les motels pour faire des piqûres aux clients et voler leur voiture ? Pourquoi ne se contente-t-il pas de tuer ses patients à l'hosto, comme n'importe quel toubib ?

— Comment vous vous sentez ? demanda Dylan, en la scrutant des yeux. Ça n'a pas l'air d'aller fort.

— J'ai des nausées, puis ça passe, puis ça revient... c'est à cause de l'anesthésie.

— Quel produit ?

— Sans doute du chloroforme. (Elle secoua la tête.) Non, vous avez raison, ce n'est pas un VRP, c'est un médecin fou. Les représentants de commerce n'anesthésient pas leurs victimes.

— Moi, c'est un coup sur la tête que j'ai reçu.

— Le matraquage, ça c'est davantage le style commercial... je vais appeler les flics.

— Ce serait une erreur. Il vous a parlé des tueurs professionnels qui vont arriver d'un instant à l'autre ?

— Ravie d'apprendre que ce ne sont pas des amateurs. Si on doit se faire tuer, autant que le travail soit bien fait. Et vous croyez ce qu'il dit ? Je vous rappelle que c'est un dingo voleur de bagnole.

— Sur ce point, je pense qu'il a dit la vérité.

— C'est un maboul qui raconte n'importe quoi ! s'obstina-t-elle.

« ... luminance, réfringence, facule... » disait Shep, c'est du moins ce qu'elle crut entendre, car Jilly n'était plus très sûre que ces successions de syllabes forment réellement des mots connus.

Dylan détourna la tête et regarda quelque chose derrière la jeune femme. Entendant le bruit des moteurs, elle se retourna à son tour pour chercher l'origine du son.

Une rue longeait le parking, à l'autre extrémité du motel. Derrière, un remblai, et au-dessus de ce remblai, la nationale qui suivait la course de la lune d'est en ouest. Trois gros véhicules quittaient la voie express et descendaient, à tombeau ouvert, la bretelle de sortie.

— ... lumière, éclat, rayonnement, rayon...

— Shep, je crois que tu commences à te répéter, fit remarquer Dylan, sans quitter des yeux les 4 × 4 rugissants.

Les trois engins étaient identiques : des Chevrolet Suburban noires. Les vitres aussi sombres que le masque de Dark Vador. Impossible de distinguer les occupants...

— ... brillance, faisceau, lueur...

Sans même un couinement de frein, la première voiture grilla le stop au bas de la rampe et s'engagea dans la rue jusqu'à présent déserte. Le véhicule se trouvait sur le côté nord du motel et l'entrée du parking se situait de l'autre côté, à l'est. Le conducteur qui n'avait montré, au panneau stop, aucun respect du code de la route, n'en montra pas davantage pour l'infrastructure urbaine : il monta sur le trottoir, traversa le parterre paysager, soulevant derrière lui une gerbe de terre et de fleurs déchiquetées, sauta un nouveau trottoir et retomba lourdement sur le macadam du parking, à une vingtaine de mètres de Jilly ; dans un hurlement de pneus à l'agonie, l'engin exécuta un virage à quatre-vingt-dix degrés et fila vers l'ouest, vers l'arrière du motel.

— ... éclatant, resplendissant, aveuglant...

Les deux autres 4 × 4 suivirent leur leader, labourant un peu plus le parterre de fleurs. Mais après avoir atterri sur le parking, le deuxième véhicule mit cap à l'est, vers l'entrée du motel. La troisième Chevrolet, quant à elle, fila tout droit vers Jilly, Dylan et Shep.

— ... scintillant, miroitant...

Alors que Jilly, voyant le 4 × 4 fondre sur elle, se demandait si elle allait plonger sur la droite ou sur la gauche pour éviter le bolide, ou encore vomir ses tripes au sol, le conducteur se révéla un *showman* aussi spectaculaire que ses deux compères : comme à la parade, il écrasa les freins et, dans un numéro d'équilibriste, planta son véhicule, calandre contre terre, jusqu'à faire décoller les roues arrière du sol. Sitôt que l'engin eut retrouvé le plancher des vaches, une batterie de projecteurs motorisés s'illuminèrent sur le toit. Quatre yeux aveuglants pivotèrent pour se focaliser sur les trois jeunes gens, dans une débauche de watts à faire griller un bison sur pied.

— ... luisance, fulgurance, flash...

Ce n'était pas une simple voiture que Jilly avait devant elle, mais un vaisseau extraterrestre, en train de scanner son corps et son cerveau, de recenser en quelques instants chaque atome de son être ; à n'en pas douter, les *aliens* lisaient dans son esprit comme à livre ouvert, visionnaient sa vie en accéléré, depuis sa sortie laborieuse du vagin maternel jusqu'à cet instant fatidique, et rédigeaient déjà un rapport au vaisseau amiral concernant l'état déplorable de ses dessous élimés.

Au bout d'un moment, les projecteurs s'éteignirent, et une multitude d'étoiles rémanentes flottèrent devant les yeux de la jeune femme comme un essaim de méduses. Même si elle avait vu clair, Jilly aurait été incapable de distinguer le conducteur ou les occupants de la Chevrolet. Le pare-brise n'était pas seulement teinté dans la masse, il paraissait fabriqué dans un matériau exotique qui, tout en restant transparent pour les gens dans l'habitacle, était aussi impénétrable, pour un observateur extérieur, qu'un bloc de granit noir.

Jilly, Dylan et Shep n'étant pas le gibier recherché – pas encore – le conducteur écrasa l'accélérateur et la Chevrolet s'éloigna vers la façade du motel, pour rejoindre le deuxième véhicule qui avait disparu à l'angle du bâtiment dans un crissement de gomme.

Shep avait enfin cessé sa litanie.

Songeant aux mises en garde du docteur fou, Dylan lâcha :

— Je ne suis pas si sûr que notre type soit aussi maboul que vous le dites.

9.

On traversait des temps étranges, hantés par des fanatiques de la violence, adorant un Dieu violent, parasités par de curieux défenseurs de la veuve et de l'orphelin, qui arguaient que les victimes étaient responsables de leurs souffrances et excusaient les bourreaux au nom de la justice et de l'équité. C'était une époque où résonnaient encore les échos des utopies qui avaient failli détruire la civilisation au siècle dernier, comme autant de boules de fer d'une grue de démolition, oscillant au bout de sa flèche, avec certes une amplitude moindre en ce début de millénaire, mais suffisante encore pour abattre les espoirs du plus grand nombre si les gens sains d'esprit n'y prenaient garde. Dylan O'Conner mesurait parfaitement le danger de ces jours troublés, mais il restait d'un optimisme d'airain ; à chaque minute de son existence, que ce soit en observant les grandes réalisations humaines ou la minutie baroque de la nature, Dylan voyait de la beauté... partout, il discernait de vastes desseins ou de subtils changements qui lui confirmaient que le monde avait un grand avenir devant lui, tout comme ses peintures. Cette combinaison de pragmatisme, de foi pugnace, de bon sens et d'optimisme revêche, lui évitait d'être réellement surpris par les spectacles de son époque – rarement la terreur le gagnait, et jamais il ne perdait tout à fait foi en l'humanité.

Aussi, lorsqu'il découvrit que le compagnon de Jillian

Jackson, Fred, était une plante grasse d'Afrique du Sud, Dylan ne fut ni surpris, ni terrifié – mais plutôt soulagé. Un Fred humain aurait été, à coup sûr, moins facile à gérer que son homonyme vert dans son pot de terre cuite.

Sachant que les trois Chevrolet noires tournaient autour du motel comme une bande de requins affamés, Jilly se dépêcha de ranger ses affaires afin que Dylan puisse charger au plus vite sa valise et son petit sac de voyage dans la Ford Expedition.

Tous les chocs déstabilisaient le malheureux Shepherd, et quand il était anxieux, le gamin était imprévisible. Pour l'heure, il se montrait coopératif – réaction la plus improbable, pourtant – et il monta docilement dans le 4×4. Il s'installa à côté de la sacoche contenant une collection d'objets destinés à tromper l'ennui des longs trajets, lorsqu'il se lassait de regarder dans le vide ou de contempler ses pouces. Jilly voulait garder Fred sur ses genoux, Shep occuperait donc seul la banquette arrière... une solitude qui apaiserait son anxiété.

En approchant de la Ford, avec sa plante dans les bras, délivrée enfin des brumes de l'anesthésie, la jeune femme eut un instant d'hésitation à l'idée de monter dans cette voiture en compagnie de deux hommes qu'elle connaissait à peine.

— Qui me dit que vous n'êtes pas un dangereux tueur en série ? lança-t-elle à Dylan quand il lui ouvrit la portière côté passager.

— Je n'en suis pas un, lui assura-t-il.

— C'est exactement ce que répondrait un tueur en la circonstance.

— C'est aussi ce que répondrait un type parfaitement innocent.

— Certes, mais c'est aussi ce que dirait un tueur...

— Ça va, montez dans la bagnole ! lâcha-t-il avec impatience.

Piquée dans son amour-propre, elle rétorqua aussitôt :

— Vous n'êtes pas mon chef.

— Je n'ai jamais dit ça.

— Personne n'a jamais donné d'ordre aux gens de ma famille depuis des siècles.

— Votre vrai nom doit alors être Rockefeller. D'accord... montez dans la bagnole.

— Je ne suis pas sûre que ce soit une bonne idée.

— Vous avez vu, comme moi, ces trois Suburban qui paraissaient conduites par des terminators...

— Ce n'est pas après nous qu'ils en avaient, au fond...

— Ce sera le cas bientôt, répliqua Dylan. Montez !

— Montez, montez... on dirait un tueur qui ne peut plus se retenir quand vous dites ça !

La moutarde commençait à lui monter au nez...

— Vous avez déjà vu des tueurs en série se balader avec leur petit frère autiste ? Vous ne pensez pas que ça fait peu tache avec la tronçonneuse et les perceuses électriques ?

— Peut-être que le petit frère est un tueur aussi...

Sur sa banquette, Shep les observait, tête penchée, yeux écarquillés, battant des paupières... il ressemblait moins à un psychopathe qu'à un gros chiot attendant d'aller jouer au frisbee dans le parc.

— Les tueurs en série n'ont pas toujours des têtes d'assassins, insista Jilly. Ils sont rusés. Même si vous n'êtes pas un tueur, vous pouvez toujours être un violeur.

— Vous êtes d'un abord toujours aussi cordial ? lâcha Dylan avec aigreur.

— Vous pourriez être un violeur, oui ou non ?

— Je ne suis pas un violeur.

— C'est exactement ce qu'un violeur dirait.

— Nom de Dieu, je ne suis pas un violeur, je suis un artiste peintre.

— L'un n'empêche pas l'autre.

— Écoutez, jeune fille, c'est vous qui m'avez demandé de l'aide, et non l'inverse. Je n'en sais pas plus sur vous et je n'en fais pas une maladie.

— Une chose est sûre, c'est que je ne vais pas vous violer ! Les hommes courent rarement ce genre de danger.

Dylan surveillait les alentours, craignant de voir surgir les trois Chevrolet...

— Je ne suis ni un tueur, ni un violeur, ni un ravisseur d'enfants, ni un cambrioleur, ni un pickpocket, ni un voleur de chats, ni un contrefacteur, ni un escroc, ni un fraudeur, ni un resquilleur. Pour tout délit, j'ai eu deux amendes pour excès de vitesse, et une troisième pour avoir rendu un livre en retard à la bibliothèque ; j'ai gardé les vingt-cinq cents que j'ai trouvés dans une cabine téléphonique au lieu de les rendre à la compagnie du téléphone ; j'ai porté de grosses cravates alors que la mode était aux fines et une fois dans un jardin public j'ai été accusé de ne pas ramasser les déjections de mon chien alors que ce n'était pas mon chien, et que je n'ai jamais eu de chien de ma vie ! Point barre. Alors, soit vous montez dans ma voiture et on se tire, soit vous continuez à vous demander si je ne suis pas un Charles Manson dans ses mauvais jours et vous restez ici. Moi, avec ou sans vous, je me taille d'ici avant que les as du volant ne rappliquent et que les balles ne commencent à siffler.

— Vous êtes bien verbeux pour un peintre...

Il hoqueta de surprise.

— Qu'est-ce que vous voulez dire ?...

— D'ordinaire, les peintres sont plus doués pour l'image que pour la parole.

— Eh bien, disons que je suis un peintre bavard !

— C'est louche...

— Quoi, vous pensez encore que je suis Jack l'Éventreur ?

— Prouvez-moi que vous ne l'êtes pas.

— Et un violeur, aussi ?

— Contrairement à moi, c'est dans le domaine du possible.

— Très bien, je suis le premier peintre tueur violeur itinérant.

— C'est un aveu ?

— Qu'est-ce que vous faites dans la vie au juste – racoleuse de clients pour psychiatres ? Vous rendez les gens marteaux pour que vos patrons aient du travail, c'est ça ?

— Je fais des spectacles comiques, déclara-t-elle.

— Pour une comique, vous n'êtes pas drôle pour deux sous !

Elle se hérissa comme un porc-épic.

— Vous ne m'avez jamais vue sur scène...

— Je préfère encore me faire arracher les dents !

— Vu leur état, ça devient urgent.

Dylan vacilla sous l'insulte.

— Ce n'est pas très gentil de dire ça. J'ai de très bonnes dents.

— Mais vous avez la bouche pleine de fiel. Vous êtes pire qu'une vipère !

— Descendez de ma bagnole, ordonna-t-il.

— Je ne suis pas dedans !

— Alors montez-y que je puisse vous en faire descendre par la peau du cou.

D'une voix froide et coupante comme l'acier, elle rétorqua :

— Les gens comme moi vous posent problème, c'est ça ?

— Comment ça « les gens comme vous ». Qu'est-ce que vous voulez dire – les barjots ? les comiques pas drôles ? les femmes qui ont des relations ambiguës avec leur plante grasse ?

Elle lui lança un regard noir comme un ciel d'orage.

— Rendez-moi mes valises !

— Avec plaisir, répondit-il en se dirigeant aussitôt vers le hayon. Les valises de la marquise !

Elle lui emboîta le pas, avec Fred dans les bras.

— Je n'ai plus l'habitude de fréquenter des gamins de douze ans d'âge mental. J'avais oublié comme leur conversation vole haut, tout juste sorti du « caca-boudin ».

La pique fit mouche ; il se retourna vers elle, furieux.

— Et vous, vous allez vous en mordre les doigts après que je sois parti.

— *Que je suis...*

— Quoi ?

— Après que je *suis* parti. Avant que, subjonctif, après que, indicatif.

— Merde, d'accord ! rétorqua-t-il.

— Votre vocabulaire tombe de plus en plus bas ! persifla-t-elle.

— D'accord. Je suis un artiste visuel qui sait à peine parler, lâcha-t-il en sortant la valise du coffre. Ce qui me place juste entre l'australopithèque et le singe.

— Autre chose encore...

— Cela m'aurait étonné.

— Je suis certaine, en revanche, que vous connaissez tout un tas de synonymes et de métaphores fleuries du mot de Cambronne, et je vous saurais gré, quel que soit votre degré d'énervement, d'en faire usage et de ne pas tomber dans une grossièreté crasse !

Dylan sortit le dernier bagage.

— N'ayez crainte, jeune dame, je ne compte plus jamais vous adresser la parole, que ce soit en langage vulgaire ou académique. Dans trente secondes, vous ne serez plus qu'un point négligeable dans mon rétroviseur, et sitôt que vous aurez disparu de ma vue, je vous aurai oubliée.

— Un doux rêve ! Sachez que je suis de celles qu'on n'oublie pas.

Il lâcha brutalement le sac de Jilly par terre ; il ne visait pas expressément ses pieds, mais si cette occurrence était survenue, ç'aurait été un bonus appréciable en la circonstance.

— Vous savez quoi ? vous avez raison. Il est impossible d'oublier quelqu'un d'aussi irritant que vous. Oublie-t-on un caillou dans sa chaussure ?

Une déflagration déchira la nuit. Les fenêtres du motel tintèrent, tandis que le toit d'aluminium de l'allée couverte se mettait à vibrer sous l'onde de choc.

Dylan sentit l'asphalte trembler sous ses pieds, comme si un dragon fossilisé dans les strates du jurassique sortait de son long sommeil. Puis le souffle du monstre embrasa la nuit, une colonne de feu qui montait au sud-est, du côté de la réception du motel.

— Que le spectacle commence ! lâcha Jillian Jackson.

10.

Tandis que le dragon retournait sous terre et que les échos de sa fureur achevaient de réveiller les clients du motel, Dylan, par réflexe, remisa les bagages de Jillian dans le coffre de la Ford et referma le hayon.

Lorsqu'il s'installa derrière le volant, sa passagère belliqueuse était déjà sur le siège à côté de lui, Fred sur ses genoux. Leurs deux portières claquèrent à l'unisson.

Dylan fit démarrer le moteur et jeta un coup d'œil derrière lui pour s'assurer que son frère avait bien attaché sa ceinture de sécurité. Shep avait les bras levés, les deux mains posées sur le sommet de son crâne, comme si ce maigre rempart de chair pouvait le protéger d'une deuxième explosion. Son regard croisa un instant celui de Dylan, mais il évita le contact, le jugeant trop intense pour l'heure. Il ferma les yeux... l'isolement, toutefois, n'était pas assez important ; alors il tourna la tête sur le côté, vers la fenêtre où s'ouvrait un rectangle de nuit, et ferma encore plus fort les paupières.

— Allez ! Roulez ! le pressa Jilly, soudain impatiente de prendre la route en compagnie d'un psychopathe potentiel.

Trop respectueux de la loi et de l'environnement pour sauter le trottoir et détruire davantage encore le parterre de fleurs, Dylan se dirigea vers la sortie du parking. En dépassant le motel, il découvrit, devant le porche de la réception, l'origine des flammes : une voiture avait explosé.

On était loin de l'esthétisme d'une scène de cinéma ! Cette voiture-là n'avait pas été bichonnée par les accessoiristes, pour satisfaire la sensibilité artistique du réalisateur ; elle n'avait pas été savamment truffée d'explosifs par un pyrotechnicien en collaboration avec le responsable des cascades, pour générer un beau brasier, tant en couleur qu'en dimensions. Ces flammes-là étaient d'un orange sale, grasses et bouffies comme des langues de pendu, vomissant de la cendre et de la fumée. Le capot avait été soufflé, réduit à une compression d'art moderne, et était retombé sur le toit de l'une des trois Suburban noires qui entouraient l'épave en feu, à une distance de dix mètres. Éjecté par l'onde de choc, le conducteur du véhicule, mort, avait traversé le pare-brise et gisait sur l'aile. Ses vêtements avaient été carbonisés par la boule de feu de l'explosion. Maintenant, c'était sa chair qui alimentait le brasier, faisant naître des flammes sifflantes sous les dégoulinades de graisses et de moelle, bien plus vigoureuses que celles qui consumaient la carcasse d'acier – des feux follets jaunes, veinés de rouge aussi sombre que du Cabernet, avec des traces vertes, en témoin de la vaporisation d'humeur putrescente.

Malgré lui, Dylan contemplait fixement cette horreur, incapable de s'arracher à ce voyeurisme sinistre. Le vrai résidait dans la laideur comme dans la beauté, songea-t-il avec l'espoir de trouver une justification « artistique » à cette fascination morbide, mais c'étaient là de fausses excuses. La vérité – terrible –, c'était que cet attrait universel des hommes pour le spectacle de la mort était le signe d'un vice de construction dans leurs cœurs malades, une malédiction qui éreintait l'humanité depuis l'aube des temps.

— C'est ma De Ville..., articula Jilly, avec davantage de stupeur que de colère, prenant conscience que sa vie venait de basculer dans cette petite ville d'Arizona assoupie au bord de la nationale.

Une dizaine d'hommes étaient sortis des Chevrolet, laissant leurs portières grandes ouvertes. Au lieu d'être vêtus de combinaisons sombres de paramilitaires, ces types portaient des tenues de touristes fortunés de Las Vegas : chaussures blanches ou marron, pantalons blancs ou crème, chemises et polos dans des tons pastel. Ils paraissaient avoir passé l'après-midi sur un parcours de golf et sortir tout juste du club-house, la peau cuite par le soleil, les cellules imbibées de gin... seule fausse note au tableau : aucun d'entre eux ne montrait de la terreur ou de la surprise, à l'inverse du golfeur lambda devant un tel brasier.

Bien que Dylan passât au large de la Cadillac en feu pour gagner la sortie du motel, plusieurs de ces pantins Lacoste se retournèrent pour observer la Ford Expedition. Ces gars-là n'étaient ni des cadres commerciaux, ni des médecins en congé, et paraissaient plus impitoyables et encore plus dangereux qu'une bande d'avocats en maraude. Leurs visages étaient sans expression, des masques taillés dans le granit, totalement amorphes, à l'exception des reflets des flammes qui jouaient sur leurs joues et leurs fronts. Leurs yeux luisaient dans l'ombre ; ils ne quittèrent pas du regard la Ford, mais aucun d'entre eux ne tenta de l'arrêter ou de la prendre en chasse.

Leur proie avait été abattue. Le docteur fou avait péri dans la Cadillac, avant qu'ils ne puissent l'arrêter et l'interroger. Avec lui disparaissait « l'œuvre de sa vie », pour reprendre les termes du défunt, et personne ne pouvait plus savoir qu'il manquait deux doses de son *machin* dans sa mallette. Pour l'heure, ce groupe de chasse – cette meute ? – considérait que la traque s'était soldée par un succès. Si la chance était du côté de Dylan et de Jillian, ils resteraient sur cette impression et ne chercheraient pas à leur loger une balle dans la tête.

Dylan ralentit et finalement s'arrêta pour regarder la voiture en feu. Il aurait paru suspect de ne pas faire une halte morbide afin de profiter du spectacle ; ils devaient agir comme le commun des mortels.

À côté de lui, Jilly saisit les raisons de cette halte.

— Il est difficile de jouer les voyeurs quand on connaît la victime.

— On ne connaissait pas ce type, rectifia-t-il, et il y a deux minutes encore, vous disiez que c'était un salaud.

— Ce n'est pas de lui dont je parle. Ce connard avec son petit sourire peut griller en enfer. C'est l'amour de ma vie que je pleure, ma jolie De Ville.

Pendant un moment les faux golfeurs regardèrent Dylan et Jilly écarquiller les yeux devant l'épave. Le cas de Shepherd devait les troubler ; le jeune homme, sur la banquette arrière, avait toujours les mains posées sur le haut de son crâne, ignorant avec superbe le brasier comme toute chose extérieure. Quand enfin les hommes reportèrent leur attention sur la carcasse fumante, prenant Dylan et ses passagers pour des badauds habituels, le jeune homme lâcha son pied de la pédale du frein et redémarra.

Au bout de l'allée, il y avait la route qu'une heure plus tôt il avait traversée pour acheter ses cheeseburgers et ses frites, et leurs cortèges de maladies cardio-vasculaires. Un festin dont il n'avait pas vu la couleur.

Il tourna à droite et prit la direction de l'autoroute, tandis qu'un concert de sirènes retentissait dans le lointain. Il veilla à conserver la même allure.

— Qu'allons-nous faire ? s'enquit Jillian.

— Nous tirer d'ici.

— Et ensuite ?

— Aller le plus loin possible.

— On ne va pas rouler comme ça jusqu'à la Saint-Glinglin. D'autant plus que nous ne savons ni qui, ni quoi, nous fuyons.

Sa remarque était trop chargée de bon sens pour être mise en défaut. Dylan, ne trouvant quoi répondre, s'aperçut qu'il était en effet verbalement limité, comme tous les artistes peintres au dire de la jeune femme.

Derrière le jeune homme, au moment où il s'engageait sur la bretelle d'accès à l'autoroute, son frère murmura :

— *Au clair de lune.*

Shepherd ne prononça ces mots qu'une seule fois, ce qui n'était pas un moindre soulagement, connaissant son goût pour la répétition, puis il se mit à sangloter. Shep n'était pas un gamin pleurnichard. Les fois où il avait pleuré, durant les dix-sept années passées, se comptaient sur les doigts de la main, puisque c'était à l'âge de trois ans qu'il s'était coupé totalement des souffrances et des déceptions de ce bas monde pour se réfugier dans le sien. Et pourtant, cela faisait deux fois qu'il versait des larmes en une seule soirée...

Il ne poussait aucun gémissement, aucune plainte. Des sanglots silencieux qui étouffaient dans l'œuf les vagissements de chagrin que le gamin aurait pu émettre. Malgré ses efforts, Shep ne parvenait pas à cacher tout à fait la violence de son émoi. Une peine ou une peur indicible l'étreignait. Dans le cadre du rétroviseur, son visage d'ordinaire placide – encadré par ses mains sur son crâne, et ses coudes sur ses joues – était distordu de douleur, comme ce visage du *Cri*, d'Edvard Munch.

— Qu'est-ce qu'il a ? demanda Jilly alors qu'ils arrivaient au sommet de la rampe.

— Je l'ignore, répondit Dylan en observant son frère dans le rétroviseur tout en surveillant de son mieux la route. Je n'en sais rien du tout.

Comme si elles s'étaient gélifiées, ses mains descendirent du sommet de son crâne, glissèrent sur ses tempes, avant de se solidifier de nouveau pour se contracter en poings vengeurs juste sous ses oreilles. Il pressa ses phalanges sur ses pommettes pour contenir quelque chose à l'intérieur de lui, une chose si puissante qu'elle menaçait de lui briser les os, de distendre son visage comme un ballon de baudruche.

— Je n'en sais rien, nom de Dieu, répéta Dylan en s'engageant sur l'autoroute.

La circulation était rapide. Les voitures filaient autour d'eux, en direction du Nouveau-Mexique. Distrait par la détresse de son frère, Dylan ne parvenait pas à rouler aussi vite que les autres véhicules.

C'est alors que le brave Shep – le doux, le gentil Shep – fit une chose inconcevable. De ses poings serrés, il se mit à se cogner le visage de toutes ses forces.

Se retournant sur son siège, au risque de renverser sa plante verte sur ses genoux, Jilly s'écria :

— Non, Shep. Ne fais pas ça, mon petit.

Bien qu'il leur fallût s'éloigner au plus vite du gang Suburban, Dylan mit son clignotant et s'arrêta sur le bas-côté.

Shep cessa un instant ses coups et murmura :

— Vous accomplissez votre œuvre.

Puis il recommença à se frapper, encore et encore.

11.

Jilly descendit de la Ford Expedition pour laisser à Dylan et à Shep un peu d'intimité et s'assit sur le rail de sécurité, calant son postérieur, encore de taille normale, sur l'acier. Elle se tenait dos à la vastitude du désert, où de gros crotales rampaient dans l'ombre, où des tarentules en maraude, aussi poilues que des Taliban, s'éreintaient dans leurs chasses silencieuses et où rôdaient mille autres créatures, natives de cet enfer de sable et de rocailles, plus inquiétantes encore que les serpents et les araignées.

Les monstres qui pouvaient attaquer Jilly par-derrière suscitaient moins son attention que ceux, motorisés, qui risquaient d'arriver dans leurs Suburban noires. Des affreux qui faisaient sauter sans vergogne une belle De Ville 56 étaient capables de toutes les atrocités ! Les nausées et les vertiges avaient cessé, mais la jeune femme ne se sentait pas pour autant dans son état normal. Certes, son cœur ne bondissait plus dans sa poitrine tel un crapaud affolé, mais il n'était pas aussi sage qu'un petit chanteur à la Croix de bois.

Aussi sage qu'un petit chanteur à la Croix de bois. C'était une expression que Jilly avait chipée à sa mère. Par *sage* sa mère ne signifiait pas seulement silencieuse et tranquille ; elle sous-entendait *chaste* et *pieuse*, et mieux encore. Quand Jilly, enfant, piquait une colère, sa mère, invariablement, lui recommandait de suivre l'exemple des célèbres petits choristes ; et plus tard, adolescente, quand Jilly était tout émoustillée par l'attention de quelque Casanova boutonneux, sa mère lui rappelait les vertus morales des mythiques petits chanteurs.

Finalement, Jilly s'inscrivit à la chorale de son église, en partie pour prouver à sa mère que son cœur était resté pur et en partie parce qu'elle rêvait de devenir une pop-star. Combien de vedettes de la chanson avaient chanté dans des chœurs d'église dans leur jeunesse ! Le chef de la chorale lui apprit bien vite, toutefois, qu'elle n'était pas faite pour chanter en solo, mais il bouleversa son existence lorsqu'il lui dit : « Pourquoi tiens-tu à ce point à devenir chanteuse, Jillian, alors que tu as un tel talent comique ? Quand les gens n'ont pas le goût à rire, ils se tournent vers la musique pour alléger leur peine, mais le rire restera toujours leur remède préféré. »

Et voilà, sur le bord d'une autoroute, loin de l'église et de sa mère, les deux lui manquant tout autant, assise sur le rail d'acier, le dos aussi droit que sur son banc de chœur, elle porta la main à sa gorge et sentit le battement systolique dans sa carotide droite. Les pulsations, bien que plus rapides que celles d'une fille de chœur bercée par les hymnes au divin amour ou par les notes d'un *kyrie* inspiré, restaient loin de la panique. Elles battaient une cadence que Jilly connaissait bien, le même tempo que lorsqu'elle était sur scène et qu'elle s'apercevait que ses sketches ne faisaient pas mouche et qu'il lui fallait pourtant tenir sous les feux des projecteurs devant une foule hostile. La moiteur du front était la même, ainsi que la flaque glacée qui descendait dans sa nuque et le creux de ses reins – cette sensation de froid n'avait qu'un seul nom, que l'on se trouve sur les augustes prosceniums de Broadway ou sur les tréteaux d'un misérable boui-boui de campagne : la peur du flop.

La différence : elle n'était pas sur scène, terrifiée de voir ses traits d'humour tomber à l'eau, mais dans la vraie vie, avec la sensation que c'était tout son monde qui s'apprêtait à faire *flop* !

Certes, peut-être noircissait-elle quelque peu le trait. On lui avait souvent reproché une certaine tendance au pessimisme... Mais il n'y avait pas de quoi voir la vie en rose quand on se retrouvait perdue au milieu du désert, loin des êtres qu'on chérissait, en compagnie de deux inconnus bizarres, avec la sensation d'être seule au monde et que le reste de l'univers était de mèche avec des incendiaires de Cadillac de collection ! Et plus grave encore, à chaque battement de cœur, son sang enfonçait un peu plus profond dans son organisme une substance mystérieuse aux effets inconnus.

Forte de cette considération, elle estima que la situation était autrement dramatique que tous les bides qu'elle avait pu connaître sur scène et que, par conséquent, elle pouvait bien se laisser aller à une bonne crise de panique et donner libre cours à sa colère.

— Pessimiste, mon cul ! marmonna-t-elle.

Par la portière ouverte de la Ford, Jilly apercevait Dylan assis à côté de Shep, en train de lui parler, une longue litanie de mots destinée à l'apaiser. Les rugissements des véhicules filant alentour l'empêchaient de distinguer ce qu'il lui disait, mais à en juger par l'air absent du gamin, Dylan s'adressait à un mur.

Au début, il avait serré les mains de son frère pour l'empêcher de se frapper. Du sang coulait de sa narine gauche. À présent, il l'avait lâché et se tenait simplement assis à côté de lui, tête baissée, les coudes appuyés sur ses cuisses, les mains jointes entre ses genoux, mais il parlait encore et toujours...

Le fait de ne pouvoir entendre ce qui se disait donnait un caractère intime à cet échange. De loin, assis ainsi côte à côte dans la lueur du plafonnier de la voiture, unis et à la fois séparés, ces deux-là ressemblaient à un prêtre et son fidèle dans un confessionnal. Plus elle regardait les deux frères, plus l'illusion était parfaite. Elle croyait même sentir l'odeur du bois ciré des confessionnaux de son enfance, ainsi que celle des fumées d'encens.

Une sensation étrange l'envahit, l'impression que cette

scène avait une portée que ses cinq sens ne pouvaient appréhender, que cet instant était enveloppé d'une gangue de mystère et qu'en son cœur se trouvait un noyau transcendant. Jilly avait trop les pieds sur terre pour verser dans le mysticisme ; jamais auparavant elle n'avait eu ce genre de pensée...

La nuit avait beau être parfaitement tranquille, avec, pour seule pointe d'exotisme, l'odeur astringente du sable du désert et celle plus acide des fumées d'échappement, l'atmosphère sembla s'épaissir d'un coup devant Jillian et nimber les deux frères dans une brume d'encens. Le parfum de girofle, de myrrhe, de musc n'était plus un simple souvenir ; il était bel et bien là, aussi tangible que le scintillement des étoiles au-dessus de sa tête et le crissement des graviers sous ses semelles. Dans l'espace reclus de la Ford Expedition, les fines particules aromatiques réfractaient la lumière du plafonnier, dessinant autour des deux frères des auréoles bleues et dorées, à tel point qu'elle eut l'impression que de la lumière irradiait de leur corps.

Dans ce tableau surréaliste, Dylan devait incarner le confesseur, et Shepherd la brebis égarée. Mais le visage et la posture de Dylan étaient ceux d'un pénitent, tandis que le regard vague de Shepherd donnait au garçon une expression non pas vide mais de pure contemplation. Lorsque le cadet se mit à dodeliner lentement de la tête, on eût dit un *padre* en soutane donnant l'absolution. Jilly sentit qu'il y avait, dans cet inversement des rôles, une signification profonde, mais dont le sens lui échappait. Pourquoi la nature secrète des liens qui unissaient les deux frères revêtait-elle soudain une telle importance à ses yeux ? Pourquoi une petite voix lui soufflait-elle que ce décryptage sémantique était la clé de son salut en cette situation critique ?

Un mystère ne venant jamais seul... elle entendit, montant de nulle part, le rire cristallin d'un enfant, suivi par un battements d'ailes. Elle leva la tête vers la voûte étoilée et n'aperçut aucun oiseau, et pourtant le bruissement de plumes et les rires s'amplifiaient. Elle se retourna lentement et ce qu'elle vit la plongea dans la stupeur.

Il n'y avait pas de mot pour décrire cette expérience, en tout cas certainement pas *hallucination*. Ces sons et ces odeurs n'avaient ni la qualité éthérée des rêves, ni l'hyper-réalisme supposé des hallucinations, mais exactement la consistance des autres éléments, eux bien réels, qui consti-tuaient cette nuit. Ni plus ni moins sonores que la rumeur de la circulation, ni plus ni moins odorants que l'odeur des gaz d'échappements.

Environnée par les battements d'ailes, elle vit des ran-gées de bougies, à cinq ou six mètres derrière le rail de sécurité – deux rangées de cierges, dans leurs petites sou-coupes de verre rouge, luisant tels des rubis dans l'obscu-rité du désert.

S'il s'agissait d'un rêve, il reproduisait la réalité avec un respect étonnant des lois de la physique. Le plateau de métal était planté au pied d'une dune, au milieu de buis-sons squelettiques, projetant sur le sable un réseau complexe d'ombres, fidèle, jusque dans ses moindres détails, à celui qu'auraient engendré de véritables chan-delles votives. Les lueurs des flammes dessinaient sur le sol des crinières mouvantes et des serpents frétillants, tan-dis que les feuilles argentées de la végétation semblaient laper la lumière tels des milliers de langues avides. L'illu-mination de la scène se fondait avec réalisme dans le pay-sage – pas de halo surnaturel ou de rayonnement magique, mais au contraire, chaque reflet, chaque lueur étaient à sa place, intégrés au reste, selon une logique toute carté-sienne.

Un peu sur la gauche des cierges, plus près encore de la rambarde d'acier, se profilait un banc d'église, installé face à un autel invisible. L'une des extrémités du banc était enchâssée dans le flanc d'une dune ; une femme en noir se tenait assise à l'autre bout.

Cet endroit, sans la femme sur le banc et sans les bou-gies, avait connu, en des temps lointains, les galopades endiablées de chevaux sauvages. Et maintenant, le cœur de Jilly se mettait à battre à tout rompre, comme si une horde de mustangs traversait sa poitrine dans un tambourinement affolé de sabots. Sa terreur du flop se muait en suées glacées qu'aucune humiliation sur scène ne pourrait jamais déclencher. Et cette fois, ce n'est pas la peur du ridicule qui suscitait cet émoi, mais celle de perdre la raison.

La femme du banc, vêtue de sa robe noire ou peut-être bleu roi, avait les cheveux d'un noir de jais. En signe d'humilité devant Dieu, elle portait une mantille blanche brodée sur sa tête dont les pans masquaient son visage. Perdue dans ses prières, elle semblait inconsciente de la présence de Jilly et de la disparition, à l'exception de ce banc et des chandelles, de la totalité du reste de l'église.

L'air bruissait toujours autant de battements d'ailes, encore plus présents. Jilly reconnaissait distinctement le frottement des plumes rémiges dans l'air. Il s'agissait bien d'oiseaux et non d'un escadron de chauves-souris. Ils passaient tout près d'elle ; elle entendait les ailes s'ouvrir et se refermer, tels des éventails japonais, à chaque contraction des muscles adducteurs, et pourtant elle ne les voyait pas.

Elle tourna la tête en tout sens à la recherche des volatiles invisibles, et aperçut la Ford, portière ouverte, et dans l'habitacle, Dylan et son frère, comme au confessionnal, auréolés d'une lumière spectrale. Dylan ignorait que la jeune femme était confrontée au mystère ; il semblait aussi déconnecté d'elle que son frère cadet l'était de lui ; impossible d'attirer son attention, de lui parler des bougies votives, de la femme en prière, parce que la peur lui avait volé sa voix, et quasiment tout l'air de ses poumons. Les bruissements d'ailes atteignaient un paroxysme, une tempête rageuse et assourdissante, un roulement de tonnerre qui la traversait de part en part, faisant vibrer tous ses os. Ces sons tourbillonnaient en elle, comme les turbulences d'air soulevées par les ailes fantômes, qui agitaient ses cheveux, cinglaient son visage. Emportée par le flot hurlant, elle se tourna de nouveau vers le désert, vers les cierges et la pénitente.

Dans un flash, une chose blanche passa devant son visage, puis une autre, plus blanche encore, qui se mua en un scintillement de plumes aussi lumineux qu'une flamme. Le temps d'un battement de paupières, une colonie frénétique de colombes ou de pigeons apparut soudain tout autour d'elle. Ce raz de marée d'ailes impliquait un nombre non moins grand de becs et de griffes et Jilly craignit d'y perdre ses yeux. Avant d'avoir eu le temps de mettre ses mains en bouclier devant son visage, une grande déflagration déchira la nuit, tonitruante comme la colère de Zeus, qui souleva un vent de panique parmi les volatiles. Un mur hérissé d'ailes la heurta en plein visage ; elle poussa un cri, mais aucun son ne put sortir de sa gorge, trop nouée par la peur. Étourdie par le choc, elle battit des paupières, certaine d'avoir les yeux crevés, mais elle y voyait encore clair... les oiseaux avaient disparu, aussi brusquement qu'ils étaient apparus, et avec eux s'étaient évanouis leurs bruits et leur fureur.

Disparues aussi les bougies dans le désert. Et aussi la femme à la mantille... renvoyée avec son banc dans l'église obscure d'où elle était venue.

Le bouchon de peur qui obstruait sa gorge sauta enfin. Avec sa première inspiration, elle perçut la dernière odeur qu'elle eût souhaité sentir en la circonstance : l'odeur du sang. Subtile, mais distincte, reconnaissable entre toutes ; l'odeur de la mort et du sacrifice, de l'épique et du tragique. Un parfum métallique, avec un zest de cuivre, un soupçon de fer, aussi. Autre chose que des plumes blanches avait heurté son visage... Avec des mains tremblantes, elle tâta sa gorge, son menton, ses joues. Au moment même où elle vit, en écarquillant les yeux d'horreur, les traces luisantes sur ses doigts, elle sentit sur ses lèvres le même liquide, le même goût dans sa bouche. Elle poussa un hurlement, cette fois parfaitement audible.

12.

Plus noir que le charbon sous le clair de lune, l'auto-route déroulait son ruban de bitume devant la Ford Expedition, paraissant entraîner Jilly et les frères O'Conner vers le chaos et les terres sans fin de l'oubli. Parfois, à l'inverse, la route semblait un ver opiniâtre, fuyant l'entropie galopante du monde pour se précipiter, avec ses occupants, vers une destinée inéluctable qu'un être supérieur avait ourdie pour eux.

La jeune femme ne savait quelle option était la plus terrifiante : s'enfuir vers une jungle encore plus grouillante, où chaque bosquet pouvait cacher une nouvelle rencontre avec l'inconcevable ou découvrir l'identité du médecin fou au petit sourire et connaître les vertus occultes du liquide doré qui coulait désormais dans ses veines ?

En vingt-cinq ans d'existence, elle avait appris que la connaissance, dans la majeure partie des cas, n'apportait jamais la paix et la sérénité. Depuis qu'elle était revenue dans sa chambre de motel avec sa racinette, elle errait dans un purgatoire, fait d'ignorance et de confusion d'esprit, où la vie ressemblait à un cauchemar ou tout au moins à un très vilain rêve. Mais si elle trouvait les réponses à ses questions, n'allait-elle pas apprendre qu'elle était destinée à vivre un enfer en comparaison duquel ce purgatoire, quoique éprouvant pour les nerfs, lui apparaîtrait comme une oasis de douceur et de sérénité ? Fallait-il vraiment chercher à *savoir* ?

Comme de coutume, Dylan, tout en conduisant, ne cessait de surveiller Shep dans le rétroviseur, allant jusqu'à jeter de temps en temps un coup d'œil derrière lui pour s'assurer que son petit frère n'était pas victime d'une nouvelle crise. Seulement cette fois, il avait deux sujets d'inquiétude pour le distraire de la conduite. En effet, après le numéro de Jilly – avec ses oiseaux fantômes et le sang – Dylan observait la jeune femme avec une nouvelle attention.

— Vous avez réellement senti le goût... le goût du sang, je veux dire ? demanda-t-il. Et l'odeur aussi ?

— Ouais. Je sais que cela ne s'est pas vraiment passé. Vous n'avez rien vu. Mais cela semblait pourtant bien réel.

— Et les oiseaux. Vous les avez entendus, vous avez senti leurs ailes...

— Oui.

— Les hallucinations peuvent-elle impliquer les cinq sens – du moins avec cette force ?

— Ce n'était pas une hallucination, répliqua la jeune femme avec entêtement.

— En tout cas, ce n'était pas réel.

Elle lui lança un regard de tueuse. Visiblement, il était dangereux de s'obstiner à prétendre que cette *amazone du désert*, sans peur ni reproche, pouvait être sujette à des hallucinations. C'était bon pour les femmes du siècle dernier, qui avaient leurs vapeurs, tombaient dans les pommes pour un rien, et se complaisaient dans une mélancolie étudiée.

— Je ne suis pas une folle dingue, ni une alcoolique en période de sevrage, ni une consommatrice de champignons psychédéliques, Dieu m'en préserve, alors le mot *hallucination* ne s'applique pas à mon cas.

— Disons, dans ce cas, une... vision.

— Je ne suis pas Jeanne d'Arc non plus. Dieu ne m'envoie pas de messages codés. J'ai assez de soucis comme ça. Et puis, je ne veux plus parler de ça, pas pour le moment. Plus tard peut-être.

— Il faut pourtant que...

— J'ai dit non.

— Mais...

— J'ai la pétoche, d'accord. Et en parler pendant des heures n'atténuera en rien ma peur, alors je dis « pouce ». Temps mort !

La curiosité de Dylan était bien compréhensible, et même son inquiétude, mais la jeune femme détestait être un objet de sollicitude. Même la compassion de ses amies proches lui était difficilement supportable. Quant à celle des étrangers, elle tournait trop vite en pitié... Jilly ne voulait la pitié de personne. Elle détestait l'idée de passer pour une pauvre petite chose sur laquelle le sort s'acharnait. Pas question d'être placée sous la coupe de qui que ce soit.

Les regards soucieux de Dylan l'agaçaient donc tellement qu'elle voulut les fuir par tous les moyens. Elle détacha sa ceinture de sécurité, replia les jambes sous elle, laissant toute la place au sol pour Fred et se tourna à demi sur son siège, pour observer Shep – ainsi, Dylan pourrait se concentrer un peu plus sur la route.

Dylan avait laissé, à côté de Shep, une trousse de premiers soins. À la grande surprise de Jilly, le garçon l'ouvrit et parut savoir comment l'utiliser, quoique ses gestes fussent si mécaniques, son visage si dénué d'expression, qu'elle avait l'impression de voir un robot à l'œuvre. Avec des mèches de coton imbibées d'eau oxygénée, il décolla patiemment les agrégats de sang coagulé obstruant sa narine gauche, qui sifflait comme un pipeau à chaque inspiration. Il opéra avec tant de délicatesse que le sang ne se remit pas à couler. Dylan avait dit qu'il s'agissait d'une petite hémorragie, que les cartilages du nez étaient indemnes, et Shep semblait confirmer le diagnostique, puisqu'il effectua ses soins sans une grimace de douleur ou un gémissement. Avec des tampons d'alcool, il nettoya le sang séché sur sa lèvre supérieure, le coin de sa bouche et le menton. Il s'était écorché deux doigts sur ses dents ; à l'aide d'une crème antibactérienne, il désinfecta ces petits bobos. Avec le pouce et l'index, il testa chacune de ses dents, une par une, molaire après molaire, pour s'assurer qu'aucune n'était déchaussée, en articulant chaque fois « Tout est pour le mieux, Monseigneur ». Sachant qu'il n'y avait, dans la Ford, ni duc, ni comte, ni archevêque, Shep ne s'adressait donc à personne de l'habitacle. « Tout est pour le mieux, Monseigneur. » Son inspection buccale, quoique méthodique, conservait une certaine maladresse, et ses mouvements avaient une raideur de vieil automate.

À plusieurs reprises, Jilly tenta de bavarder avec Shepherd, mais tous ses efforts de communication firent chou blanc. Shep ne s'adressait qu'au Seigneur des dents, à qui il faisait son rapport d'auscultation.

— On peut converser avec lui, lui expliqua Dylan. Toutefois, même quand il est en verve, ses mots d'esprit ne feraient rire personne dans un cocktail. Il a son mode verbal personnel, son propre langage, le « shepherdais »... et pourtant les échanges avec lui ne sont pas dénués d'intérêt.

Sur la banquette arrière, Shep testa une nouvelle dent et déclara :

— Tout est pour le mieux, Monseigneur.

— Mais vous n'êtes pas près d'avoir un vrai dialogue avec lui, poursuivit Dylan. Pas quand il est dans cet état... Il ne supporte pas bien les chocs, ou tout événement qui rompt ses habitudes. Il se sent mieux quand la journée se déroule exactement comme prévu, sans retard ni délais, tranquille, cadrée, répétitive. Si petit déjeuner, déjeuner, dîner sont servis toujours à la même heure, si le menu ne dévie jamais de sa petite liste de plats acceptables, s'il ne rencontre pas trop de gens nouveaux qui veulent lui parler... alors une communication peut s'établir avec lui, auquel cas il deviendra intarissable.

— Tout est pour le mieux, Monseigneur, déclara Shep, en ne s'adressant visiblement pas à Dylan.

— Qu'est-ce qu'il a ? demanda Jilly.

— Il est autiste. Un autisme à haut fonctionnement. Comme il n'est jamais violent, et qu'il se révèle, parfois, une vraie pipelette, on lui a diagnostiqué un jour un Asperger.

— Un As-burger ?

— Un As-per-ger. Le syndrome d'Asperger ; du psy-chiatre autrichien, Hans Asperger. Parfois, Shep semble réellement fonctionner à deux cents à l'heure et parfois beaucoup moins vite. La plupart du temps, on ne peut lui coller d'étiquette. Son cas est unique. C'est Shep, c'est tout.

— Tout est pour le mieux, Monseigneur.

— Cela fait quatorze fois qu'il le dit, nota Dylan. Combien de dents a un humain ?

— Trente-deux, je crois, en comptant les quatre dents de sagesse.

Dylan poussa un soupir.

— Dieu merci, on les lui a retirées !

— Vous disiez qu'il avait besoin de stabilité. Cela ne doit pas être bon pour lui d'errer dans tout le pays comme un bohémien...

— Tout est pour le mieux, Monseigneur.

— On n'*erre* pas, rétorqua Dylan avec une pointe d'agacement. On a un emploi du temps, des habitudes, des destinations connues. Nous avons des objectifs et nous voyageons dans le confort. Nous ne sillonnons pas la cam-pagne dans une roulotte avec des signes cabalistiques peints sur les bat-flanc.

— Je voulais juste dire qu'il serait peut-être davantage à sa place dans un établissement spécialisé.

— C'est hors de question !

— Tout est pour le mieux, Monseigneur.

— Il en existe de bons, qui n'ont rien de trous à rats, insista Jilly.

— Shep n'a que moi. Si je le mets dans une maison, il n'aura plus rien.

— Il serait peut-être plus heureux.

— Non. Il en mourrait.

— Au moins, on l'empêcherait de se faire du mal.

— Il ne se fait pas de mal.

— Il vient pourtant de se frapper, fit-elle remarquer.

— Tout est pour le mieux, Monseigneur.

— Cela ne se reproduira pas, déclara Dylan, d'une voix davantage empreinte d'espoir que de conviction.

— Il y a une heure encore, jamais vous n'auriez imaginé que cela puisse simplement se *produire*.

Malgré la circulation dense et le fait qu'ils roulaient déjà au-dessus de la vitesse autorisée, Dylan accéléra encore.

Dylan ne cherchait pas seulement à distancer les hommes en Suburban noires, sentit Jilly. Il fuyait autre chose...

— Vous aurez beau dépasser le mur du son, Shep sera toujours derrière vous, sur la banquette.

— Tout est pour le mieux, Seigneur.

— Le médecin fou vous a fait une piqûre, répondit Dylan, et une heure plus tard, vous avez eu ce...

— J'ai dit que je ne voulais plus en parler !

— Et moi, je ne veux pas parler du reste, répliqua Dylan. D'établissements spécialisés, de sanatoriums, d'hôpital, et de tous ces endroits où les gens sont enfermés, mis en conserve et époussetés de temps en temps pour faire bonne impression aux visiteurs.

— Tout est pour le mieux, Seigneur.

— Entendu, répondit Jilly. Je suis désolée. Je comprends. Et ce ne sont pas mes affaires.

— Tout juste. Shep n'est pas votre affaire, mais la mienne.

— Message reçu cinq sur cinq.

— Parfait.

— Tout est pour le mieux, Seigneur.

— Il en est à vingt, déclara Jilly.

— En revanche votre apparition bizarre nous regarde tous les deux, vous et moi, parce que cela a un rapport avec le produit que l'on nous a injecté.

— Ce n'est pas si sûr.

Le visage de Dylan pouvait, parfois, avoir des expressions réellement exagérées, comme s'il était un ours de dessins animés qui avait quitté l'écran pour rejoindre le monde réel et tentait de se faire passer pour un humain. En l'occurrence, sa mimique d'étonnement était digne du chat Sylvestre lorsque Titi échappant à son appétit félin l'entraînait au-dessus d'un précipice.

— Au contraire, rien n'est plus sûr !

— Pas du tout, s'obstina-t-elle.

— Tout est pour le mieux, Seigneur.

— Et je n'apprécie pas plus le terme « apparition bizarre » que « hallucination ». Cela me fait passer pour une toxico allumée.

— Comment pouvez-vous chicaner sur le vocabulaire.

— Je ne chicane pas. Je dis simplement que je n'aime pas ces termes.

— Si nous voulons en parler, il faut bien que nous donnions un nom à cette *chose*.

— Eh bien n'en parlons pas !

— Mais nous devons en parler. Qu'est-ce que vous croyez, que l'on va rouler comme ça en voiture, au petit bonheur, *ad vitam æternam*, et ne jamais aborder le sujet ?

— Tout est pour le mieux, Seigneur.

— En parlant de voiture, vous roulez bien trop vite.

— Pas du tout.

— Vous êtes à près de cent cinquante...

— C'est à cause de votre angle de vision, de la parallaxe...

— Ah oui ? Et selon le vôtre, vous êtes à combien ?

— Cent quarante-cinq, reconnut-il, en levant le pied.

— Parlons plutôt de... *mirage*, proposa-t-elle. Cela n'implique pas un problème mental, ni un abus de drogue, ni un phénomène d'hystérie religieuse.

— Tout est pour le mieux, Seigneur.

— J'avais pensé aussi à *illusion*, reprit Jilly.

— Tout le monde a besoin d'illusions...

— Mais je préfère *mirage*.

— Super. Va pour mirage. En plus, on est dans le désert, ça tombe bien !

— Mais ce n'était pas réellement un mirage.

— Bien sûr que non, s'empressa-t-il de la rassurer. C'était une chose pour laquelle il n'existe pas de nom, un truc unique, totalement inconnu. Mais si ce « mirage » a été provoqué par l'injection... – il s'interrompit, la sentant prête à objecter – Nom de Dieu, ouvrez les yeux ! Tout porte à croire qu'il y a une relation de cause à effet entre les deux. C'est une question de bon sens !

— Le bon sens est faillible.

— Pas chez les O'Conner.

— Je ne suis pas une O'Conner.

— Tant mieux ! Cela nous dispensera de changer de nom !

— Tout est pour le mieux, Seigneur.

Jillian ne voulait pas se disputer avec lui, car elle savait qu'ils étaient tous les trois sur le même bateau, mais ce fut plus fort qu'elle.

— Parce qu'il n'y aurait pas de place pour moi dans votre auguste famille ? Les gens comme moi vous posent problème, c'est ça ?

— Ça y est, ça recommence !

— Avec vous, c'est inévitable.

— Pas du tout. C'est vous qui remettez ça sur le tapis. Vous êtes toujours sur le point d'exploser, comme une marmite sur le feu !

— Charmante analogie. Voilà que je suis une marmite. Vous n'avez pas votre pareil pour agacer le monde...

— Au contraire. Il n'y a pas plus sociable que moi. Jamais je n'ai agacé qui que ce soit. Vous êtes la première.

— Tout est pour le mieux, Seigneur.

— Vous dépassez de nouveau les cent quarante, le prévint-elle.

— Je suis à cent trente-huit, rectifia Dylan, et cette fois il ne ralentit pas. Si vous avez été victime de ce mirage à cause de cette injection, mon tour va arriver.

— Raison de plus pour ne pas rouler à cent quarante.

— Cent trente-huit, insista-t-il, avant, à contrecœur, de relâcher la pression sur l'accélérateur.

— Ce barjot de VRP vous a injecté sa saloperie en premier, reprit Jilly, alors si vous deviez voir un mirage, ce serait déjà fait.

— Pour la centième fois, ce n'était pas un VRP C'était peut-être un docteur dérangé, un savant fou, quelque chose dans le genre, mais pas un représentant de commerce ! Et à bien y réfléchir, il a dit que son machin avait des effets différents suivant les personnes.

— Tout est pour le mieux, Seigneur.

— Des effets différents ? Comment ça ?

— Il n'a pas précisé. Il a juste dit « différents ». Il a dit aussi que lesdits effets étaient toujours intéressants, souvent étonnants, et *parfois* positifs.

Elle frissonna en se souvenant de la nuée d'oiseaux et des cierges.

— Ce mirage n'avait rien d'un effet positif. Qu'a dit encore Dr. Frankenstein ?

— Frankenstein ?

— On ne va pas continuer à l'appeler le docteur fou, le VRP barjot. Il nous faut un nom d'emprunt, jusqu'à connaître son véritable patronyme.

— Frankenstein, quand même...

— Quoi ?

Dylan grimaça. Il souleva une main du volant pour esquisser un geste allusif.

— Cela fait un peu...

— Tout est pour le mieux, Seigneur.

— Un peu quoi ?

— Mélodramatique, répondit-il.

— Il n'y a pas que moi qui ai le goût de la chicane dans cette voiture ! Et pourquoi tout le monde ne cesse de me balancer ce mot à la figure ?

— C'est la première fois que je prononce ce mot, objecta-t-il. Et ce n'était pas un jugement de valeur concernant votre personne.

— Je n'ai pas dit qu'il s'agissait de vous. Mais ç'aurait pu être le cas. Vous êtes un homme.

— Je ne vous suis plus.

— Forcément ! Puisque vous êtes un homme ! Malgré tout votre sacro-saint bon sens, vous êtes incapable de suivre un raisonnement un tant soit peu moins linéaire qu'une série numérique de dominos.

— Quel est votre problème avec *les hommes* ? répliqua-t-il avec un petit air supérieur qui donna à Jilly l'envie de le gifler.

— Tout est pour le mieux, Seigneur.

— Vingt-huit ! s'écrièrent Jilly et Dylan à l'unisson, avec un soulagement indicible.

Sur la banquette arrière, Shep, assuré que toutes ses dents étaient bien à leur place, enfila ses chaussures, les laça et se mura dans le silence.

L'aiguille du compteur amorça sa descente ; la tension de la jeune femme diminua... mais Jilly doutait de revoir les rivages de la sérénité avant les dix prochaines années.

Leur vitesse de croisière se stabilisa à cent dix kilomètres par heure – tout juste *cent cinq*, aurait toutefois prétendu Dylan, en imputant l'effet de la parallaxe.

— Je suis désolé, articula-t-il.

Ces paroles de regret surprirent Jilly.

— Désolé de quoi ?

— Mon ton. Mon attitude. Ce que je vous ai dit... D'ordinaire, je ne me laisse jamais entraîner dans une dispute.

— Vous y êtes allé tout seul.

— Bien sûr, bien sûr, rectifia-t-il aussitôt, faisant amende honorable. Ce n'est pas ce que j'ai voulu dire. Vous n'y êtes pour rien. Je dis juste que, d'habitude, je ne me mets jamais en colère. Je la garde en moi. Pour la transformer en énergie créative. Cela fait partie de ma philosophie d'artiste.

Jilly étouffa moins bien son scepticisme que Dylan sa colère ; elle entendit la raillerie poindre dans sa voix, sentit un ricanement intérieur déformer sa bouche et ses traits en un masque de chair à l'expression immanquable : *le mépris.*

— Les artistes ne se mettent donc jamais en colère ?

— Nous n'avons plus beaucoup d'énergie négative à lâcher après avoir violé et occis notre quota de pauvres femmes sans défense.

Elle ne pouvait qu'apprécier sa repartie.

— Désolé. Mes poils se hérissent toujours quand les gens commencent à me parler « philosophie de la vie ».

— Vous avez raison. Ce n'est pas une philosophie, rien d'aussi noble. Disons que c'est mon *modus operandi.*

Je ne suis pas un de ces artistes révoltés qui font des tableaux pleins de rage, de hargne, et de nihilisme sauvage.

— Votre peinture parle de quoi, alors ?

— Du monde tel qu'il est.

— Ah oui ? Et comment vous apparaît le monde ces jours-ci ?

— Exquis. Beau. Profond. Étonnant et mystérieux.

Sa voix s'adoucit et se fit murmure, au fil des mots, comme s'il récitait là sa prière préférée, celle dont il tirait, à chaque occurrence, un grand réconfort. Son visage se mit à irradier d'une lumière intérieure ; il n'avait plus du tout l'air d'un ours de cartoon.

— Un monde si vaste, si riche, poursuivit-il, qu'il est impossible d'en faire le tour. Le gardien d'une vérité élémentaire qui, si l'on pouvait l'appréhender à la fois avec le cœur et la raison, vous permettrait de dompter les océans les plus furieux, à force d'espoir. Du miracle de la vie, chaque jour renouvelé, dont je n'aurai jamais ni le talent ni le temps, en une seule existence, de capter la beauté.

Ces paroles contrastaient tant avec le personnage qu'avait cru deviner Jilly qu'elle ne sut que répondre. En tout cas, une chose était sûre : aucun sarcasme, aucune parole acerbe n'allaient sortir de sa bouche ; elle tiendrait sa langue de vipère pourtant d'ordinaire si prompte à cracher son venin. La raillerie, l'humour facile n'avaient pas droit de cité devant cet accès de sincérité. C'eût été déplacé, indigne. L'assurance coutumière de Jilly, son sens de la repartie avaient fondu comme neige au soleil, parce que la profondeur et l'humilité de ces paroles l'avaient touchée. A sa surprise, l'éperon de la honte la traversa comme un fer ardent, laissant dans sa chair une béance, un grand vide. Son esprit vif et acerbe, ce fier mastodonte des mers, qui bravait tous les tumultes, toutes voiles dehors, s'était soudain transformé en une coquille de noix échouée sur un banc de sable.

Elle n'aimait pas cette sensation. Dylan n'avait pas voulu l'humilier, mais c'était bel et bien ce qui était arrivé.

Elle se sentait toute petite, quantité insignifiante et négligeable. Lorsqu'elle était choriste d'église, elle avait assisté
aux messes plus qu'à son souhait et elle ne connaissait que
trop la théorie prétendant que l'humilité était une vertu et
une bénédiction de l'existence qui permettait de vivre plus
heureux que ceux qui en étaient dépourvus. Toutefois, lorsque le prêtre évoquait ce point dans son sermon, elle se
murait dans sa bulle pour ne plus l'entendre. Pour la petite
Jilly, vivre dans l'humilité totale, au lieu de rechercher un
juste point d'équilibre entre l'orgueil et la modestie (pour
ne pas se mettre Dieu totalement à dos), c'était baisser les
bras avant même d'avoir commencé à vivre. En grandis-
sant, Jilly n'avait pas changé d'avis, au contraire. Le monde
regorgeait de gens impatients de vous rabaisser, de vous
humilier, de vous traîner plus bas que terre. Se montrer
trop humble, c'était faciliter la tâche de ces salauds.

Dylan fixait des yeux le ruban d'asphalte, devant la
voiture, qui se déroulait vers le néant ou vers un monde
meilleur (suivant que l'on fut d'une nature optimiste ou
pessimiste), en affichant une sérénité que Jilly ne lui
connaissait pas et, en tout cas, parfaitement inattendue en
ces circonstances pénibles. Apparemment, la simple pensée de pratiquer son art et de relever le défi de capter en
deux dimensions toutes les beautés du monde avait le pouvoir de chasser ses angoisses, du moins momentanément.

Elle admirait la confiance aveugle avec laquelle il
avait suivi sa vocation ; Dylan n'avait prévu aucun plan de
secours en cas d'échec, contrairement à elle qui, en bouée
de sauvetage, avait imaginé devenir écrivain à succès dans
l'hypothèse d'un naufrage en tant qu'artiste comique. Elle
enviait son assurance tranquille, mais ce sentiment de
jalousie, loin d'attiser les braises de la colère, qui auraient
pu réchauffer son âme et repousser le froid de la honte,
l'enfonçait plus profond encore dans le *permafrost* de l'humilité.

Dans sa geôle de silence, Jilly entendit de nouveau le
rire cristallin des enfants, à moins que ce ne fût qu'un
simple souvenir – comment savoir ? Aussi évanescent que

ce brusque mouvement d'air qui courait sur ses bras, sa gorge et son visage, engendré par des ailes qui battaient, battaient.

Elle ferma les yeux, bien décidée à ne pas être victime d'un nouveau mirage. À force de ténacité, elle parvint à occulter les rires d'enfants.

Les ailes s'évanouirent à leur tour, mais une impression encore plus étrange l'envahit : elle eut soudain une conscience, intime, exhaustive, de son système nerveux. Une sorte de chaleur, de courant électrique, lui en révélait le schéma détaillé, chaque nœud, chaque méandre. Rien ne lui échappait, ni le parcours contourné des douze paires de nerfs crâniens, ni celui non moins méandreux des trente et une paire de nerfs spinaux. Si elle avait été peintre, elle aurait pu dresser une carte minutieuse des milliers et milliers d'axones qui sillonnaient son corps, et les relier chacun à leurs neurones respectifs. Elle percevait les millions d'impulsions de l'influx nerveux qui véhiculaient l'information le long de ses fibres sensorielles, depuis les extrémités ultimes de ses membres jusqu'à sa moelle épinière et à son cerveau, ainsi que le nombre, non moins conséquent, d'instructions qu'envoyait son cerveau aux muscles, organes et glandes, en réponse à ces stimuli. Dans son esprit, c'était une cartographie en trois dimensions de son système nerveux qui prenait forme : des milliards de connexions s'enroulant en spirale dans l'encéphale et la colonne vertébrale, comme autant de points lumineux multicolores, scintillants, vibrants d'énergie.

Il y avait en elle un univers, des galaxies innombrables de neurones, et soudain, Jilly eut l'impression de tomber dans cet océan glacé d'étoiles, tel un astronaute qui, lors d'une sortie extra-véhiculaire, aurait sectionné le cordon ombilical le reliant au vaisseau. L'éternité s'ouvrait devant elle, une gueule béante, et elle tombait de plus en plus vite dans cette immensité interne, vers l'infini, vers l'oubli.

Elle rouvrit les yeux, sous le choc. La vision des constellations de neurones et d'axones s'évanouit aussi brusquement qu'elle était apparue.

La seule étrangeté rémanente se situait désormais au point d'injection, là où s'était enfoncée l'aiguille. Une démangeaison. Une pulsation. Sous le pansement à l'effigie de Bugs Bunny...

Elle n'osait retirer le sparadrap. Traversée de frissons, elle fixait des yeux la minuscule tache pourpre qui maculait la gaze.

Lorsque la peur reflua, elle releva la tête et aperçut une rivière de colombes voler en direction de la voiture. Elles sortaient de la nuit en silence, se dirigeant vers l'ouest au-dessus des voies. Elles étaient des centaines, des milliers, une nuée blanche qui, au dernier moment, se sépara en trois faisceaux pour éviter le 4 × 4, deux par les flancs, le troisième par le dessus, s'écoulant comme de l'eau sur le capot, le pare-brise et le toit du véhicule avant de reformer, dans la traîne de la Ford, un seul et même flot silencieux et fantomatique.

Malgré ce mur blanc qui se ruait sur la voiture, aussi dense qu'un blizzard, occultant tout champ de vision, Dylan ne ralentit pas, ni ne fit le moindre commentaire à son sujet. Son regard semblait passer au travers de ces multitudes, sans remarquer la moindre aile, le moindre œil rond.

Il s'agissait donc d'une apparition qu'elle était la seule à distinguer – le flot de colombes n'était pas réel ! Elle serra les poings de frustration et se mordit la lèvre inférieure ; tandis que son cœur battait à tout rompre dans sa poitrine, apportant une illustration sonore à cette vision muette, la jeune femme se mit à prier pour que ces fantômes de plumes disparaissent vite dans la nuit, même si elle pressentait que ce n'était qu'un commencement, que le pire restait encore à venir...

13.

Le mirage céda la place à la réalité, et les dernières colombes disparurent du ciel, parties sans doute rejoindre leurs rameaux ou leurs clochers.

Peu à peu, les battements de son cœur ralentirent, mais chaque coup restait aussi puissant, comme si la peur était encore solidement cramponnée en elle.

La lune derrière, la voie lactée devant, ils continuèrent à rouler, pendant un ou deux kilomètres, accompagnés par le chuintement des pneus, le fracas des voitures filant en sens inverse et les grondements des camions aux airs de Léviathan, puis la voix de Dylan apporta une pointe de mélodie à cet univers mécanique :

— Et vous, quel est votre *modus operandi*, en tant que comédienne ?

La bouche de la jeune femme était sèche, sa langue une boule de coton, mais sa voix parut normale lorsqu'elle répondit :

— Ma source d'inspiration, vous voulez dire ?... la bêtise humaine. J'essaie d'en faire rire. L'envie, la trahison, l'avidité, la fatuité, la luxure, la vanité, la haine, la violence aveugle... Les sujets ne manquent pas !

En s'écoutant parler, elle eut envie de se cacher dans un trou de souris, tant ses muses semblaient vulgaires comparées à celles de Dylan.

— Mais tous les comiques procèdent de cette façon,

reprit-elle, agacée intérieurement de s'entendre ainsi se justifier. La comédie est un sale boulot, mais quelqu'un doit le faire.

— Les gens ont besoin de rire, déclara-t-il, sortant ce poncif comme pour rassurer la jeune femme.

— Je veux les faire rire, jusqu'à ce qu'ils en pleurent, rétorqua Jilly, en se demandant aussitôt pourquoi elle disait ça. Je veux qu'ils ressentent...

— Qu'ils ressentent quoi ?

Le mot qu'elle avait failli prononcer était si inapproprié, si décalé par rapport à ce que l'on pouvait attendre de la part d'une artiste comique, qu'elle fut toute troublée de l'entendre résonner dans sa tête. *La douleur.* Elle avait failli dire : *je veux qu'ils ressentent la douleur.* Elle ravala le mot avec une grimace, comme s'il avait un goût aigre.

— Jilly ? Ça ne va pas ?

Le charme obscur de l'introspection était rompu ; les menaces nocturnes qu'ils étaient parvenus à oublier l'espace de quelques minutes reprenaient leur droit... Elle contempla l'autoroute en fronçant les sourcils.

— Nous roulons vers l'est ?

— Ouais.

— Pourquoi ?

— À cause des grosses voitures noires, des explosions, des gros méchants en tenue de golf..., crut-il bon de lui rappeler.

— Mais j'allais vers l'ouest avant que l'on soit dans ce caca. J'ai trois jours de spectacle à Phœnix, la semaine prochaine.

À l'arrière, Shepherd sortit de son mutisme.

— Matière fécale, excrément, déjection.

— Vous ne pouvez plus aller à Phœnix, objecta Dylan. Pas après tout ça, pas après votre mirage...

— Hé, fin du monde ou non, j'ai besoin d'argent ! En plus, on ne décommande pas trois dates comme ça, à la dernière minute. À moins de vouloir se griller à vie dans le métier !

— Étron, selle, crotte, poursuivit Shep.

— Auriez-vous oublié ce qui est arrivé à votre Cadillac ? demanda Dylan.

— Je ne risque pas ! Ma jolie De Ville, se lamenta-t-elle. Elle était magnifique, non ?

— Un bijou, reconnut-il.

— J'adorais ses ailerons de requin à l'arrière.

— C'était très élégant.

— Son pare-chocs avant avec ses deux ogives d'obus.

— Saisissant, effectivement.

— C'était écrit *De Ville*, en lettres d'or sur les flancs. C'est ce genre de détails qui la rendait unique. Et maintenant, ce n'est plus qu'un tas de ferraille tordu, puant le Frankenstein carbonisé. Comment pourrais-je oublier ça ?

— Crottin, bouse.

— Qu'est-ce qui lui prend, maintenant ?

— Il n'y a pas si longtemps, vous m'avez demandé de trouver des synonymes plus châtiés pour un mot grossier que j'avais dit et qui vous avait écorché les oreilles. Shep vient de relever le défi !

— Fiente, coprolithe.

— Mais c'était avant que nous ne quittions le motel, remarqua-t-elle.

— Shep n'a pas la même notion du temps que nous. Le passé, le présent, le futur ne sont pas très bien différenciés ; parfois, il agit comme si ces trois temps n'était qu'un et que tous les événements soient simultanés.

— Colombin, articula Shep.

— Ce que je voulais dire à propos de la Cadillac, reprit Dylan, c'est que, lorsque ces tueurs en Lacoste vont s'apercevoir que la De Ville n'appartient pas à Frankenstein, mais à Jillian Jackson, ils vont se mettre à votre recherche. Ils voudront savoir comment il s'est retrouvé au volant de votre voiture, si vous lui avez donné les clés de votre plein gré ou non...

— Je savais que j'aurais dû aller trouver les flics ! Déclarer le vol comme une citoyenne honnête. Maintenant, je suis une suspecte.

— Défécation, souillure.

— Si Frankenstein dit vrai, précisa Dylan, les flics ne peuvent assurer votre protection. Ces types peuvent passer au-dessus d'eux.

— Où devons-nous aller toquer, alors ? Au FBI ?

— Peut-être ne peut-on pas échapper à ces gens. Peut-être sont-ils encore au-dessus des fédéraux...

— Qui sont ces mecs, nom de Dieu ? Les services secrets, la CIA, la police politique du père Noël venant dresser la liste des enfants qui n'ont pas été sages ?

— Fumier, purin.

— Frankenstein n'a pas précisé qui ils étaient, déclara Dylan. Il a juste dit que, s'ils découvraient qu'on avait ce machin dans les veines, nous serions aussi condamnés à la disparition que les dinosaures, mais que, dans notre cas, on ne retrouvera jamais nos squelettes.

— D'accord, c'est ce qu'il a dit, mais rien ne nous prouve qu'il faille le croire. C'était un savant fou.

— Évacuer, caguer.

— Il n'était pas fou.

— Vous avez dit que c'était un illuminé.

— Et vous, que c'était un VRP. On l'a traité de tous les noms dans le feu de l'action.

— Planter une borne, couler un bronze.

— Mais étant donné la situation, insista Dylan, avec ces types à ses trousses décidés à le tuer, il a eu la réaction la plus logique et raisonnable possible.

Jilly ouvrit la bouche de stupéfaction. « *Une réaction logique ? Raisonnable ?* » Elle se souvint tout à coup qu'elle ne savait quasiment rien de ce Dylan O'Conner. Il pouvait bien être plus bizarre encore que son frère.

— Bien, je vais mettre les points sur les « i ». Cette ordure au petit sourire m'a chloroformée, et m'a injecté une saloperie de cocktail à la Dr. Jekyll, puis il a volé ma jolie voiture avant de sauter avec... et selon vos nobles critères, ce comportement serait un modèle de cartésianisme ?

— Il était acculé, le temps lui manquait... il a fait la seule chose possible pour sauver l'œuvre de sa vie. Je suis certain qu'il ne pensait pas se retrouver carbonisé dans votre voiture.

— Vous êtes aussi dingue que lui..., conclut Jilly.

— Déboucher son orchestre, faire sa grosse commission.

— Je ne soutiens pas qu'il a eu raison de faire ça, précisa Dylan. Mais simplement que c'était logique. Si nous partons du principe qu'il était totalement toqué, nous commettons une erreur qui risque de nous coûter la vie. Réfléchissez : si nous mourons, il aura tout perdu. Il veut donc que nous restions en vie ; parce que nous sommes ses... cobayes ou quelque chose du genre. Par conséquent, je pars du principe que tout ce qu'il m'a dit est vrai et doit nous aider à sauver notre peau.

— Flaquer, foirer, déposer sa prune.

Autour d'eux s'étendait une plaine noire comme une ancienne pierre de cheminée, parsemée de monticules couleur cendre où se profilaient sous la lune quelques buissons épineux, quelques rochers incrustés de mica. Vers l'est, devant eux, les *Peloncillo Mountains* dressaient leur silhouette sinistre et désolée, formant un entonnoir qui se refermait sur l'autoroute : des chicots de pierre aux arêtes acérées, plus noirs encore.

Ce panorama n'offrait aucun réconfort, tant pour l'esprit que pour le cœur, et sans la présence de ce ruban de bitume, ils se seraient crus sur une planète hostile et inhabitée. Même les feux fugitifs des voitures qu'il croisaient ne parvenaient pas à les convaincre qu'ils se trouvaient sur terre. Il flottait dans l'air quelque chose de surnaturel, comme si la Ford Expedition traversait un monde duquel toute vie avait disparu depuis des siècles, un territoire fantôme où la seule activité se réduisait à ces machines roulantes programmées en des temps anciens et qui poursuivaient leur tâche aveugle et désormais inutile.

Pour Jilly, ces étendues arides ressemblaient à l'enfer dépourvu de ses flammes.

— Nous n'allons pas nous en sortir vivants, n'est-ce pas ? demanda-t-elle d'un ton de tragédienne.

— Quoi ? Bien sûr que oui.

— *Bien sûr que oui ?* s'exclama-t-elle avec une incrédulité emphatique. Je ne vois pas ce qui vous rend si affirmatif.

— Le pire est derrière nous, insista-t-il.

— Non, ce n'est que le début...

— Mais non, voyons.

— Allons, soyez réaliste !

— Le pire est derrière nous, répéta-t-il avec obstination.

— Comment pouvez-vous dire ça alors que vous ignorez totalement ce qui nous attend ?

— La création est un acte de volonté, répondit Dylan avec des airs de vieux bonze.

— C'est-à-dire ?

— Avant de commencer un tableau, je l'ai déjà conçu dans ma tête. Il existe à partir de l'instant où je l'ai visualisé en pensée ; tout ce qu'il faut, c'est passer de la conception à la matérialisation, autrement dit, une toile, du temps et du travail.

— Je ne vois pas le rapport avec notre situation.

À l'arrière, Shepherd était redevenu silencieux, mais les propos du grand frère n'étaient pas moins inquiétants que les soliloques du cadet.

— Il faut être positif. Croire en la suprématie de l'esprit sur la matière. Si Dieu a créé le paradis et la terre simplement par sa pensée, alors la force suprême, qui régit cet univers, c'est la volonté.

— Foutaises ! Si c'était le cas, je serais vedette d'une *sitcom* et je ferais, en ce moment, la nouba dans mon manoir en stuc de Malibu !

— Notre force de création est un écho de la création divine, parce que, chaque jour, l'homme, par sa seule volonté, invente et réalise de nouvelles choses – des nouvelles architectures, de nouveaux composés chimiques, de nouveaux procédés de fabrication, de nouvelles œuvres d'art, de nouvelles recettes de cuisine.

— Je ne vais pas risquer la damnation éternelle en

prétendant que je suis meilleure cuisinière que Dieu. Je suis sûre que mon pot-au-feu ne vaut pas le sien !

Dylan ignora la remarque et poursuivit :

— Nous n'avons pas des pouvoirs comparables à Dieu, nous ne pouvons transformer directement l'énergie mentale en matière...

— C'est sûr qu'il doit mieux réussir la mayonnaise que moi !

— ... mais guidés par la pensée et la raison, continua Dylan, imperturbable, nous pouvons utiliser d'autres sources d'énergie pour transformer la matière existante et rendre ainsi possible presque tout ce que notre esprit peut concevoir. Nous filons la laine pour faire des vêtements, nous coupons des arbres pour construire nos maisons. Notre processus de création est beaucoup plus lent, plus maladroit et contourné, mais, dans l'esprit, on n'est pas si loin de ce que fait Dieu. Vous comprenez ce que je veux dire ?

— Encore quelques mots, et je m'inscris à votre secte...

Dylan recommençait à accélérer.

— Vous pouvez être sérieuse deux minutes ? Faire ce tout petit effort ?

Jilly était agacée par cette profession de foi enfantine et cet optimisme obstiné alors qu'ils avaient la mort aux trousses. Toutefois, se souvenant que Dylan l'avait touchée un peu plus tôt par ses paroles, elle décida, pour quelque temps, de mettre un bémol à ses sarcasmes.

— C'est bon. Allez-y. Je suis tout ouïe.

— Supposons que nous sommes faits à l'image de Dieu...

— Et alors ?

— Alors, il est raisonnable de supposer qu'à défaut de pouvoir créer la matière à partir du néant, ou de modifier celle qui existe par notre seule volonté, nous pouvons modeler, avec notre petite force mentale, les choses à venir.

— Modeler les choses à venir ? répéta-t-elle.

— Tout juste.

— Les choses à venir ?

— Exactement, confirma-t-il, en quittant un instant la route des yeux pour lui lancer un sourire.

— Les modeler ? répéta-t-elle encore d'un air ahuri, avant de prendre conscience qu'elle paraissait aussi perturbée que Shepherd. *Quelles choses ?*

— Les événements futurs, expliqua-t-il. Si nous sommes à l'image de Dieu, alors nous possédons, peut-être, un petit pouvoir – infime, mais non négligeable – nous permettant de modifier les choses. Pas la matière, bien sûr, mais le *futur*. Peut-être qu'avec l'exercice de la volonté nous sommes capables d'influencer notre destinée, du moins dans une certaine mesure ?

— Quoi... il me suffit d'imaginer très fort un futur où je suis milliardaire pour devenir riche ?

— Encore faut-il prendre les bonnes décisions et travailler dur... mais oui, je crois que chacun d'entre nous peut influer sur son avenir, à condition d'y mettre toute sa volonté.

Jilly fit de son mieux pour garder un ton léger et dissimuler son agacement.

— Alors pourquoi n'êtes-vous pas, vous, un artiste célèbre et multimillionnaire ?

— Je ne recherche ni la richesse, ni la célébrité.

— Allons ! tout le monde veut être riche et célèbre.

— Pas moi. La vie est assez compliquée comme ça.

— L'argent simplifie tout.

— Non, l'argent complique tout... et la gloire aussi. Je veux juste faire de bons tableaux, et m'améliorer de jour en jour.

— Donc, vous vous imaginez un futur où vous êtes le nouveau Van Gogh, railla-t-elle, ne pouvant se contenir plus longtemps. Et en faisant ce simple vœu, vous êtes sûr de voir, un jour, vos tableaux exposés dans des musées.

— En tout cas, je m'y emploie. À être le nouveau Van Gogh... sauf que j'aimerais garder mes deux oreilles.

L'optimisme indéfectible de Dylan ne faisait qu'irriter davantage la jeune femme.

— Pour votre gouverne et votre sécurité, sachez que pour ma part, je suis sur le point d'imaginer très fort un futur où je vous botte les fesses à vous remonter les testicules dans l'estomac !

— Vous êtes une grande révoltée...

— Non, j'ai juste la pétoche.

— Vous avez peut-être peur en ce moment précis, mais vous êtes en guerre chaque jour que Dieu fait.

— Pas toujours. Fred et moi passions une soirée des plus paisibles avant que tout bascule.

— Vous devez vous traîner de sacrés boulets depuis l'enfance.

— Houa, vous savez que vous m'impressionnez ! Vous versez donc aussi dans la psychanalyse quand vous n'êtes pas, avec votre petit pinceau, à suivre les traces de Van Gogh Premier.

— Continuez comme ça à vous chauffer toute seule, l'avertit Dylan, et vous allez vous faire péter une artère.

Jilly poussa un cri d'énervement en serrant les dents, car il fallait que sa fureur sorte d'une façon ou d'une autre si elle ne voulait pas exploser.

— Tout ce que j'essaie de dire, poursuivit Dylan avec son irritant petit ton professoral, c'est que si nous sommes positifs, le pire sera peut-être *effectivement* derrière nous. Une chose est sûre, c'est qu'il n'y a rien à gagner à se complaire dans des ondes négatives.

Elle faillit bondir de son siège et marteler le sol de frustration, mais à la pensée de retrouver son pauvre Fred tout piétiné, elle se ravisa. Elle prit une profonde inspiration et toisa Dylan d'un air supérieur.

— Si c'est si simple, pourquoi laissez-vous Shepherd dans cette parodie d'existence depuis toutes ces années ? Pourquoi n'avez-vous pas imaginé qu'il sorte, comme par magie, de son autisme pour vivre une vie normale ?

— Oh, je l'ai imaginé, répondit doucement le jeune homme, d'une voix lourde de regret. De toutes mes forces, de tout mon cœur, chaque jour que Dieu a fait, depuis ma plus tendre enfance.

Le ciel infini. Le désert abyssal. Un néant venait de s'ouvrir dans l'habitacle, plus grand encore que l'immensité désolée du paysage, un vide qu'elle venait de créer. Par peur et par agacement, elle venait de franchir une ligne de non-retour, séparant le débat d'idées contradictoire de la méchanceté gratuite ; elle avait voulu frapper Dylan O'Conner là où cela ferait mal, sur son point le plus sensible. La distance qui les séparait, quoique d'une longueur de bras dans l'espace euclidien de l'habitacle, était désormais un gouffre infranchissable.

Dans la lueur fugace des phares et le clair opalescent de l'éclairage de bord, les yeux de Dylan brillaient, comme si, à force d'avoir retenu trop de larmes depuis tant d'années, au fond de son regard miroitaient deux lacs de pleurs. Tandis que Jilly l'observait avec une sympathie nouvelle, elle s'aperçut que ce n'était pas du simple regret qui voilait ces pupilles mais de la douleur – une souffrance intarissable, comme si son frère n'était pas simplement autiste, mais mort, perdu à jamais pour les vivants.

Elle ne savait que dire pour se faire pardonner. Qu'elle soit murmurée ou scandée avec ferveur, aucune parole de remords ne pourrait combler le fossé qu'elle venait de creuser entre elle et lui.

Elle se sentait comme un tas de purin.

Le ciel infini. Le désert abyssal. Le bourdonnement des pneus et le ronronnement monotone du moteur formaient un bruit blanc que son cerveau filtrait facilement ; elle aurait pu tout aussi bien se trouver dans le silence de mort d'un coin de lune. Elle n'entendait même plus le sifflement de sa respiration, ni les battements de son cœur, et encore moins les chants de sa chorale qui revenaient jadis bercer ses pensées chaque fois qu'elle se sentait seule et misérable. Elle n'avait pas une assez jolie voix pour être soliste, mais elle avait un certain goût pour l'harmonie... en compagnie de ses camarades de chœur, tous vêtus de la même tunique, garçons comme filles, chantant à l'unisson un hymne, elle ressentait physiquement son appartenance au groupe, un sentiment de symbiose exaltant qu'elle n'avait plus jamais éprouvé depuis. Parfois, Jilly se disait que la tâche, pourtant ardue, de créer un lien avec un public d'étrangers, jusqu'à les faire rire malgré eux de la bêtise humaine, restait un jeu d'enfants comparée à celle de trouver une harmonie durable entre deux êtres humains. Le ciel infini, le désert abyssal, et l'isolement des cœurs, barricadés derrière leurs remparts, ouvraient des gouffres tout aussi infranchissables.

Sur le bas-côté, des langues de lumière léchaient çà et là les gravillons, et l'espace d'un instant, Jilly craignit que les cierges ne fussent de retour, avec le banc d'église et l'essaim d'oiseaux, mais ces lueurs, s'aperçut-elle rapidement, n'étaient que les réflexions des phares sur des tessons de bouteilles.

Ce ne fut ni Jilly, ni Dylan qui rompit le silence, mais Shepherd qui, de sa voix douce et monotone, se mit à réciter en boucle le célèbre slogan de la publicité télévisée : « Des frites, pas des mouches... Des frites, pas des mouches... Des frites, pas des mouches... »

Pourquoi donc, se demanda Jilly, Shep psalmodiait-il le slogan publicitaire de la chaîne de restaurants où elle avait justement acheté son dîner ?... sans doute venait-il d'apercevoir le pin's que la caissière avait épinglé sur son chemisier.

— Des frites, pas des mouches... Des frites, pas des mouches...

— J'ai été assommé au moment où je revenais au motel avec les cheeseburgers, expliqua Dylan. On n'a pas dîné. Je pense qu'il a faim.

— Des frites, pas des mouches... Des frites, pas des mouches..., répétait Shep en se dandinant sur son siège.

Quand Dylan lâcha le volant pour porter la main à la poche de sa chemise hawaiienne, Jilly aperçut le même pin's. Le crapaud jovial se fondait à merveille dans le décor tropical du tissu et passait quasiment inaperçu.

— Des frites, pas des mouches... Des frites, pas des mouches...

Quand Dylan retira l'écusson de sa chemise, un incident étrange se produisit, et la soirée prit soudain une toute nouvelle tournure. Alors qu'il se penchait vers la console, s'apprêtant à jeter le pin's dans la poubelle de bord, Dylan se mit à trembler... pas très fort, mais bien trop pour un simple frisson. Jilly eut l'impression qu'une décharge de courant lui traversait le corps. Sa langue se mit à tressauter contre son palais, produisant un bruit rappelant celui d'un démarreur de voiture : « *Tchi-tchi-tchi-tchi-tchi...* »

De sa main gauche, il parvint à maintenir le volant, mais son pied, volontairement ou non, quitta la pédale d'accélérateur. La vitesse de la Ford Expedition chuta, passant de cent cinquante kilomètres par heure, à cent vingt, une allure, toutefois, où l'on pouvait encore se tuer comme un rien...

— *Tchi-tchi-tchi-tchi-tchi*, bredouilla-t-il encore avant de projeter au loin le pin's comme s'il lui brûlait les doigts.

Les tremblements cessèrent aussitôt.

Le petit disque de métal rebondit sur la vitre côté passager, à quelques centimètres du visage de Jilly, ricocha sur le tableau de bord et finit sa course dans les branches de Fred.

Même s'ils ralentissaient encore, Jilly se sentit soudain en grand péril ; elle avait détaché sa ceinture et n'aurait jamais le temps de la reboucler... En un réflexe de survie, elle pivota face à la route, s'accrocha au siège de toutes ses forces, à en perforer le cuir avec ses ongles, et referma sa main droite sur la poignée au-dessus de sa portière, à la jonction du toit. Comme pour confirmer le funeste pressentiment de Jilly, Dylan écrasa les freins. Elle plaqua ses pieds sur le tableau de bord, espérant que les muscles des cuisses amortiraient un éventuel choc et se mit à réciter dans sa tête un *Ave Maria* – cette fois ce n'était pas pour implorer la Vierge de lui épargner l'opprobre d'un postérieur trop volumineux. Tout ce qu'elle voulait, pour l'heure, c'était sauver ses fesses dans leur entier, quelles que soient leurs dimensions à venir.

La vitesse de la Ford était tombée à quatre-vingt-dix,

peut-être à quatre-vingts, en deux secondes, mais c'était encore bien trop vite pour tenter un demi-tour. À l'évidence, cette donnée fondamentale de la cinématique des corps n'effleura pas l'esprit de Dylan : il relâcha les freins, donna un grand coup de volant sur la gauche et bloqua de nouveau les roues ; l'auto quitta la chaussée et partit en tête-à-queue dans un hurlement de gomme.

Dans un nuage de poussière, la Ford tournoya sur le terre-plein central de l'autoroute. Les graviers martelaient le bas de caisse comme autant de balles de mitrailleuse, un staccato furieux. Jilly entr'aperçut la lueur de phares fondant vers eux ; elle prit une profonde inspiration, se raidit, avec l'énergie du désespoir d'une condamnée à mort entendant grincer la guillotine dans ses glissières. Elle poussa un cri, alors qu'ils achevaient un tour complet et lâcha carrément un juron, voyant que le manège ne s'arrêtait pas et qu'ils repartaient pour une nouvelle giration. Cent vingt degrés plus tard, le véhicule s'immobilisa enfin, face au nord-ouest.

À cet endroit, les voies de l'autoroute étaient séparées par un terre-plein de vingt mètres de large, dépourvus de rails de sécurité. Les ponts et chaussées jugeant la déclivité médiane, suffisante pour empêcher un véhicule, hors de contrôle, de finir sa course sur l'autre voie. Sitôt que le 4 × 4 eut achevé de jouer la toupie, Dylan lâcha la pédale des freins et écrasa l'accélérateur. Jilly eut tout juste le temps de prendre une seconde inspiration, bloquant ses poumons comme pour une traversée de la Manche en apnée, qu'ils s'élançaient déjà, en diagonale, sur le versant du fossé.

— Qu'est-ce que vous faites ? cria-t-elle.

Dylan paraissait enfermé dans sa bulle. Jamais, elle ne l'avait vu aussi concentré. Toute son attention était focalisée sur la descente. Ni l'explosion de la De Ville, ni la crise de violence de Shep n'avaient accaparé ainsi tout son être. D'ordinaire – du moins si tant est qu'il y eut jusqu'à présent des circonstances « ordinaires » – Dylan, avec ses grands bras, semblait s'accrocher à son volant, mais cette fois, il semblait le couver littéralement de tout son corps, cou tendu en avant, ses sourcils de nounours tout froncés, le regard rivé sur les deux faisceaux des phares, perçant les ténèbres du fossé où plongeait le 4 × 4.

Il ne répondit pas à la question de Jilly et demeura bouche ouverte de stupeur, comme s'il n'en revenait pas lui-même d'avoir fait demi-tour sur l'autoroute, comme s'il se voyait déjà partir en tonneau sur la pente.

Certes, pour l'heure, le véhicule était sur ses quatre roues, mais l'engin ne cessait de prendre de la vitesse ; s'ils arrivaient trop vite au fond de la déclivité et amorçaient la remontée avec un angle trop important, ils allaient capoter, parce que c'était la grande manie des 4 × 4 lorsqu'ils n'étaient pas pilotés par un expert tout terrain et que le sol était trop meuble – comme ce remblai grossier de sable et de pierres !

— Non ! cria-t-elle.

Mais il le fit quand même. Lorsque la Ford Expedition attaqua le versant ascendant, Jilly banda ses jambes contre le tableau de bord, en se demandant où était logé l'air-bag... si jamais il se trouvait sous ses pieds et se déclenchait, ses genoux, sous la poussée, seraient propulsés sur son visage, ou encore le sac risquait d'éclater sur une aspérité de ses chaussures et de lâcher un jet de gaz à haute pression, avec la puissance destructrice d'une grenade à effet de souffle. Ce sont ces images de cauchemars, et d'autres plus sanguinolentes encore, qui traversèrent son esprit, et non, comme le veut la coutume, un résumé de sa vie en accéléré (avec comme bande son, la musique des dessins animés *Looney Tunes* pour souligner toute l'absurdité de la situation). Elle s'accrocha donc avec l'énergie du désespoir au siège et à la poignée et poussa un second « non ! » parfaitement vain.

Dans un nuage de pierres et de sable, Dylan lança la Ford Expedition sur la face nord du fossé, selon une trajectoire oblique, flirtant avec l'angle limite de capotage spécifié par le constructeur. À en juger par la force de gravité qui entraînait la jeune femme vers le conducteur, un degré de plus et le véhicule versait dans la pente.

À plusieurs reprises, il sembla manquer deux roues motrices supplémentaires au 4 × 4 pour venir à bout de l'ascension. Après une succession de glissades et de ruades anarchiques, l'engin parvint néanmoins à se hisser jusqu'au sommet.

Dylan repéra un trou dans la circulation et s'élança sur l'autoroute plein gaz, vers l'ouest, repartant vers l'endroit d'où il venait – vers la ville, le motel et la carcasse de la De Ville, sans doute encore fumante ; autrement dit, vers les ennuis auxquels ils tentaient encore d'échapper, quelques instants plus tôt.

À l'évidence, cette envie subite de rebrousser chemin avait été engendrée par la petite litanie de Shep – « Des frites, pas des mouches » – destinée à faire comprendre qu'il avait faim. L'empressement de l'aîné à satisfaire l'appétit du cadet était certes admirable, mais retourner dans ce fast-food dans les circonstances actuelles relevait davantage du suicide que de l'amour fraternel.

— Qu'est-ce que vous faites ? demanda encore une fois la jeune femme.

Cette fois, il répondit, mais sa réponse ne l'éclaira en rien et la rassura encore moins :

— Je ne sais pas.

Il y avait chez Dylan une sorte d'hébétude qui lui rappela son état lorsqu'elle était victime de ses mirages... Terrorisée à l'idée de rouler à tombeau ouvert à bord d'un véhicule conduit par quelqu'un souffrant d'hallucinations, elle bredouilla :

— Ralentissez, pour l'amour du ciel. Et dites-moi où vous allez.

Il accéléra encore...

— Vers l'ouest. Quelque part à l'ouest. Un endroit. Un endroit que je ne connais pas.

— Mais pourquoi ?

— À cause de l'attraction.

— La quoi ?

— Une force qui m'attire vers l'ouest. Mais je ne sais pas où je vais.

— Alors pourquoi y foncez-vous tête baissée ?

Comme s'il prenait soudain conscience que cette discussion cachait une vérité philosophique qui dépasserait à jamais son entendement, Dylan ouvrit de grands yeux, à la manière d'un chien, se faisant disputer par son maître pour une raison qui lui échappe et marmonna :

— C'est juste que cela me paraît... la seule chose à faire.

— *La seule chose à faire ?*

— Aller dans cette direction, rouler vers l'ouest.

— Mais on repart tout droit vers les problèmes...

— Oui, sûrement.

— Alors stop ! Demi-tour !

— Je ne peux pas. (Des gouttes de sueur perlaient sur son front.) Je ne peux pas.

— Pourquoi ?

— Frankenstein. L'injection. Son *machin*. Ça commence... Il se passe quelque chose en moi.

— Quelle chose ?

— Un truc bizarre... Ce machin, c'est vraiment une sacrée merde !

À l'arrière, Shepherd intervint :

— Une *crotte*... une sacrée *crotte*.

14.

Une sacrée crotte, effectivement...

Comme s'il fuyait un incendie de forêt ou une avalanche, un sentiment d'urgence phagocytait toutes les pensées de Dylan O'Conner ; son cœur tapait aussi fort dans sa poitrine que celui d'un lapin poursuivi par un loup affamé. Il n'avait jamais eu de délire de persécution, ni consommé d'amphétamines, mais il devait se trouver dans le même état qu'un paranoïaque aigu sous perfusion de benzédrine.

— C'est comme si j'étais sous speed, expliqua-t-il à Jilly en appuyant encore sur l'accélérateur. Je ne sais pas ce qui m'arrive.

Comment devait-elle prendre cette déclaration ? Était-ce un simple constat ou un appel au secours déguisé ? Dylan lui-même ne semblait pas le savoir.

En réalité, il avait moins l'impression de fuir un danger que d'être inexorablement attiré vers *quelque chose*, comme si un aimant formidable exerçait son champ de force sur les atomes de fer contenus dans son sang. Sa sensation d'urgence allait de pair avec une irrésistible compulsion de mouvement.

L'urgence n'avait pas de cause apparente, et son besoin de bouger aucune destination définie. Son seul commandement explicite : aller vers l'ouest, le plus vite possible.

Une sorte de pulsion « organique », décrivit-il à Jilly.

Quelque chose dans son sang, dans sa moelle, qui lui disait
« En avant, marche ! » une voix pressante et impérieuse,
logée non pas dans sa tête, mais dans ses gènes ; et s'il
refusait de l'écouter quelque chose de terrible allait se produire.

— Terrible comment ? demanda la jeune femme.

Il n'en savait rien. Ce n'était qu'une sensation, une certitude, à l'instar d'une antilope qui perçoit la présence du
guépard tapi dans les hautes herbes, ou de l'animal
assoiffé qui « sent » le point d'eau à des kilomètres de distance.

Distrait par les questions de Jilly, Dylan avait levé le
pied. L'aiguille oscillait sur la barre des cent trente kilomètres par heure. Il accéléra pour dépasser les cent cinquante.

Rouler à cette vitesse, avec ce genre de véhicule et
cette circulation dense, n'était pas seulement illégal, mais
stupide... pour ne pas dire suicidaire.

Dylan, toutefois, paraissait insensible aux risques
encourus. La vie de Shep et de Jilly, ainsi que la sienne
semblaient n'avoir plus aucune importance. Tout son être
était phagocyté par son besoin obsessionnel d'avancer, de
plus en plus vite, de plus en plus loin vers l'ouest – toujours
vers *l'ouest*. En d'autres circonstances, ou ne serait-ce
qu'une heure plus tôt, Dylan, se sachant responsable de la
vie de ses passagers, aurait ralenti, mais désormais toute
considération morale et même le simple instinct de survie
n'avait plus droit de cité à bord.

Camions, berlines, coupés, 4 × 4, pick-up, fourgon-
nettes, camping-car, semi-remorques, formaient sur les
trois voies un canevas complexe de sons et de lumières.
Sans jamais ralentir, Dylan se faufilait dans les trous entre
les véhicules avec la dextérité d'un tailleur enfilant ses
aiguilles.

Le compteur indiquait cent cinquante-deux kilomètres par heure ; la peur de heurter une autre voiture
était quantité négligeable devant son besoin purement animal d'avancer le plus vite possible. Lorsque Dylan atteignit

les cent cinquante-cinq, il commença à s'inquiéter des gémissements du châssis de la Ford, mais ne réduisit pas pour autant sa vitesse.

Ce sentiment d'urgence et cette obsession compulsive de mouvement maintenaient en tenaille tout son être, toutes ses pensées ; à chaque inspiration, une voix lui disait *tu te traînes, tu lambines*, chaque battement de son cœur lui criait *plus vite ! plus vite !*

Nid-de-poule, fissures, déformations diverses... les roues étaient mises à rude épreuve. Faire éclater un pneu à une telle allure serait une catastrophe, mais Dylan continuait d'accélérer. Les amortisseurs menaçaient de rendre l'âme. Cent cinquante-six, cent cinquante-sept... le moteur vibrait de tous ses boulons, et l'air sifflait entre les joints des fenêtres. Cent cinquante-huit. Un semi-remorque qui freine, surpris par la queue de poisson, une Jaguar qui disparaît derrière eux dans un sifflement de missile balistique, des coups de klaxon furieux à peine entendus, déjà oubliés. Cent cinquante-neuf.

Dylan restait conscient de la présence de Jilly à ses côtés, toujours agrippée à son siège, les pieds calés sur la boîte à gants, tentant de boucler, avec des gestes maladroits, sa ceinture de sécurité. Un coup d'œil rapide lui confirma son état de terreur absolue. Elle devait lui dire quelque chose, de ralentir sans doute, de cesser cette course folle vers l'ouest. Il entendait sa voix, mais celle-ci était déformée, distordue, comme un enregistrement écouté au ralenti : pas un mot intelligible.

Lorsque l'aiguille du compteur dépassa les cent soixante, chaque ondulation, chaque imperfection du macadam se transmettait, décuplée, dans la colonne de direction, et le volant se mit à ruer dans ses mains comme un animal rétif. Par chance, la sueur, qui rendait, plus tôt, ses paumes moites, avait séché sous l'effet de l'air conditionné de l'habitacle. À cent soixante-deux kilomètres à l'heure, il gardait encore le contrôle de la voiture... Cent soixante-trois... impossible de lever le pied de l'accélérateur.

Il semblait ne pas exister de limite à sa soif de vitesse ;
plus la Ford Expedition roulait vite, plus son sentiment
d'urgence grandissait. Un trou noir l'attirait derrière un
horizon invisible des événements, avalant dans sa gueule
béante toute la matière, toutes les ondes prises dans son
tourbillon gravitationnel. *Vite, vite, vite* était devenu son
nouveau mantra, une pulsion cinétique sans but, sans
objet reconnaissable, le mouvement pour le mouvement,
l'ouest pour l'ouest, dans la traîne du soleil disparu depuis
longtemps, à la poursuite vaine de la lune qui descendait
à son tour dans le ciel.

Peut-être cette fuite éperdue vers l'inconnu était-elle,
chez les sujets infectés par le *machin* de Frankenstein, le
signe avant-coureur de la perte imminente de leur capacité
mentale, un sursaut désespéré de leur cerveau avant l'ef-
fondrement psychique et le retour au pays des huîtres et
des imbéciles heureux ?

*Si cela n'oblitère pas votre personnalité, ou interrompt
tout processus cognitif, ou réduit votre Q.I de soixante
points...*

Devant Dylan se profilaient les lumières de la ville
qu'ils avaient fuie en toute hâte une heure plus tôt, en craignant de voir, dans le rétroviseur, une colonne de Suburban noires, luisant dans la nuit comme des gondoles de la
mort montées sur roues.

Dylan craignait d'être attiré irrésistiblement vers la
sortie de l'autoroute qui menait au motel où la Cadillac de
Jilly avait fait office de four crématoire pour leur tortion-
naire. Un coup d'œil au compteur : cent soixante-sept kilomètres par heure. Son cœur s'emballa dans sa poitrine
comme un cheval fou de terreur. Il ne pouvait s'engager
dans la bretelle de sortie à cette vitesse ! Dylan frissonna ;
s'il devait quitter la voie express, il lui faudrait trouver
l'énergie (mais en serait-il capable ?) de lever le pied de
l'accélérateur, sinon c'était un tout droit dans le rail de
sécurité et la culbute au fond du fossé – un crash-test gra-
tuit et grandeur nature pour les ingénieurs de Ford !

Quand la sortie tant redoutée se profila à l'horizon,

Dylan se raidit, prêt au pire, mais rien ne se passa. Aucune force invisible ne tira sur ses bras pour lui faire tourner le volant. Ils dépassèrent la bretelle à toute allure, comme des cascadeurs roulant plein gaz vers un tremplin pour sauter au-dessus de seize autocars rangés côté à côte.

Sur leur gauche, parmi l'amas lumineux de la zone d'activités, luisait l'enseigne du motel telle une sinistre mise en garde. Ses lettres de néon rouge évoquaient le sang, le feu ; aussitôt, devant les yeux de Dylan, défilèrent les diverses visions de l'Enfer qu'avaient, au fil des siècles, imaginées les artistes, avec une passion morbide, depuis les peintres du Moyen Âge jusqu'aux dessinateurs de BD actuels.

Les gyrophares des véhicules de secours éclaboussaient la façade du motel. Des filets de fumées roses montaient encore de l'épave calcinée de la De Ville.

Trente secondes plus tard, la scène de cauchemar se trouvait à plus d'un kilomètre derrière eux. Ils s'approchaient déjà de la deuxième sortie qui desservait la petite ville.

Jilly, en voyant Dylan ralentir et mettre son clignotant, pensa qu'il avait retrouvé ses moyens. Mais il n'était, en réalité, pas plus maître de son destin que lorsqu'il avait rebroussé chemin sur l'autoroute. Quelque chose l'appelait, aussi impérieux que le chant d'une sirène ; il était un pantin et des mains invisibles tiraient les ficelles.

Il s'engagea vite, mais pas au point de sortir de la route ou de partir en tonneaux. Arrivé au bas de la rampe, voyant que l'endroit était désert, il grilla le stop et tourna à gauche vers une zone résidentielle.

— Euca, euca, euca, eucalyptus, se mit-il à psalmodier malgré lui.

Ce nouveau comportement effraya la jeune femme parce qu'il avait d'étranges similitudes avec celui de Shep.

— Eucalyptus, eucalyptus cinq, non, pas cinq, eucalyptus six, non, eucalyptus soixante.

Même si Dylan était plutôt un visuel, il n'en avait pas moins une certaine culture livresque ; au fil des années, il avait lu divers romans parlant de personnes possédées par des entités malignes ou extraterrestres – une fille visitée par un démon, un type soumis à la volonté du fantôme de son frère jumeau décédé. Ce qui lui arrivait était assez comparable. Mais il ne sentait aucune présence étrangère, rampant dans sa chair, ou grignotant ses neurones ; en digne cartésien, il savait que ses troubles étaient dus uniquement à l'injection en intraveineuse de dix-huit petits centimètres cubes d'un produit mystérieux.

Mais cette analyse rationnelle ne le rassurait en rien.

Sans aucune raison apparente, simplement parce que cela lui parut subitement la seule chose à faire, il tourna à gauche au premier carrefour et poursuivit son périple. Sa voix se faisait de plus en plus urgente, de plus en plus forte, au point de masquer les paroles de Jilly.

— Eucalyptus six, eucalyptus zéro, eucalyptus cinq, soixante-cinq, non, cinq cent soixante, peut-être, ou cinquante-six...

Bien qu'il roulât désormais à seulement soixante kilomètres à l'heure, il faillit manquer le panneau de la rue dont il ne cessait de répéter le nom : EUCALYPTUS AVENUE.

Il freina, fit demi-tour, en montant sur le trottoir et s'engagea dans Eucalyptus Avenue.

La rue était bien trop étroite pour mériter le qualificatif « avenue », tout juste une allée, et pas un seul eucalyptus en vue, mais des lauriers-roses, des oliviers dont les branches torturées projetaient un treillis d'ombres devant la lumière ambre des réverbères. Soit les eucalyptus avaient disparu et été remplacés par d'autres essences, soit la rue avait été baptisée par un ignorant total en arboriculture.

Derrière les arbres se dressaient de petites maisons, vieilles mais, pour la plupart, bien entretenues : des *casetas* en chaux, avec des toits à tuiles canal, des maisons imitation ranch, tout en symétrie mais sans caractère, quelques constructions de deux étages, également, qui semblaient avoir été téléportées de l'Indiana ou de l'Ohio.

Dylan freina brusquement et se gara devant le 506 Eucalyptus Avenue. Au bout de l'allée de briquettes : une maison couverte de planches à clin, haute d'un étage avec un grand auvent.

Il coupa le moteur, détacha sa ceinture de sécurité.

— Restez ici, avec Shep ! ordonna-t-il.

Jilly répondit quelque chose qu'il n'entendit pas. Même s'il était désormais à pied, la sensation d'urgence n'avait en rien diminué... Son cœur battait toujours la chamade dans sa poitrine, et les coups résonnaient tel un tambour dans ses oreilles. Il n'eut ni l'envie, ni l'idée de demander à la jeune femme de répéter ce qu'elle venait de dire.

Lorsqu'il ouvrit la portière, Jilly le retint par un pan de sa chemise hawaiienne. Elle avait la force d'un griffon, ses doigts repliés comme des serres.

L'angoisse déformait son visage. Ses yeux couleur sable, d'ordinaire vifs et limpides comme ceux d'un aigle royal, étaient voilés d'inquiétude.

— Où étiez-vous parti ? demanda-t-elle d'une voix blanche.

— Comment ça, je ne vous ai pas quitté une seconde.

— Non, je veux dire sur la route. Vous étiez parti à des années-lumière... Vous n'aviez même plus conscience que j'existais.

— Mais si. Je n'avais juste pas le temps. Restez avec Shep.

Avec ses doigts griffus, elle l'empêchait toujours de sortir.

— Où sommes-nous ? Que faisons-nous ici ?

— Je n'en sais rien.

Peut-être lui avait-il fait lâcher prise d'un brusque coup d'épaule ? Peut-être lui avait-il écarté les doigts de force ?... de tout son cœur, il espérait qu'il n'avait eu aucun geste violent et qu'il y avait une autre explication, plus anodine, au fait qu'il se retrouvât soudain dehors, libre de ses mouvements... Négligeant de refermer la portière derrière lui, il contourna la Ford Expedition et marcha vers la maison.

Le rez-de-chaussée était plongé dans l'obscurité, mais plusieurs fenêtres à l'étage étaient éclairées. Il y avait quelqu'un. Attendait-on sa visite ? Le ou les occupants des lieux allaient-il être surpris de le trouver sur le perron ? Peut-être, eux aussi avaient-ils ressenti une force bizarre, un mouvement irrépressible vers eux ?

Dylan entendit du bruit, semblant provenir du côté droit de la maison.

Il quitta l'allée de briquettes qui menait à la porte et traversa la pelouse en direction de l'abri attenant à la maison. Sous l'auvent, une vieille Buick, dans l'ombre de la lune – le seul endroit également à l'ombre durant la journée.

Le métal chaud cliquetait en se refroidissant. Le véhicule venait d'arriver.

Derrière l'abri, côté jardin, un autre bruit : un tintement de clés...

Malgré son besoin inextinguible de mouvement, Dylan se figea à côté de la voiture, oreilles aux aguets, ne sachant que faire.

Il n'était pas chez lui... il avait l'impression d'être un voleur en maraude, même s'il savait, autant qu'il pouvait en juger, qu'il n'était pas ici pour cambrioler qui que ce soit.

Toutefois, l'expression *autant qu'il pouvait en juger* était l'élément sémantique clé de la phrase... sous l'influence du *machin*, peut-être serait-il amené à perpétrer les pires abominations ? Le vol pouvait être alors une peccadille sur cette liste noire...

Il songea au Dr. Jekyll et à son Mr. Hyde, le monstre caché, lâché dans la nuit...

Depuis que la compulsion de rouler vers l'ouest s'était emparée de lui, sa peur, quoique plus vive, s'était trouvée diluée dans le méli-mélo de ses sensations. Mais à présent, Dylan se demandait si la substance qui circulait dans ses veines n'était pas un équivalent chimique d'un démon chevauchant son âme et martelant son cœur à coups d'éperon. Il frissonna ; une onde glacée parcourut ses nerfs, lui donnant la chair de poule.

Une nouvelle fois, tout près, il entendit un tintement de clés. Puis un couinement de gonds. Une porte que l'on ouvrait ?

Derrière la maison, les fenêtres aux rideaux fleuris s'illuminèrent.

Que faire ? Aucune idée ne lui venait... c'est alors qu'une impulsion subite lui traversa l'esprit : il posa la main sur la poignée de la Buick. Une pluie d'étincelles se mit aussitôt à tourbillonner devant ses yeux, un essaim affolé de lucioles.

Dans sa tête, il distingua un crépitement électrique, le même bruit qu'il avait entendu dans la Ford quand il avait touché le pin's au crapaud. Quelque chose s'empara de lui, une trépidation terrifiante, heureusement moins invalidante qu'une réelle convulsion ; sa langue se mit à tressauter dans sa bouche, il entendit sa voix faire ce drôle de son de démarreur... « *tchi-tchi-tchi-tchi.* »

La crise fut de plus courte durée. Cette fois, il put arrêter ses borborygmes.

Au moment de prononcer le dernier *tchi*, Dylan était de nouveau en mouvement. En silence, il passa sous l'auvent, et tourna au coin de la maison.

La terrasse couverte derrière la bâtisse était moins profonde que celle côté façade, les piliers soutenant l'avancée du toit plus sommaires. Les marches étaient faites de ciment brut et non de briques.

Lorsque ses doigts se refermèrent sur la poignée de la porte, un nouvel essaim de lucioles tournoya devant ses yeux, mais les points lumineux étaient moins nombreux que lors des deux apparitions précédentes. La décharge électrique fut également moins puissante, moins cataclysmique. Il serra les dents et plaqua sa langue contre le voile du palais pour éviter d'émettre d'autres borborygmes.

La porte n'était pas fermée à clé. La poignée tourna et le battant s'ouvrit à la première poussée.

Dylan O'Conner passa le seuil sans y avoir été invité, effaré de son propre culot.

La femme replète aux cheveux blancs qui se tenait

dans la cuisine portait encore sa tenue rose bonbon. Elle paraissait lasse et troublée, bien loin de la Mère-Noël joviale qu'elle était, deux heures plus tôt, quand elle lui avait servi ses cheeseburgers et épinglé le pin's au crapaud sur sa chemise.

Un grand sac trônait sur le plan de travail – un repas acheté sur son lieu de travail. Ce pot-pourri de graisses, d'oignons, de fromages et de viande trop cuite avait diffusé dans la pièce un mélange délicieux d'arômes.

Elle était debout, à côté de la table de la cuisine ; son visage, rose plus tôt, avait viré au gris, figé dans une expression d'angoisse et de désespoir. Elle regardait fixement un assortiment d'objets sur la table en Formica, une nature morte qu'un peintre classique n'aurait jamais prise pour modèle : deux canettes vide de Budweiser, l'une debout, l'autre renversée, les deux à moitié écrasées ; une collection de pilules et de gélules, blanches pour la plupart, d'autres roses, quelques-unes encore, vertes et démesurées ; un cendrier avec deux mégots – reliques non pas de cigarettes du commerce mais de joints de marijuana.

La femme n'entendit pas entrer Dylan, ne perçut pas le mouvement de la porte à la périphérie de son champ de vision, et durant un moment, elle sembla ne pas se rendre compte non plus de sa présence dans la pièce. Quand elle s'aperçut enfin qu'elle avait un visiteur, elle releva la tête pour le regarder. La composition picturale sur le Formica devait l'avoir plongée dans un état extatique, car elle ne manifesta pas la moindre expression de surprise.

Dylan la voyait morte, vivante, puis morte encore, puis vivante... et la peur glacée qui coulait dans ses veines se cristallisa en une terreur indicible.

15.

Lorsque Jilly regarda Dylan traverser le faisceau des phares en direction de la maison, avec sa chemise hawaiienne jaune et bleue, aussi chatoyante qu'un après-midi ensoleillé sur Maui, elle n'aurait pas été surprise outre mesure de le voir disparaître dans un nuage de fumée, faire le grand saut vers un monde meilleur et parallèle. Leur retour à tombeau ouvert vers la ville maudite avait déjà été, en soi, une expérience *au-delà du réel...* et, après ses visions de la femme à la mantille et du flot de colombes fantômes, plus rien ne pouvait réellement étonner la jeune femme en ce bas monde...

Mais non, Dylan ne s'était pas volatilisé sous ses yeux. Lorsque Jilly vit que le jeune homme empruntait l'allée de briquettes du 506 Eucalyptus Avenue, elle se retourna vers Shep.

Leurs regards se rencontrèrent. Il y eut un contact, fugitif. Les yeux verts de Shep s'écarquillèrent sous le choc.

— Ne bouge pas d'ici, mon petit, dit-elle juste avant que le garçon ne ferme les paupières.

Pas de réponse.

— Ne sors pas de la voiture. On revient tout de suite.

Sous la mince membrane de chair, ses yeux tressautaient.

Lorsque Jilly tourna la tête vers la maison, Dylan traversait la pelouse en direction de l'abri de voiture.

Elle se pencha sur le tableau de bord, éteignit les phares, coupa le moteur et retira les clés du Neimann.

— Tu m'as entendu, Shep ?

Ses yeux s'agitaient toujours sous les paupières, comme s'il était en train de rêver.

— Ne bouge pas. Reste ici, on revient très vite, lui rappela-t-elle en ouvrant la portière.

Elle souleva haut ses jambes pour ne pas écraser Fred et descendit du 4 × 4.

Des olives jonchaient le sol et crissaient sous ses semelles. À croire que les habitants du quartier avaient organisé ici une dry-Martini-party et que tous avaient jeté leur garniture de cocktail au lieu de la manger.

Dylan s'enfonçait dans l'ombre de l'abri, mais restait visible.

Un souffle d'air aussi sec que du gin sans vermouth fit bruire les rameaux d'oliviers. Derrière ce doux chuintement, Jilly entendit : *Tchi-tchi-tchi-tchi-tchi !*

Encore ce bredouillement de cauchemar ! La vibration s'enfonça dans la spirale de sa cochlée vers les profondeurs de l'oreille, sembla shunter le cerveau pour sauter directement sur sa moelle épinière et descendre le long de la colonne vertébrale, faisant entrer en résonance chacune de ses vertèbres dans un concert de frissons.

Au son de la dernière syllabe, Dylan disparut derrière la maison.

Laissant de la tapenade sous ses semelles, Jilly se dirigea vers l'abri où se tenait Dylan quelques instants plus tôt.

* * *

Son visage rose et joufflu, idéal pour une carte de Noël, devint, dans l'instant, pâle et creusé, comme un masque de Halloween. Une ombre projetée par quelque chose d'invisible et ses cheveux blancs et soyeux se firent hirsutes, maculés de sang ; un scintillement de lumière venant de nulle part et les mèches poisseuses et cramoisies retrouvèrent leur aspect lisse et innocent. Et cela recommença ; le visage jovial se ratatina de nouveau en une parodie couleur cendres, encadrée d'une crinière filasse. Son regard rencontra celui de Dylan. Ses yeux s'écarquillèrent d'étonnement, puis se figèrent dans une fixité cadavérique. Mais l'instant suivant, la vie était revenue en eux, les pupilles étaient de nouveau alertes, pleines de surprise de découvrir un intrus dans la maison.

Elle se métamorphosait ainsi devant Dylan – morte, vivante, morte, vivante... une image chassant l'autre, dans un combat silencieux. Que signifiait cette vision de cauchemar, si tant est qu'elle eût un sens ? Dylan baissa la tête pour regarder ses mains, s'attendant à les voir alternativement couvertes du sang de cette femme. Non, ses paumes étaient intactes... le mirage n'affectait pas sa personne... toutefois ses entrailles étaient une masse figée de terreur. Il releva les yeux pour soutenir le regard de la femme, persuadé que, d'une façon ou d'une autre, il allait être l'artisan de sa mort et que c'était là la raison de sa présence en ce lieu.

— Cheeseburgers, frites, chaussons aux pommes et milk-shake vanille, articula-t-elle.

Soit sa prestation au restaurant lui avait laissé un souvenir impérissable, soit elle avait une mémoire extraordinaire.

Au lieu de lui répondre, Dylan avança, sans l'avoir décidé, vers la table et ramassa l'une des canettes de bière. Les lucioles voletèrent à l'intérieur de son crâne, mais la décharge électrique fut beaucoup moins forte, et sa langue ne fut pas prise de spasmes.

— Sortez de la maison, dit-il à la femme. Vous êtes en danger ici. Partez ! Vite !

Il n'eut pas le temps de voir si elle allait suivre son conseil ou non. Avant même d'avoir terminé sa phrase, il avait lâché la canette et tourné les talons. Il sortit de la pièce sans jeter un regard derrière lui. Autre chose l'appelait.

Il n'était pas encore à la fin de son périple mystérieux... il avait débuté en voiture, et se continuait ici, à pied ; devant lui, une porte ouverte, derrière, un couloir, un plancher décoré d'un vieux tapis élimé. Son sentiment d'urgence l'envahit de nouveau. Dylan était irrésistiblement entraîné vers une destination inconnue.

* * *

En arrivant à l'abri, Jilly se retourna vers la Ford Expedition. Sous la lumière des réverbères filtrant des oliviers, elle aperçut la silhouette de Shep, assis sagement sur la banquette arrière.

Elle longea la Buick, et tourna au coin de la maison, bousculant dans son empressement un buisson de camélias, dont les fleurs étaient aussi rouges et rondes que des cœurs de jeune fille.

La porte côté jardin était ouverte. La fenêtre de la cuisine projetait un rectangle de lumière sur le perron, révélant un sol gris perle curieusement dépourvu de poussière pour une maison de ville du désert.

Malgré les circonstances, elle aurait pu s'arrêter sur le seuil, toquer poliment sur le battant pour s'annoncer. Mais lorsqu'elle vit, derrière les vitres, cette femme aux cheveux blancs, dont le visage lui était familier, décrocher son téléphone mural, une bouffée de panique l'envahit. Elle traversa le perron et pénétra dans la maison.

Lorsqu'elle déboucha dans la cuisine, la femme avait déjà enfoncé les touches 9 et 1. Jilly lui prit le combiné des mains avant qu'elle n'ait eu le temps d'appuyer encore une fois sur le 1.

Si la police était alertée, les hommes en Suburban noires arriveraient dans leur sillage.

Ce n'était plus la grand-maman du fast-food, tout sourire, mais une femme usée par sa journée de travail, les traits tirés par l'angoisse. Elle serra les mains sur sa poitrine pour les empêcher de trembler.

— Vous. Sandwich poulet, frites, racinette, récita-t-elle en faisant décidément preuve d'une mémoire d'éléphant.

— Un grand type ? Avec une chemise hawaiienne ? demanda Jilly.

La femme hocha la tête.

— Il a dit que j'étais en danger ici.

— En danger ? Pourquoi ?

— Il m'a dit de sortir de la maison. Tout de suite.

— Où est-il ?

D'une main toujours tremblante, elle désigna la porte donnant dans le couloir – un boyau sombre et tout au bout, un halo de lumière rose.

* * *

Dylan progressait sur le tapis, foulant aux pieds les motifs de roses, de feuilles et d'épines, avec l'impression de s'enfoncer dans une forêt, où mille prédateurs invisibles le guettaient. Une pièce sur sa droite, deux sur sa gauche. Il continuait à avancer... le danger était donc devant lui, pas sur les côtés.

Car au bout de son périple, un péril l'attendait forcément... le mystérieux aimant qui l'avait attiré jusqu'ici en pleine nuit ne serait pas une marmite d'or ; la maison ne se trouvait pas au pied d'un arc-en-ciel et il n'y avait nul trésor à espérer !

Du pin's à la poignée de portière, il avait suivi un étrange chemin d'énergie laissée par la femme aux cheveux blancs.

Marjorie. Il savait qu'elle s'appelait Marjorie, bien qu'aucun insigne sur son uniforme ne précisât son prénom.

Du pin's jusqu'à la cuisine, il avait cherché Marjorie, car, à travers les reliques invisibles laissées par ses mains sur divers objets, il avait lu son avenir. Il avait senti les fils cassés dans la trame de sa destinée et savait, par une sorte de prescience obscure, qu'ils allaient être rompus cette nuit même.

Après la révélation de la canette de Budweiser, il était désormais sur les traces d'un autre gibier. Marjorie ignorait qu'elle avait rendez-vous avec la mort en rentrant chez elle et Dylan devait trouver son futur assassin.

Maintenant qu'il savait où le menaient ses pas, vers quelle sinistre confrontation, continuer à avancer relevait de l'héroïsme absolu, pour ne pas dire de la folie pure... et pourtant, à aucun moment, il ne lui vint l'idée de rebrousser chemin. Il était tout entier soumis à cette force invisible qui l'avait déjà fait abandonner la route du Nouveau-Mexique pour revenir dans cette ville à cent soixante kilomètres à l'heure.

Le couloir menait à la petite entrée, côté rue, où une lampe en verre soufflé, pourvue d'un abat-jour rose, trônait sur une desserte décorée d'un napperon brodé. C'était la seule source de lumière, hormis celle de la cuisine, et elle parvenait tout juste à éclairer les premières marches de l'escalier qui conduisait à l'étage.

Lorsque Dylan posa la main sur le pilastre, il flaira de nouveau la trace olfactive du prédateur, la même signature qui imprégnait la boîte de bière, à la manière d'un chien policier reconnaissant la piste d'un évadé. Ces empreintes étaient de nature différente de celles déposées par Marjorie sur le pin's et la portière de la Buick – il y avait là quelque chose de sinistre et d'interdit, comme le sceau noir du malin.

Dylan lâcha le pilastre et examina le pommeau de bois sombre, à la recherche de traces plus tangibles de cette présence réelle ou surnaturelle. Mais il ne vit rien. Pourtant ses empreintes digitales à lui reposaient bel et bien au-dessus de celles du buveur de bière, et même si elles étaient invisibles, les techniciens de la police scientifique, avec leurs loupes et leur poudre de perlimpinpin, sauraient en révéler les courbes et les arabesques pour prouver, de façon irréfutable, qu'il se trouvait sur les lieux du crime.

La certitude que ces empreintes existaient – même si elles étaient invisibles pour le commun des mortels – et qu'elles constituaient des preuves suffisantes pour condamner un suspect confortaient Dylan dans l'idée qu'un être humain pouvait laisser derrière lui d'autres reliques – tout aussi invisibles, mais non moins édifiantes – que de simples traces grasses d'épiderme.

Le tapis d'escalier décorant les marches était tout aussi usé que le tapis du couloir. Les motifs de roses étaient plus sauvages, offrant au regard plus de branches et de feuillages que de fleurs, comme si la maison lui disait de façon subliminale que plus il avançait, plus sa tâche serait difficile et semée d'épines.

Il grimpa les degrés, bien que sa raison lui intimât de rebrousser chemin, la main refermée à la rampe... Les traces de l'entité maligne crépitaient sous sa paume, chatouillaient l'extrémité de ses doigts, mais dans sa tête, aucune luciole ne se mit à vrombir. Son corps avait appris à amortir le choc électrique, à l'absorber, tout comme il était parvenu, plus tôt, à empêcher sa langue de devenir une anguille folle dans sa bouche. Il s'était habitué à cette nouvelle sensation, et ni son esprit, ni son corps ne se rebellaient.

* * *

Malgré la présence d'inconnus dans sa maison et le pressentiment d'un déchaînement imminent de violence, la femme aux cheveux blancs ne put cacher plus longtemps son amabilité naturelle (quoique sans doute renforcée par un stage de motivation offert par son employeur). L'inquiétude se mua en un timide sourire ; elle tendit sa main, toujours tremblante, vers Jilly.

— Je m'appelle Marjorie. Et vous, ma belle ?

Jilly brûlait de foncer dans le couloir à la poursuite de Dylan, mais à présent, elle se retrouvait en charge de deux personnes, Shepherd *et* cette femme... Elle ne voulait pas abandonner le gamin trop longtemps dans la voiture, mais si elle laissait Marjorie seule à proximité d'un téléphone, il y aurait sous peu plus de flics dans cette maison que dans les salons du G7.

Dylan avait dit à Marjorie de quitter la maison, parce

qu'elle était en danger ici, mais la vieille femme, malgré ses soixante-dix ans d'existence, restait d'une naïveté d'enfant, incapable de reconnaître un péril quand son ombre glacée lui tombait sur les épaules. Si Jilly ne la sortait pas de ces murs, Marjorie resterait dans sa cuisine, à peine inquiète, même si une nuée de criquets pèlerins jaillissait du placard et que la bonde de l'évier vomissait de la lave en fusion.

— Je m'appelle Marjorie, répéta la femme, avec son petit sourire, fragile comme un croissant de givre menaçant de fondre au premier rayon d'angoisse.

Le bras tendu, elle attendait que Jilly lui serre la main et lui apprenne son nom en retour... un nom qu'elle pourrait donner aux flics plus tard quand elle serait parvenue à les alerter.

La jeune femme passa son bras autour des épaules de Marjorie, et l'entraîna vers la porte côté jardin en disant :

— Vous pouvez m'appeler Poulet-frite-racinette, ou Poulette, c'est plus court.

* * *

À chaque contact avec les traces sur la rambarde, la malignité de leur propriétaire devenait plus flagrante. Lorsque Dylan parvint sur le palier, avant de s'engager dans la seconde volée de marches qui s'élevait dans la pénombre, il sut que là-haut l'attendait un adversaire redoutable qui ne risquait pas d'être vaincu par un artiste peintre avec ses petites mains ; pour venir à bout d'un tel monstre, il fallait au moins envoyer un tueur de dragon armé jusqu'aux dents.

Une minute plus tôt, dans la cuisine, lorsqu'il avait vu, alternativement, la femme vivante et son cadavre, une onde de terreur s'était tortillée comme un ver dans son ventre. À présent, sa peur était devenue un boa constrictor qui resserrait ses anneaux sur toute sa colonne vertébrale.

— *Je vous en prie*, murmura Dylan, persuadé d'être le jouet d'une force supérieure. *Je vous en prie*, répéta-t-il avec ferveur, comme s'il ignorait que ce sixième sens dont il jouissait (ou dont il était victime) était dû au seul produit que lui avait injecté Frankenstein et qu'aucune entité omnisciente ne lui dictait ses actes.

Sa prière murmurée aurait pu tout aussi bien s'adresser à lui-même. Il agissait pour des raisons qui dépassaient son entendement, mais c'étaient bien les siennes et celles de personne d'autre.

Il pouvait tourner les talons et s'en aller. C'était à lui de décider. Le chemin du retour restait libre et serait bien moins éprouvant que ce qui l'attendait au bout de ce couloir.

Quand il comprit qu'il était finalement maître de son destin, un nouveau calme l'envahit, adoucissant ses émotions à la manière du givre du matin recouvrant un paysage déchiqueté. Les tremblements cessèrent. Il desserra les dents, les muscles des maxillaires se décrispèrent. Le sentiment d'urgence reflua, les battements de son cœur ralentirent. Finalement, la crise cardiaque ne serait pas pour cette fois. Le boa constrictor relâcha son étreinte sur sa colonne vertébrale.

Il se tenait en haut de l'escalier, à l'orée du couloir noyé d'ombres. Oui, il pouvait faire demi-tour, mais il ne le ferait pas ; il continuerait à avancer – pourquoi ? il l'ignorait, et pour l'heure, cette question restait accessoire. Il savait pourtant qu'il n'avait pas l'étoffe d'un héros, il ne serait jamais un soldat des champs de bataille, ni un policier dans la jungle de ville. Il admirait le courage et la témérité, mais il se savait dépourvu de ces qualités. Même si ses motivations restaient mystérieuses, il était certain, connaissant ses carences, qu'il ne pouvait s'agir d'un pur altruisme ; s'il était poussé vers l'avant, c'était parce qu'il pressentait confusément que faire marche arrière ne serait pas dans son intérêt. Sa raison ne pouvant encore traiter toutes les informations que lui transmettaient ses nouveaux sens, Dylan jugeait préférable de suivre son instinct, et de faire fi des conseils de prudence, hors de propos en ces circonstances extraordinaires.

La lumière rose parvenait tout juste à éclairer le palier derrière lui. Dans le boyau noir qui s'ouvrait devant, une lueur – un simple lavis provenant d'une lampe derrière une porte entrouverte, sur le côté droit.

Autant qu'il pût en juger, il y avait trois pièces à l'étage : la porte éclairée du fond, une autre, du même côté, plus près, et une dernière sur la gauche.

Lorsque Dylan s'avança vers la première porte, une nouvelle bouffée de peur monta en lui ; mais une peur maîtrisable, l'appréhension raisonnable du policier ou du pompier face au danger.

Les empreintes psychiques de son gibier imprégnaient le bouton de la porte. Il faillit retirer sa main, mais une intuition – sa nouvelle amie – lui intima de continuer.

Un petit cliquetis du pêne, le chuintement des gonds... Une fenêtre au verre dépoli, coloré de jaune par la lumière d'un réverbère, lui révéla une salle de bains. Personne.

Il passa à la porte suivante, celle qui était entrouverte et d'où filtrait de la lumière. Cette fois, l'instinct et la raison lui déconseillèrent de regarder par l'interstice, de crainte que la lame de lumière ne soit suivie par une autre bien plus tangible, celle d'un couteau, par exemple, lui crevant les yeux pour lui apprendre à jouer les espions...

Quand il referma la main sur la poignée, Dylan sut qu'il avait trouvé le repaire de la bête immonde, car les traces sur le cuivre étaient plus fortes et fraîches que jamais. Les empreintes psychiques fourmillaient sous ses doigts, comme s'il avait dans la paume une famille mille-pattes ; derrière cette porte, une colonie de démons remontant des enfers avaient établi leur tête de pont chez les vivants.

16.

Au moment de franchir le seuil de la porte côté jardin, Marjorie se rappela soudain qu'elle avait oublié dans la cuisine son dîner et elle voulut faire demi-tour pour aller chercher le sac – « avant que le cheeseburger ne soit complètement froid », se dit-elle.

Avec la patience de Casimir dans *L'Île aux enfants*, enseignant un mot nouveau à un enfant dont la capacité de concentration aurait été atomisée par une overdose de Ritalin, Jilly continua d'entraîner Marjorie en lui expliquant que son cheeseburger ne lui serait d'aucun réconfort si elle était morte.

Apparemment, Dylan n'avait proféré à Marjorie qu'une mise en garde assez vague ; il n'avait pas spécifié si c'était la cuisinière qui allait exploser, ou si un tremblement de terre allait réduire la maison en un tas de décombres fumant qui ferait le bonheur des vautours du J.T. Cependant, à la lumière des derniers événements, Jilly prenait cette prémonition très au sérieux, malgré son manque cruel de précision.

Aussi gaie et loquace que Casimir, Jilly fit sortir Marjorie de la maison, et l'entraîna, comme si de rien n'était, vers les marches menant au jardin.

Mais la femme plaqua ses pieds sur le sol de ciment peint, se servant de ses semelles comme de ventouses, et se révéla aussi indéplaçable qu'un Hercule accroché à ses colonnes.

— Poulette, articula la femme, choisissant le diminu-
tif plutôt que le nom « menu complet ». Est-ce qu'il sait
pour les couteaux ?

— Qui ça ?

— Votre mec.

— Ce n'est pas mon mec, Marj. Vous faites des suppo-
sitions hâtives. Il n'est pas du tout mon type. Quels couteaux ?

— Kenny aime les couteaux.

— Qui est Kenny ?

— Kenny, Kenny junior, comme son père.

— Ah, les gosses..., lâcha Jilly d'un air compatissant,
en tentant de faire avancer Marjorie.

— Kenny senior est en prison au Pérou.

— La poisse ! répliqua Jilly, songeant autant à la
situation de Kenny père enfermé dans une geôle péru-
vienne qu'à sa propre incapacité de faire descendre Marjorie de ce satané perron.

— Kenny junior est mon petit-fils. Il a dix-neuf ans.

— Et il aime les couteaux ?

— Il en fait collection. De jolis couteaux... certains
d'entre eux du moins.

— Il y a pire comme hobby...

— Malheureusement, je crois qu'il se drogue de
nouveau.

— Drogue et couteaux, donc..., résuma Jilly en tentant de nouveau de pousser Marjorie pour lui décoller les
pieds du sol.

— Je ne sais plus quoi faire. Vraiment. Il est totalement accro à ses drogues. Il en devient dingue...

— Folie, drogues, couteaux, synthétisa Jilly, énumérant les pièces du puzzle Kenny, tout en surveillant nerveusement ses arrières.

— Il va finir par péter un plomb, poursuivit Marjorie.
Un jour ou l'autre, il va vraiment faire une connerie.

— Ma chère Marjorie, répliqua Jilly, pour l'instant, c'est seulement aujourd'hui qui nous importe.

* * *

Pas une famille mille-pattes – une colonie ! – qui se tortillait sous la paume de Dylan.

Il ne lâcha pas la poignée, malgré sa répulsion, parce qu'il percevait sous ses traces sinistres, une autre empreinte, celle d'une personne beaucoup plus aimable. Une âme apeurée, mais pure, avait trouvé refuge dans le même donjon que l'infâme dragon...

Avec précaution, il poussa la porte.

Une grande chambre, coupée en deux – une césure aussi nette que s'il y avait eu une ligne blanche peinte du sol au plafond. Aucune marque ou objet venait matérialiser la division. Pourtant, le contraste entre les deux moitiés était évident. Les deux personnes qui logeaient là avaient des intérêts et des personnalités diamétralement opposés.

Pour la moitié la plus proche, en plus du lit et de la table de nuit incontournables, Dylan aperçut des rayonnages de livres. Les portions de mur libres étaient décorées d'un assortiment éclectique de trois posters : une Shelby Cobra décapotable de 1966 fonçant à toute allure vers un soleil rouge tomate. Avec son profil surbaissé, ses courbes sensuelles et sa peinture argent où se mirait un ciel en Technicolor, la voiture de sport incarnait la vitesse, la joie et la liberté. À côté du poster de la Cobra, on trouvait un portrait de C.S Lewis qui posait d'un air renfrogné. La dernière affiche représentait la célèbre photo des Marines hissant le drapeau au sommet d'une colline lors de la bataille d'Iwo Jima.

L'autre moitié, meublée également d'un lit et d'une table de nuit, n'arborait ni posters ni livres. Les murs supportaient des présentoirs d'armes blanches de collections. Des dagues, des poignards, des stylets, un sabre, un cimeterre, des *koukris* et *katars* indiens, un *skean dhu* d'Écosse, une hallebarde, des baïonnettes à foison, des fauchons, des couteaux de chasse, des yatagans... La plupart des lames étaient ciselées, les poignées sculptées ou peintes, parfois même pommeaux et quillons étaient décorés.

Dans la première moitié, il y avait un petit bureau, sagement ordonné, avec sous-main, pot de crayons, un gros dictionnaire et une maquette de la Shelby Cobra 1966.

Dans l'autre moitié, une table de travail avec un crâne humain en plastique et un tas écroulé de cassettes pornos.

La partie avant était propre, rangée, époussetée – une cellule de moine en moins spartiate.

La partie arrière était le fief du désordre. Le lit était défait ; des chaussettes sales, des chaussures, des boîtes de soda et de bière vides, des emballages de barres chocolatées jonchaient le sol, la table de nuit et l'étagère au-dessus du lit. Seuls les couteaux et autres armes blanches étaient rangés avec soin – pour ne pas dire avec amour –, les lames immaculées, étincelantes comme des miroirs.

Deux valises trônaient côte à côte au milieu de la pièce, à la frontière entre les deux camps rivaux. Un chapeau de cow-boy noir, orné d'une plume verte sur le bandeau, était posé sur les valises.

Dylan enregistra tous ces détails, en l'espace d'un regard circulaire de seulement trois ou quatre secondes, habitué qu'il était à évaluer un paysage d'un rapide coup d'œil afin de juger, davantage avec son cœur qu'avec sa raison, si celui-ci valait la peine d'y planter son chevalet. Ses dons de peintre incluaient cette perception photographique, mais avec l'expérience, celle-ci s'était grandement affinée, à la manière d'un stagiaire policier cultivant ses capacités d'observation pour décrocher ses galons d'inspecteur.

Comme n'importe quel flic dans une situation semblable, Dylan commença et termina son regard panoramique sur le détail le plus frappant et le plus significatif de la scène : un garçon d'environ treize ans, assis sur le lit, dans la première moitié de la pièce ; il portait un jean et un T-shirt des pompiers de New York. Il avait les chevilles ficelées, un bâillon sur la bouche et les poignets menottés au montant de la tête de lit.

* * *

Marj tenait bon ; elle était littéralement indécollable. Toujours plantée en haut des marches, elle articula :

— Il faut aller le chercher.

Certes, Dylan n'était pas son mec, mais elle ne savait trop comment l'appeler... en tout cas, pas par son véritable nom – pas question de révéler cette info à Marjorie... et comme elle ne savait pas ce qu'il avait commandé à dîner au fast-food, il n'y avait rien à espérer du côté des surnoms à caractère culinaire. Elle répondit donc :

— Ne vous inquiétez pas, Marj, mon mec va le récupérer.

— Je ne parle pas de Kenny, répliqua la femme avec une nouvelle détresse dans la voix.

— De qui alors ?

— De Travis. Je parle de Travis ! Il n'a que ses bouquins. Kenny a des couteaux, mais lui, il n'a que ses livres.

— Qui est Travis ?

— Le petit frère de Kenny. Il a treize ans. Quand Kenny a une crise, c'est Travis le souffre-douleur.

— Et Travis est à l'intérieur, avec Kenny ?

— Sans doute. Il faut le sortir de là.

Derrière elles, la porte de la cuisine était toujours ouverte. Jilly ne voulait pas retourner dans cette maison.

Elle ignorait pourquoi Dylan avait foncé ici à tombeau ouvert, en risquant leur peau, le retrait de permis et un gros malus sur sa police d'assurance, mais ce n'était sûrement pas pour remercier Marjorie pour la qualité de son service, ni pour lui rendre le pin's au crapaud afin d'en faire profiter un client qui y serait plus sensible. Avec les quelques indices donnés par Marjorie, et sachant que cette soirée était définitivement digne d'un épisode d'*X-Files*, il y avait peu à parier que le nouveau Dylan O'Conner, version je-suis-possédé, était dans cette maison pour empêcher Kenny de se servir à très mauvais escient de sa collection de couteaux.

Mû par un sixième sens, Dylan avait marché droit vers

Kenny Les-Longs-Couteaux, qu'il ne connaissait ni d'Ève ni d'Adam. En toute logique, ce même sixième sens allait lui révéler également la présence de Travis. Lorsqu'il tomberait nez à nez avec un gamin armé du *Rouge et le Noir*, il ne risquerait pas de le confondre avec son grand agité de frère.

Mais ce train parfait de pensée dérailla sur le mot *logique*. Les événements des deux dernières heures avaient jeté le bébé *Logique* avec l'eau du bain de la raison. Rien de ce qui s'était produit ce soir n'aurait pu survenir dans le monde rationnel qu'elle avait connu depuis sa plus tendre enfance. Ils avaient désormais abordé une *terra incognita*... où, au mieux, une autre « logique » prévalait totalement mystérieuse, sinon aucune... et dans un tel monde, *tout* pouvait arriver. Comment prévoir la réaction de Dylan seul, dans le noir, dans cette maison inconnue ?

Jilly n'aimait pas les armes. Elle était artiste comique, et non l'assistante d'un lanceur de couteaux dans un cirque ! Elle ne voulait pas retourner dans cette maison de malheur, sachant qu'un maniaque du poignard s'y trouvait.

Deux minutes plus tôt, lorsque Jilly était entrée dans la cuisine et avait empêché Marjorie de composer le dernier chiffre du numéro des secours, la pauvre femme avait été sous le choc, momifiée. Mais la semi-zombie s'était à présent métamorphosée en une grand-mère inquiète, capable des actions les plus téméraires et saugrenues.

— Il faut aller récupérer Travis ! s'écria-t-elle.

Certes, la dernière chose dont Jilly avait besoin, c'était de se retrouver avec un couteau planté dans le cœur, mais *l'avant-dernière*, c'était de voir une mamie hystérique foncer tête baissée dans la maison, compliquant non seulement la tâche de Dylan, mais risquant de téléphoner aux flics sitôt qu'un téléphone entrerait dans son champ de vision.

— Restez ici, Marj. Ne bougez pas. Je m'en occupe. Je vais chercher Travis.

Au moment où Jilly tournait les talons, montrant une

bravoure dont elle aurait préféré se passer, Marjorie la rattrapa par le bras.

— Qui êtes-vous ? Quelle sorte de gens êtes-vous ?

Jilly faillit voir rouge à cause de ces mots innocents : *quelle sorte de gens êtes-vous ?* et répliquer comme avec Dylan : « Quoi ? Les gens comme moi vous posent un problème ? »

Durant les deux dernières années, elle avait pris de la bouteille sur scène et connu un peu de succès ; désormais, elle jugeait stupide de s'emporter pour la moindre remarque désobligeante. Même avec Dylan, qui avait pourtant le don de la faire sortir de ses gonds, elle avait jugé sa réaction idiote. Et dans la situation actuelle, monter sur ses grands chevaux aurait été non seulement ridicule, mais dangereux.

— Police, mentit-elle, avec une facilité surprenante pour une ancienne fille de chœur. Nous sommes de la police.

— Et les uniformes ?

— Nous sommes en mission incognito. (Jilly ne lui proposa pas de voir sa plaque.) Restez ici. Ici, vous ne risquez rien. Laissez les pros se charger de ça. C'est notre boulot.

* * *

Le garçon au T-shirt des pompiers avait été roué de coups, et sans doute assommé. Mais il avait repris connaissance un peu avant l'arrivée de Dylan. Un œil au beurre noir. Le menton écorché. Du sang séché dans l'oreille droite qui avait coulé d'une entaille à la tempe.

Lorsqu'il retira le ruban adhésif qui maintenait une balle de caoutchouc rouge dans la bouche du garçon, Dylan se remémora sa détresse quand il s'était retrouvé pareillement bâillonné dans sa chambre de motel ; une bouffée de colère l'envahit. Les braises étaient en lui, toujours rougeoyantes et n'attendaient que le souffle d'une juste indignation pour se raviver. Cette force volcanique était une incongruité chez un homme d'ordinaire débonnaire, qui pensait que le cœur le plus noir pouvait être tiré à la lumière si on savait lui montrer la beauté profonde de l'univers et le miracle de la vie. Pendant des années, Dylan avait tendu l'autre joue. Il avait accompli ce mouvement si souvent, dans un sens, puis dans l'autre, qu'il aurait pu passer pour un spectateur d'un match de tennis.

Sa colère n'était toutefois pas nourrie par le souvenir de sa propre souffrance, ni par la perspective des épreuves qui l'attendaient dans les jours à venir, à cause du *machin* de Frankenstein. C'était simplement de la sympathie pour ce garçon, de la compassion, pour lui et pour toutes les victimes de cette époque de violence. Après le Jugement dernier, peut-être les faibles hériteront-ils de la terre pour leurs jeux innocents, mais en attendant, les méchants tenaient les rênes, chaque foutu jour que Dieu faisait !

Dylan savait que l'injustice régnait en ce bas monde, mais aujourd'hui, pour la première fois, il en ressentait une colère intense, un éperon de douleur qui lui traversait littéralement le cœur. La pureté et la force de son courroux le surprirent, car il était hors de proportion avec la cause apparente. Un garçon rossé, ce n'était pas Auschwitz, ni les charniers des Khmers rouges, ni le World Trade Center.

Il se passait quelque chose en lui, d'accord, mais la transmutation ne se limitait pas à l'acquisition d'un nouveau sens. Plus en profondeur, des changements drastiques s'opéraient, des déplacements tectoniques, irrépressibles dans les strates de son cerveau.

Une fois délivré du bâillon, le garçon se révéla tout à fait maître de lui et alla à l'essentiel... les yeux fixés sur la porte ouverte de la chambre, comme si c'était le portail des enfers d'où pouvait surgir à tout moment une armée de démons, il murmura :

— Kenny est raide-def. Il est en pleine crise. Il a enfermé la fille dans la chambre de mamie ; je pense qu'il va la tuer. Puis mamie, après. Puis moi. Il me garde en dernier, parce que c'est moi qu'il hait le plus.

— Quelle fille ? demanda Dylan.

— Becky. Elle habite en bas de la rue.

— Une petite fille ?

— Non. Elle a dix-sept ans.

La chaîne qui emprisonnait les chevilles du garçon était fermée par un cadenas. Celle des menottes à ses poignets était passée derrière un barreau de cuivre.

— Les clés ?

— C'est Kenny qui les a. (Le garçon quitta enfin la porte des yeux et regarda Dylan.) Je suis coincé ici.

Des vies étaient en jeu, désormais ! Même si appeler les flics ferait rappliquer les affreux en Suburban noires, avec des conséquences peut-être mortelles pour lui, Shep et Jilly, Dylan se sentait, moralement, contraint de composer le 911.

— Un téléphone ? murmura-t-il.

— Dans la cuisine, répondit le garçon dans un souffle. Il y en a un autre dans la chambre de mamie.

Il n'avait pas le temps de descendre au rez-de-chaussée. En outre, il ne voulait pas laisser le garçon tout seul. Ses nouveaux talents n'incluaient pas un don de prémonition, mais l'air était si lourd dans la pièce, chargé d'un déferlement de violence imminent... Il était prêt à parier son âme que le massacre allait commencer sitôt qu'il aurait atteint le bas de l'escalier.

Dans la chambre de mamie, il y avait un téléphone, d'accord, mais il y avait aussi Kenny... Lorsque Dylan aurait passé le seuil, il lui faudrait encore atteindre l'appareil, et il ne lui suffirait pas de savoir mettre un pied devant l'autre pour y parvenir.

Une fois de plus les couteaux accrochés aux murs attirèrent son attention, mais l'idée de découper quelqu'un à coups de machette ou de cimeterre lui répugnait. Il n'avait pas le cœur suffisamment bien accroché pour une telle boucherie.

Voyant l'hésitation de Dylan, le garçon chuchota :

— Là-bas... à côté de l'étagère.

Une batte de base-ball. Un ancien modèle, en bois dur.

Dylan s'en était beaucoup servi dans sa jeunesse, mais jamais pour frapper un être humain.

Un soldat, un flic, ou n'importe quel homme d'action n'aurait pas fait le choix de Dylan, à savoir préférer la batte à une baïonnette. Mais la poignée épousait si bien la forme de ses doigts...

— Attention, c'est un vrai dingue, lui rappela le garçon, comme pour dire que Dylan devait frapper le premier, sans se poser de questions.

Le seuil. Le couloir. Au fond, du couloir, la troisième porte, la seule pièce qu'il n'avait pas encore inspectée.

Pas la moindre lumière filtrait sous le battant fermé.

Le silence tomba sur la maison. L'oreille plaquée contre la porte, Dylan écouta, dans l'espoir de deviner ce que faisait Kenny le défoncé.

* * *

Certains artistes finissaient par confondre fiction et réalité. Parfois leur personnage prenait le pas sur leur personnalité et ils étaient à la ville comme à la scène. Durant les dernières années, Jilly s'était à moitié convaincue qu'elle était une vraie amazone du désert, à force de se présenter ainsi sur les planches.

En revenant dans la cuisine, elle découvrit, avec une sorte de fracture douloureuse, que la réalité et la fiction étaient deux choses définitivement différentes. Pendant qu'elle ouvrait les tiroirs, les portes des placards, à la recherche d'une arme quelconque, elle sentait ses jambes se transformer en guimauve, son cœur se mettre à battre la chamade dans sa cage thoracique.

Selon la loi et l'expérience commune, un couteau de boucher constituait bel et bien une arme. Mais en voyant ses doigts se refermer sur le manche avec une raideur arthritique, elle sut qu'elle serait, avec ce couteau, tout juste bonne à couper des tranches de rôti.

En outre, pour faire usage d'un couteau, il fallait s'approcher de l'ennemi. Si elle devait attaquer Kenny, elle préférait le faire à bonne distance, idéalement avec un fusil à gros calibre, bien en sécurité depuis le toit de la maison d'un voisin.

La cuisine était une cuisine, pas une armurerie. Les objets les plus contondants se trouvaient sur une étagère : un assortiment de bocaux de pêches au sirop.

Quelque chose attira son attention. Visiblement, Marjorie avait eu dernièrement une invasion de fourmis. Jilly sut qu'elle avait trouvé son bonheur...

* * *

Ni la batte de base-ball, ni son juste courroux suffisaient à décider Dylan à foncer tête baissée dans une pièce obscure à la recherche d'un dingue complètement défoncé, en pleine crise hormonale, armé d'une collection de lames à faire pâlir d'envie la Grande Faucheuse en personne ! Il n'était ni assez téméraire, ni assez stupide. Sitôt qu'il eut entrouvert la porte, assailli par un crépitement de traces psychiques, il recula d'un pas, et écouta, dos au mur.

Le silence. Total. Comme s'il était perdu en plein cosmos. Était-il devenu sourd ? Ou bien Kenny avait-il une patience égale à sa folie...

À son corps et à son âme défendants, Dylan s'approcha de la porte ouverte et pénétra dans la pièce. Il tendit le bras sur sa droite à la recherche de l'interrupteur. Kenny devait se tenir quelque part tapi, prêt à réagir à une telle manœuvre. Dylan allait-il avoir la main clouée au mur par une dague de commando ? Il en était tellement persuadé qu'il fut tout surpris de pouvoir actionner le bouton.

La chambre de mamie n'avait pas de lustre, mais l'une des deux lampes de chevet s'alluma – une jarre décorée de tulipes, surmontée d'un abat-jour jaune. Une lumière tamisée se répandit, projetant un entrelacs d'ombres douces.

Deux autres portes donnaient dans la pièce. Toutes

deux fermées. L'une devait mener à un dressing-room, l'autre, sans doute, à une salle de bains.

Les rideaux aux trois fenêtres étaient trop courts pour que quelqu'un puisse se dissimuler derrière.

Un grand miroir ovale occupait un coin de la chambre. Personne en embuscade là-bas non plus... Dylan vit son visage en reflet, moins effrayé qu'il ne l'aurait imaginé, l'air également plus imposant.

Kenny pouvait être dissimulé derrière le grand lit, plaqué au sol, mais c'était le seul meuble susceptible d'offrir une telle cachette.

Le plus inquiétant, toutefois, c'était la silhouette *sur* le lit. Un dessus-de-lit en chenilles de laine, une couverture, un drap, le tout en désordre, mais il y avait bien quelqu'un dessous, caché de la tête aux pieds.

Dans tous les films d'évasion, il s'agissait d'oreillers disposés en forme humaine, sauf que cette forme-là tremblait légèrement.

Maintenant que Dylan avait ouvert la porte et allumé la lumière, sa présence en ce lieu était un secret de Polichinelle. Il s'approcha prudemment du lit et murmura :

— Kenny ?

Sous les couvertures, la forme cessa de trembler. Pendant un moment, elle resta aussi immobile qu'un cadavre dans une morgue.

Dylan agrippa la batte de base-ball à deux mains, prêt à frapper pour un *home run*.

— Kenny ?

La chose dans le lit recommença à s'agiter, comme prise d'une énergie frénétique.

La porte supposée du dressing-room : toujours fermée. La porte de la salle de bains : idem.

Dylan se retourna vers la porte d'entrée.

R.A.S.

Il chercha le nom que lui avait indiqué le gamin, celui de cette fille qui habitait au bas de la rue. Il s'en souvint enfin :

— Becky ?

La forme mystérieuse se tordit en tout sens, débordante de vie, mais toujours aussi muette.

Même s'il n'était pas question de bastonner cette chose en aveugle, l'idée de soulever les draps le terrorisait autant que s'il devait retirer une bâche dissimulant un nid de crotales.

Pas question, toutefois, de se servir de la batte pour tirer les draps. Empêtrée dans le tissu, elle ne lui serait plus d'aucune utilité. Même si ce moment de vulnérabilité ne devait durer que quelques secondes, cela suffisait amplement au sieur Kenny pour jaillir du lit, couteau d'équarrisseur à la main, et lui ouvrir le ventre.

Lumière tamisée, ombres douces.

Le silence.

La forme dans le lit qui se tortille comme un ver...

17.

Jilly, dans le couloir du rez-de-chaussée, passa devant trois pièces plongées dans les ténèbres, s'arrêtant chaque fois sur le seuil, aux aguets – rien, le silence. Elle arriva dans le hall d'entrée, éclairé par la lampe sur sa petite desserte, et se dirigea vers l'escalier.

Au moment de monter les marches, elle entendit un petit bruit métallique derrière elle – *plink !* Elle s'immobilisa sur le second degré. Le *plink* fut suivi par un *tat-a-tat* et par un *zzziinnnggg...* puis ce fut le silence.

Les bruits semblaient provenir d'une pièce à côté de la porte d'entrée... sans doute le salon.

Quand on redoute plus que tout une rencontre inopinée avec un jeune drogué maniaque des couteaux, au dire de sa propre grand-mère, on déteste entendre tinter du métal dans son dos. Le silence qui suivit ne pouvait avoir – et n'aurait jamais plus – la même innocence que celui qui avait précédé le *plink*.

Devant elle, l'inconnu ; derrière elle, l'inconnu aussi ! Prise ainsi en tenailles, Jilly ne pouvait plus s'illusionner... l'amazone téméraire du désert avait pris définitivement la poudre d'escampette ; la jeune fem me, toutefois, ne se mit pas à trembler de tous ses membres – sa mère, roc de stoïcisme, ainsi que quelques mauvaises expériences passées lui avaient appris que l'adversité devait toujours être attaquée de front, bille en tête. Selon sa mère, les coups du sort étaient autant de part de tartes à la crème sur la table du destin... plus on les avalait vite, moins on était écœuré. Si Kenny, goguenard, était caché dans le salon, et frottait ses lames de couteau l'une contre l'autre pour lui annoncer sa présence, c'était un gâteau entier qu'elle allait devoir ingurgiter.

Elle descendit les marches et retourna dans l'entrée.

Plink, plink. Tic-tic-tic. Zing... zzziinnnggg !

* * *

Dylan regrettait de ne pas avoir la capacité pulmonaire du Grand Méchant Loup devant les maisons des trois petits cochons pour souffler les couvertures du lit... Soit il restait planté là, à attendre que la chose fasse le premier mouvement – l'option la plus désastreuse – soit il découvrait ce gros ver qui se tortillait pour lui demander son nom et ses intentions.

La batte de base-ball brandie dans la main droite, il pinça les draps de la main gauche et tira un grand coup. Une jeune fille brune, aux yeux bleus, pieds nus, dans un jean déchiré et un chemisier sans manches à damiers bleus.

— Becky ?

Son visage était pâle de terreur, les yeux exorbités. Des spasmes parcouraient son corps en ondes furieuses, agitant sa tête de mouvements convulsifs.

Son regard fixe restait rivé au plafond, comme si elle n'avait pas pris conscience que les secours étaient arrivés. Elle paraissait abîmée dans une sorte de transe.

Dylan répéta son prénom, en se demandant si Becky n'était pas droguée. Elle était dans un état catatonique, et totalement coupée du monde extérieur.

Puis, sans détourner les yeux du plafond, elle bredouilla dans un souffle contraint :

— Fuyez !

La batte toujours dans sa main, Dylan restait aux aguets, se souvenant de la porte ouverte sur le couloir, et des deux autres, fermées, du dressing-room et de la salle de bains. Il était prêt à réagir au moindre mouvement, au moindre bruit, à la plus petite ombre mouvante... mais aucune menace en vue, pas de brute furieuse venant rompre le charme suranné du papier fleuri ou occulter les reflets chatoyants sur les flacons de parfum de la coiffeuse.

— Je vais vous sortir de là, promit-il.

Il tendit sa main libre pour l'aider à se lever, mais elle ne la prit pas. La fille tremblait, grelottait, les yeux rivés au plafond comme s'il se mettait à descendre vers elle pour l'écraser, à l'instar de ces vieux films de série B où le méchant construisait des machines de mort ultra-sophistiquées pour occire ses victimes alors qu'un simple revolver aurait fait tout autant l'affaire.

— Fuyez, répéta Becky avec désespoir. Pour l'amour du ciel, fuyez !

La vision de cette fille tétanisée, qui bredouillait ses mises en garde, lui mettait les nerfs en pelote.

Dans ces vieilles séries B, une dose savante de curare pouvait rendre la victime dans cet état, mais pas dans la vie réelle. Sa paralysie était, sans doute, d'ordre psychologique, mais non moins invalidante. Pour la soulever du lit et la faire sortir de la maison, il lui fallait poser la batte...

— Où est Kenny ? murmura-t-il.

Enfin son regard quitta les moulures de plâtre dans un arc descendant pour s'arrêter sur l'une des deux portes fermées.

— Par là ? insista-t-il.

Becky croisa son regard pour la première fois... puis dériva de nouveau vers la porte.

À pas de loup, Dylan contourna le pied du lit et avança vers la porte. Kenny pouvait surgir de partout.

Les ressorts du lit grincèrent ; la fille grogna, remua.

Dylan se retourna. Becky n'était plus allongée sur le dos. Il la vit s'agenouiller sur le matelas, puis se lever, droite comme un « i ». Dans sa main droite, elle tenait un couteau.

* * *

Tonk. Twang. Plink.

Avaler les problèmes comme une tarte à la crème, même si la crème était tournée... Jilly atteignit le seuil du salon au *tonk*, trouva l'interrupteur au *twang*. Et l'actionna au *plink*, inondant la pièce de lumière...

Un battement d'ailes furieux ; la jeune femme sursauta de terreur, certaine de voir de nouveau surgir la nuée de pigeons ou de colombes qui avait tournoyé autour d'elle dans le désert, ou qui avait, peu après, submergé la Ford sur l'autoroute. Mais fausse alerte ; aucun colombidé en vue. Le silence était déjà retombé dans la pièce.

Kenny n'aiguisait pas ses couteaux. Il n'était pas même présent, à moins qu'il ne fût recroquevillé derrière le canapé ou un fauteuil.

Une nouvelle série de sons métalliques attira son regard vers une cage. Elle était perchée à un mètre cinquante du sol, sur un support ressemblant à un pied de lampe halogène.

Avec ses petites pattes crochues, un perroquet s'accrochait aux barreaux d'acier de sa prison ; à l'aide de son bec, le détenu à plumes mordillait la grille. D'un grand mouvement de tête, l'oiseau faisait glisser son appendice corné sur les barreaux, dans un sens, puis dans l'autre, à la manière d'une harpiste effectuant un glissando : *zzziiinnnggg, zzziiinnnggg.*

Confondre un perroquet avec un tueur psychopathe ! C'était le coup de grâce à sa réputation d'amazone ! Jilly battit en retraite et retourna vers l'escalier. Derrière elle, le volatile battait frénétiquement des ailes, comme s'il la suppliait de lui rendre sa liberté.

Ces bruits d'aile lui rappelaient si fort ses expériences paranormales qu'elle fut prise d'une bouffée de panique. Mais, au lieu de sortir de la maison à toutes jambes, elle choisit de profiter de cette montée d'adrénaline pour rejoindre vite Dylan. Lorsqu'elle arriva sur le palier, l'oiseau s'était calmé dans le salon, mais les ailes continuaient à battre dans son souvenir. Elle pressa le pas et déboucha dans le couloir du premier étage sans observer les précautions désormais d'usage.

*   *   *

La peur feinte avait quitté les yeux bleus de Becky et une lueur démoniaque les illuminait à présent.

Elle sauta du lit, telle une furie, fouettant l'air de sa lame. Dylan fit un saut de côté et Becky se révéla une meurtrière plus enthousiaste qu'efficace. Elle se prit les pieds dans le tapis, manqua de s'écrouler de tout son long, à deux doigts de s'embrocher toute seule, et cria :

— Kenny !

Car Kenny entrait en scène, mais non par la porte indiquée par la demoiselle... Il faisait penser à une anguille : un corps long, quasi-sinueux, fin et tout en muscles, avec les petits yeux globuleux d'une créature acclimatée aux grands froids des abysses marins. Il aurait eu les dents en forme de crocs de poissons des grandes profondeurs que Dylan n'en aurait pas été autrement surpris...

Il était jeune – bottes de cow-boy noires, jean et T-shirt noirs, veste en jean noir également, décorée d'un motif brodé vert d'inspiration indienne. La broderie était assortie à la plume qui ornait le chapeau posé sur les valises.

— Qui t'es, toi ? demanda Kenny en regardant Dylan. (Sans attendre sa réponse, il se tourna vers Becky :) Où est la vieille peau ?

La « vieille peau » devant être la femme aux cheveux blancs, qui rentrait fourbue de sa journée de travail pendant que les deux chérubins avaient passé leur journée à s'envoyer en l'air.

— On s'en fout, répondit Becky. Tue-le. On pourra alors s'occuper de l'autre sac à merde et lui faire bouffer ses tripes.

Le petit garçon avait mal saisi les relations entre son

frère et cette fille. Des tueurs de sang-froid, qui s'apprêtaient à massacrer grand-maman et le petit dernier. Leur plan : peut-être voler le petit pécule de son bas de laine, charger les deux valises dans la voiture, et *ciao* la compagnie !

Ils feraient sans doute un arrêt minute au bas de la rue, pour prendre les affaires de Becky. À moins qu'ils n'aient décidé d'occire aussi sa famille...

Même s'ils ne parvenaient pas à mettre à exécution le reste de leur plan, pour l'heure Dylan était en mauvaise posture. Ces deux-là étaient bien partis pour lui régler son compte.

Kenny avait un couteau avec une lame à double tranchant de trente centimètres de long. Et avec sa poignée ergonomique de caoutchouc, il l'avait bien en main. Il serait difficile de lui faire lâcher prise.

L'arme de Becky, davantage conçue pour la cuisine que pour la guerre, pouvait néanmoins découper un homme en rondelles.

La batte de base-ball, bien plus longue que les couteaux, offrait à Dylan l'avantage de l'allonge. D'ordinaire, sa taille imposante suffisait à dissuader les vilains de tout poil qui voulaient lui faire la peau. Les types se disaient qu'à physique de brute, mental de brute, ne pouvant savoir qu'il était, en fait, doux comme un agneau.

Kenny hésitait encore, car il n'avait pas toutes les données en main. Il était peut-être risqué de tuer cet inconnu alors qu'il pouvait y en avoir d'autres dans la maison. Son inclination au meurtre se trouvait tempérée par un esprit rusé digne du serpent du jardin d'Éden.

Dylan songea à se faire passer pour un officier de police, et laisser entendre que les renforts suivaient ; il pouvait même justifier sa tenue civile. Mais avec sa batte dans les mains au lieu d'un pistolet, la version du flic était difficile à vendre.

Kenny semblait afficher une certaine prudence, malgré son cerveau imbibé de drogue, alors que dans les yeux de Becky brillait une lueur sauvage et démoniaque ;

elle n'était impressionnée ni par la batte de base-ball, ni par la stature de l'inconnu.

Dylan fit un pas vers Kenny, feignant une attaque de front, et pivota brusquement, en abattant sa batte en direction de la main de la fille qui tenait le couteau.

Becky était peut-être membre du club de gym de son lycée ou l'une de ces mille et une ballerines pour qui des parents aimants dépensaient des fortunes dans l'espoir d'en faire la future Margot Fonteyn ? Sans avoir le niveau pour participer aux Jeux olympiques ou pour intégrer les ballets de l'Opéra, la fille se révéla rapide et alerte, faisant preuve d'une coordination moteur beaucoup plus efficace que lorsqu'elle avait sauté du lit. D'un petit bond arrière, elle évita le coup en poussant un cri de triomphe « *Aha !* », se déplaça aussitôt sur sa droite pour éviter le mouvement retour de la batte, et se mit en position de combat, jambes fléchies, tournant autour de lui, bien en appui, prête à lancer son attaque.

Dylan ne se faisait pas d'illusions. L'hésitation de Kenny n'était que de surface. À la première occasion, il fondrait sur lui. Dylan feignit de se lancer dans un pas de deux avec Becky, même s'il ressemblait davantage à un ours de foire qu'à un danseur étoile, et se retourna soudain vers le cow-boy à la broderie indienne au moment où celui-ci s'approchait dans son dos.

Les yeux de Kenny n'avaient pas cet éclat féroce de ceux de Becky... on y lisait davantage la ruse du serpent et le calcul du lâche qui se montre toujours plus brave quand il sait la faiblesse de son adversaire. Kenny était un monstre, certes, mais pas d'une sauvagerie comparable à celle de sa consœur aux yeux bleus ; et il avait commis l'erreur de s'approcher lentement au lieu de se ruer sur lui. Le temps que Dylan se tourne vers lui et frappe, Kenny, profitant de son élan, aurait pu plonger sous la batte et atteindre sa cible. Mais, au lieu de ça, il s'arrêta, fit un bond en arrière, et fut victime de sa propre couardise.

Avec un craquement sinistre, la batte cassa l'avant-bras droit de Kenny. Malgré la poignée ergonomique, le couteau lui échappa des mains. Sous le choc, Kenny sembla sur le point de décoller du sol, mais, l'illusion fut de courte durée.

Tandis que Kenny, hurlant de douleur, retombait déjà sur le plancher, Dylan sentit Becky se ruer dans son dos ; et ce n'était pas avec sa souplesse d'ours qu'il allait pouvoir esquiver l'assaut de la ballerine folle !

* * *

Alors que Jilly atteignait l'avant-dernière marche, elle entendit quelqu'un crier « Kenny ! ». Elle s'arrêta net, troublée par ce cri ; ce n'était ni la voix de Dylan, ni celle d'un enfant de treize ans. Mais un appel aigu et strident. Une voix féminine.

Elle entendit ensuite des bruits, puis une voix d'homme – toujours pas celle de Dylan – mais elle ne put discerner les mots.

Elle était venue pour prévenir Dylan que le jeune Travis était là-haut avec Kenny, mais aussi pour lui donner un coup de main au besoin ; elle ne pouvait donc pas rester plantée là si elle voulait pouvoir encore se regarder dans une glace. Jilly Jackson avait gagné son amour-propre au prix d'efforts considérables, car son enfance, à l'exception de l'exemple donné par sa mère, avait été un terrain fertile pour les graines du doute et du mépris de soi. Pas question de perdre un bien si chèrement acquis !

En s'élançant dans le couloir, elle aperçut une lueur tamisée filtrant d'une porte sur sa gauche, puis une autre lumière, plus vive, provenant d'une porte plus loin sur la droite et aussi une nuée de colombes jaillissant d'une fenêtre close contre le mur du fond – un mirage qui traversait les carreaux en les laissant intacts.

Les oiseaux ne faisaient aucun bruit – pas de roucoulements, pas de cris, pas le moindre bruissement d'ailes. Quand ils la submergèrent, en une cataracte de plumes blanches, un miroitement kaléidoscopique d'yeux ronds et de bec ouverts, elle crut qu'elle ne sentirait rien – mais

elle se trompait. L'air agité dans leur sillage était chaud et
poivré, portant des fragrances d'encens. Le bout des ailes
cinglait son corps, ses bras et son visage.

En rasant le mur de gauche, elle progressa dans ce
tourbillon blanc, aussi dense que le blizzard de plumes qui
avait noyé un instant la Ford sur l'autoroute. Elle devenait
folle... mais elle n'avait pas peur des oiseaux. Ils ne lui
voulaient aucun mal. Même s'ils étaient réels, ils n'auraient pas cherché à la mordre ou à lui crever les yeux.
Les volatiles étaient simplement le signe d'une vision
amplifiée, bien qu'au moment où cette pensée se forma
dans son esprit, elle n'eût aucune idée du sens caché de
cette *amplification.* Pour le moment, elle avait une analyse
instinctive, émotionnelle, plutôt qu'intellectuelle.

Quoique sans danger, l'apparition de ces volatiles
tombait au pire moment. Il lui fallait trouver Dylan, et
réels ou non, la présence de ces oiseaux lui compliquait la
tâche.

« Aha ! » s'exclama quelqu'un, tout près. L'instant suivant, Jilly longeant toujours le mur de gauche découvrit
une autre porte ouverte que le vol de colombes lui avait
occultée.

Sitôt qu'elle eut franchi le seuil, les oiseaux disparurent. Devant elle, une chambre, éclairée par une unique
lampe. Dylan était là, armé d'une batte de base-ball,
attaqué par un jeune type – Kenny. Il y avait une fille aussi.
Le gars et la fille avaient des couteaux.

La batte fendit l'air avec un *whoosh,* le jeune type
poussa un cri et le vilain couteau décrivit un arc de cercle
avant de retomber sur une commode en noyer.

Pendant que Dylan abattait sa masse d'armes de fortune, la fille, derrière lui, se ramassa sur elle-même, ban-
dant ses muscles. Voyant Kenny touché, la fille brandit
son couteau, pour fondre sur Dylan et lui planter la lame
dans les omoplates.

Alors que la fille, tendue tel un ressort, était sur le
point de bondir, Jilly cria : « *Police !* »

Agile comme un singe, la fille se retourna tout en faisant un saut de côté pour ne pas tourner le dos à Dylan et le garder dans son champ de vision.

Ses yeux étaient de ce bleu limpide des plafonds peints de chapelle où volettent des chérubins, mais une lueur de démence les illuminait, sans doute causée par une drogue psychotrope.

L'amazone du désert de l'Arizona était de retour ! Ne voulant pas détruire ces beaux yeux-là, Jilly visa un peu plus bas. La bombe insecticide qu'elle avait trouvée dans le placard de la cuisine proposait deux modes de projection – SPRAY ou JET. Elle avait choisi JET qui, selon l'étiquette, avait une portée de trois mètres.

À cause peut-être de la tension du moment, ou du plaisir préliminaire de l'homicide, la fille respirait la bouche ouverte. Le jet de produit tomba directement dedans, à la manière de l'arc d'eau des fontaines à boire, aspergeant ses lèvres, sa langue.

Bien que l'effet d'un tue-fourmis fût beaucoup moins foudroyant sur une jeune fille que sur un petit hyménoptère, il fut loin d'être accueilli par un sourire. Malgré un pouvoir diluant moindre que l'eau, le liquide noya toute velléité belliqueuse chez cette fille, qui lâcha aussitôt son couteau. Hoquetant, crachotant, elle se précipita vers une porte, l'ouvrit à la volée et se mit à taper sur le mur à la recherche de l'interrupteur, jusqu'à ce que la lumière s'allume. Il s'agissait d'une salle de bains. La fille s'écroula sur le lavabo, ouvrit le robinet et, les mains en coupe, se rinça la bouche à plusieurs reprises, avec force expectorations.

Par terre, Kenny gémissait, avec une agaçante pointe d'auto-apitoiement, recroquevillé comme une crevette.

Jilly regarda Dylan et agita sa bombe insecticide.

— À partir d'aujourd'hui, je m'en servirai pour éloigner les importuns !

— Qu'est-ce que vous avez fait de Shep ?

— La grand-mère m'a prévenue pour Kenny et ses couteaux. Cela vous ferait mal de me dire : *merci pour le coup de main* ?

— Je vous avais demandé de ne pas laisser Shep tout seul...

— Il va bien.

— Non, il ne va pas bien – dehors et tout seul ! Où avez-vous la tête ? répliqua Dylan en haussant la voix, comme s'il avait quelque autorité sur elle.

— Ne me criez pas dessus ! Bonté divine, vous venez ici en roulant comme un malade, sans daigner me dire pourquoi, vous sautez de voiture, toujours sans rien m'expliquer et vous foncez dans cette bicoque ! Qu'est-ce que je suis censée faire, hein ? Rester dehors, me déconnecter le cerveau comme une bonne ménagère, et attendre comme une dinde stupide, le bec ouvert sous la pluie, jusqu'à mourir noyée ?

Il la regarda avec des yeux ronds.

— C'est quoi cette histoire de dinde ?

— Vous m'avez parfaitement comprise !

— Il ne pleut même pas.

— Ne soyez pas obtus.

— Vous n'avez aucun des sens des responsabilités, déclara-t-il.

— Au contraire, j'ai un très grand sens des responsabilités.

— Vous avez laissé Shep sans surveillance.

— Il ne bougera pas de la voiture. Je lui ai donné quelque chose à faire pour l'occuper. Je lui ai dit : « Shepherd, à cause de ton insupportable frère, il faut que tu me trouves au moins cent synonymes polis pour *emmerdeur*. »

— Je n'ai pas le temps de me chamailler avec vous.

— C'est vous qui avez commencé ! lâcha-t-elle en tournant les talons.

Elle allait sortir de la pièce lorsque la vue des colombes l'arrêta.

Elles poursuivaient leur migration en direction de l'escalier. Depuis le temps que ces nuées traversaient le couloir, si cette image avait été réelle, la maison aurait dû être pleine à craquer de volatiles, au risque d'exploser sous la pression.

Elle aurait bien voulu les faire disparaître de sa vue, mais les oiseaux continuaient de voler, en un flot continu. Elle leur tourna le dos, craignant que son esprit ne chavire définitivement dans la folie.

— Il faut sortir d'ici. Marj risque d'appeler les flics...

— Marj ?

— La femme qui vous a donné le pin's et qui est à l'origine de tout ça. C'est la grand-mère de Kenny et de Travis. Que voulez-vous que je fasse ?

* * *

Dans la salle de bains, à genoux devant la cuvette des toilettes, Becky avait entrepris de rendre son dîner, à défaut des armes.

Dylan pointa le doigt vers une chaise. Jilly comprit le message.

La porte de la salle de bains s'ouvrait vers l'extérieur. En coinçant le dossier de la chaise sous la poignée, Becky serait piégée à l'intérieur jusqu'à l'arrivée de la police.

Dylan ne craignait plus, étant donné l'état de la fille, d'être découpé en rondelles, mais il n'avait aucune envie qu'elle lui vomisse dessus.

Kenny était prostré par terre. Malgré les larmes et les reniflements, il restait dangereux ; il vociférait des obscénités, réclamait un médecin, jurait de se venger, voulait leur crever les yeux...

Dylan lui dit de se taire s'il ne voulait pas avoir le crâne défoncé à coups de batte. Le jeune homme fut tout étonné de voir Kenny se calmer, prenant très au sérieux cette menace qui n'était somme toute qu'une fanfaronnade. À l'évidence, si les rôles avaient été inversés, Kenny, lui, n'aurait pas hésité à la mettre à exécution... À la demande de Dylan, il sortit de la poche de sa chemise de cow-boy, décorée de bouton de nacre, les clés des menottes et du cadenas.

Jilly hésita à suivre Dylan dans une autre chambre, craignant de rencontrer d'autres vilains chez qui le tue-fourmis ne serait d'aucun effet. Il lui assura que Becky et Kenny étaient les seules forces du mal présentes sous ce toit. Toutefois, c'est en grimaçant, les yeux plissés, qu'elle traversa le couloir vers la chambre du garçon ; à plusieurs reprises, il la vit se retourner vers la fenêtre au fond du couloir, comme s'il y avait un fantôme le nez collé aux carreaux.

Tout en délivrant Travis, Dylan lui apprit que Becky était loin d'être la Sainte Nitouche qu'il imaginait. Sitôt le garçon libéré, ils descendirent l'escalier pour rejoindre la cuisine.

Marj jaillit par la porte du jardin pour prendre son petit-fils dans ses bras. Le garçonnet disparut presque tout entier dans sa robe rose bonbon.

Dylan attendit que Travis soit de nouveau libre de ses mouvements pour déclarer :

— Kenny et Becky ont, tous les deux, besoin de soins...

— Et d'une prison ! ajouta Jilly.

— ... mais, s'il vous plaît, donnez-nous deux ou trois minutes avant de faire le 911, termina Dylan.

Ce dernier point troubla Marj.

— Mais vous êtes le 911...

Jilly éclaira la lanterne de la pauvre femme :

— Disons que nous sommes les deux « 1 », mais pas le « 9 ».

Cette réponse laissa Marj dubitative, mais amusa beaucoup Travis, qui lança :

— On vous laissera le temps de filer. Mais c'est dément... Qui êtes-vous donc exactement ?

Jilly, voyant que Dylan ne savait que répondre, lui vint en aide :

— Nous ne le savons pas nous-mêmes. Cet après-midi, c'était encore à peu près clair dans notre esprit, mais ce soir, on n'en sait plus rien du tout.

Dans un sens, Jilly disait la stricte vérité, avec le plus grand sérieux, mais cette explication plongea Marj plus profond dans des abîmes de perplexité et agrandit encore le ravissement de Travis.

À l'étage, Kenny criait, réclamait une ambulance d'urgence.

— Vous feriez mieux d'y aller, conseilla Travis.

— Vous n'avez pas vu notre voiture, et vous ne nous connaissez ni d'Ève ni d'Adam, précisa Dylan.

— Cela tombe bien, c'est le cas, rétorqua Travis.

— Et nous vous saurions gré de ne pas nous regarder partir.

— Tout ce que nous savons, répondit Travis, c'est que vous avez détalé comme des lapins et que vous vous êtes volatilisés dans la nuit.

Dylan leur demanda trois minutes. Au-delà, il serait difficile à Marj et à Travis d'expliquer aux flics pourquoi ils avaient tant tardé à appeler les secours ; mais si Shep avait quitté la voiture, ils étaient fichus. Trois minutes, c'est très court pour retrouver quelqu'un dans l'obscurité.

À l'exception du bruissement des rameaux d'olivier sous la brise nocturne, la rue était tranquille et silencieuse. Les cris de Kenny ne traversaient pas les murs de la maison.

Le long du trottoir, portière ouverte, la Ford Expedition attendait. Jilly avait éteint les phares et coupé le moteur.

Dylan aperçut tout de suite la silhouette de Shep sur la banquette arrière, le visage illuminé par la lumière d'une lampe de lecture qui se réfléchissait sur les pages de son livre.

— Je vous avais bien dit qu'il ne bougerait pas ! pérora Jilly.

Soulagé, Dylan resta silencieux pour éviter la polémique.

Derrière la vitre sale côté Shep, on pouvait distinguer le titre de l'ouvrage : *Les Grandes Espérances* de Charles Dickens. Shep était fan de cet auteur.

Dylan s'installa derrière le volant, claqua la portière ; il devait s'être écoulé trente secondes depuis qu'il avait quitté la maison.

Les jambes repliées sous le siège pour ne pas gêner

Fred, la plante grasse, Jilly tendit les clés à Dylan, puis se ravisa.

— Et si vous pétez de nouveau un plomb ?

— Je n'ai pas pété les plombs.

— Peu importe ce qui vous est arrivé. Mais si ça recommence ?

— Cela risque d'arriver, concéda-t-il.

— Je ferais mieux de conduire.

Il secoua la tête.

— Qu'avez-vous vu dans le couloir, au moment d'aller retrouver Travis ? Pourquoi regardiez-vous cette fenêtre ?

Elle médita la question un moment et finalement lui rendit les clés.

— D'accord, vous conduisez.

Alors que la grande aiguille de l'horloge dans la cuisine achevait de faire un tour, Dylan manœuvrait dans la rue pour repartir dans la direction d'où il était venu. Ils remontèrent Eucalyptus Avenue – sans eucalyptus. Lorsque Travis composerait le 911, ils auraient rejoint la nationale.

Dylan prit vers l'est, vers la sortie de la ville ; sur le parking du motel, la carcasse de la Cadillac devait avoir cessé de se consumer.

— Je ne veux pas traîner dans le secteur. Quelque chose me dit que ça va devenir chaud sous peu.

— C'est une nuit à écouter ses pressentiments, reconnut Jilly.

Finalement, ils quittèrent la nationale pour l'autoroute 191, une deux voies qui filait au nord, vers le néant noir du désert. Il y avait peu de circulation à cette heure. Dylan ignorait où menait la 191, et d'ailleurs, il s'en fichait. Pour l'heure, l'important, c'était de rouler, de mettre le plus de distance possible entre eux et le cadavre dans la carcasse de la De Ville, entre eux et la maison d'Eucalyptus Avenue.

Durant les cinq premiers kilomètres sur l'autoroute, Jilly et Dylan restèrent silencieux. Puis Dylan se mit à trembler. À présent que son niveau d'adrénaline revenait à la normale, que les petits soldats de son instinct de conservation réintégraient ses cellules, l'énormité de ce qui venait de se produire le frappa d'un coup. Le jeune homme tenta de dissimuler à Jilly ses trépidations, mais en vain. Il entendait ses dents claquer. C'est alors qu'il vit qu'elle tremblait aussi, les bras refermés autour d'elle, se balançant sur son siège.

— C'est dingue, souffla-t-elle.

— Ouais.

— Je ne suis pas Wonder Woman.

— Non.

— Une chose est sûre, je n'ai pas le profil de l'emploi.

— Moi non plus, renchérit-il.

— Nom de Dieu, *ces couteaux*...

— Ils étaient vraiment terrifiants.

— Et vous, avec votre petite batte de base-ball... Vous aviez perdu la tête ou quoi, O'Conner ?

— Sans doute. Mais je peux vous retourner la question ; votre bombe d'insecticide, ce n'était pas l'exemple même de la rationalité, Jackson.

— Ça a marché, non ?

— Un joli tir, c'est vrai.

— Merci. Dans mon enfance, j'ai eu tout le temps de m'entraîner sur les cafards ! Ils bougeaient plus vite que Miss Becky. Et vous, vous touchiez votre bille au base-ball ?

— Pas trop mal pour un handicapé d'artiste. Je reconnais qu'il vous a fallu de sacrées tripes pour monter cet escalier, sachant pour Kenny et ses couteaux.

— Surtout beaucoup de stupidité. On aurait pu se faire tuer.

— On aurait pu, reconnut-il. Mais nous sommes vivants.

— Mais cela *aurait pu* arriver. Terminées les chasses aux grands méchants. Promis ?

— Je l'espère.

— Je suis sérieuse, O'Conner. Plus jamais.

— Ce n'est pas nous qui décidons, je le crains.

— Pour ma part, c'est tout vu.

— Je veux dire, nous ne sommes pas maîtres de la situation.

— Moi, je ne perds jamais le contrôle, s'entêta-t-elle.

— Plus maintenant.

— Vous me fichez les jetons.

— J'ai les foies, moi aussi.

Ce dernier constat les plongea dans le mutisme.

La lune, disque d'argent parfait au zénith, s'assombrissait en plongeant vers l'ouest. Les étendues féeriques du désert se firent froides et sinistres.

Des boules d'amarante oscillaient sur le bas-côté, mortes et pourtant impatientes de bouger ; malheureusement, la brise nocturne n'avait pas assez de force pour les faire rouler.

Des papillons de nuit volaient, des minuscules mites blanches aux grosses phalènes marron, formant un essaim fantomatique et mouvant dans le faisceau des phares. Rares étaient ceux qui se trouvaient écrasés sur le pare-brise.

Dans la peinture classique, les papillons de jour étaient symboles de vie, de joie et d'espérance. Les papillons de nuit, à l'inverse, représentaient toujours le désespoir, la destruction, et la mort. Les entomologistes estiment que la planète abrite trente mille espèces de papillons diurnes et quatre fois plus de papillons de nuit.

Dylan était nerveux, inquiet, comme si ses nerfs étaient autant de brins de laine grignotés par des larves de mites. En songeant à ce qu'il avait vécu dans la maison d'Eucalyptus Avenue, et à ce qui risquait de lui arriver encore, une colonie de chenilles voraces remonta dans sa colonne.

L'angoisse, toutefois, n'oblitérait pas totalement son esprit. Savoir qu'un avenir incertain s'ouvrait devant lui mettait, certes, ses nerfs à rude épreuve, mais chaque fois que le désespoir menaçait de l'envahir, une bouffée de joie repoussait l'attaque, une hilarité si intense qu'il manquait de rire aux éclats. En vérité, il était tout autant inquiet qu'excité par ce pouvoir mystérieux qui s'offrait à lui.

Cet état mental était si nouveau pour lui... Comment trouver les mots – les images – pour le décrire ? Il quitta des yeux le ruban noir de l'autoroute, les buissons d'amarantes frémissants, les agitations browniennes des phalènes, pour regarder Jilly. Lorsqu'il vit son visage, il sut qu'elle ressentait exactement la même chose que lui.

Ils n'avaient pas quitté ce monde pour le pays d'Oz, bien trop prévisible, mais pour un territoire inconnu qui recelait bien d'autres merveilles que des routes de briques jaunes et des cités d'émeraude, bien d'autres dangers que des méchantes sorcières et des singes volants.

Un papillon heurta violemment le pare-brise, laissant une substance grise et visqueuse sur le verre – un petit bisou de la Mort.

18.

Au dire de certains scientifiques, le pôle magnétique de la terre risquait de s'inverser soudainement, comme cela s'était déjà produit par le passé, provoquant des cataclysmes sur toute la planète. Les zones tropicales actuelles se retrouveraient alors, en un instant, prises sous un froid arctique, Miami grelotterait par moins cinquante degrés centigrades, battu par des blizzards si violents que la neige ne tomberait pas sous forme de flocons mais de cristaux tranchants comme des éclats de verre. Les forces tectoniques déformeraient les continents comme du papier crépon ; les roches se soulèveraient, se casseraient, se replieraient en accordéon. Traversés d'immenses raz de marée, les océans déferleraient sur les côtes, les vagues viendraient s'écraser au pied des Rocheuses, des Andes et des Alpes. De nouvelles mers intérieures se formeraient, de nouvelles chaînes de montagnes émergeraient. Les volcans vomiraient les entrailles de la terre en grands fleuves de feu. Ce serait la fin de la civilisation. Les morts se compteraient par milliards et les survivants se regrouperaient en tribus de chasseurs-cueilleurs.

Durant la dernière heure de son émission, Parish Lantern et ses auditeurs débattaient en direct des probabilités d'une inversion des pôles magnétiques dans les cinquante ans à venir. Dylan et Jilly, trop occupés à digérer les derniers événements, ne se parlaient pas et écoutaient Lantern tandis qu'ils remontaient vers le nord sur cette autoroute vide du désert ; à contempler ces étendues désolées autour d'eux, on pouvait soit croire que la civilisation avait déjà disparu dans un cataclysme planétaire soit que la terre était confinée dans une bulle hors du temps, immuable et éternelle.

— Vous écoutez tout le temps ce type ? demanda-t-il à Jilly.

— Pas tous les soirs, mais souvent.

— Et vous ne vous êtes pas encore suicidée ? C'est un miracle !

— Son émission ne traite pas, d'habitude, de la fin du monde. Normalement, les sujets sont les voyages dans le temps, les mondes parallèles, la réincarnation, la vie après la mort...

Sur la banquette arrière Shep continuait de lire Dickens, offrant à sa manière une seconde vie à l'écrivain. À la radio, la planète était ravagée par le feu, les forces telluriques et les eaux se débarrassaient des hommes et de la plupart des animaux, comme on se débarrasse du contenu d'un seau d'aisance.

Lorsqu'ils arrivèrent en vue de Safford, quarante minutes plus tard, Shepherd déclara :

— Des frites, pas des mouches, des frites, pas des mouches, des frites, pas des mouches...

Il était temps de s'arrêter pour se restaurer et définir un plan d'action. D'accord, peut-être n'avaient-ils pas encore intégré suffisamment la situation pour pouvoir ourdir un quelconque plan, mais Dylan et Shep, qui n'avaient toujours pas dîné, mouraient de faim. Et Jilly avait soif !

— Il faut changer les plaques de la voiture, annonça Dylan. Quand ils sauront que vous êtes la propriétaire de la Cadillac, ils vont fouiller tout le motel pour vous mettre la main dessus. Et lorsqu'ils vont découvrir que vous vous êtes tirée et que Shep et moi n'avons pas passé la nuit dans la chambre que nous avons pourtant payée, ils risquent de faire le rapprochement.

— C'est même sûr et certain.

— Sur le registre du motel, il y a le modèle de voiture et le numéro d'immatriculation. On peut au moins changer les plaques, ce qui n'est déjà pas une mince affaire.

Dylan se gara dans une rue déserte, sortit un tournevis et une pince de la caisse à outils, et se mit à la recherche de plaques d'Arizona. Il en trouva une paire facilement détachable sur un pick-up, garé devant un vieux bungalow de bois.

Pendant tout le démontage, son cœur battait la chamade. Son sentiment de culpabilité était disproportionné pour un larcin aussi mineur ; et pourtant, il était rouge pivoine à l'idée d'être surpris la main dans le sac.

Une fois en possession de son trésor, il traversa la ville et se gara devant une école. Le parking était désert à cette heure. Dans l'ombre, il remplaça ses plaques de Californie par celles d'Arizona.

— Avec un peu de chance, dit-il en reprenant place derrière le volant, le propriétaire du pick-up ne remarquera le vol que demain matin.

— Je déteste devoir me fier à la chance, répliqua Jilly. Elle n'a jamais été ma grande copine.

— Des frites, pas des mouches, leur rappela Shepherd.

Quelques minutes plus tard, Dylan s'arrêta devant la cafétéria d'un motel.

— Faites-moi voir votre crapaud. Votre pin's, précisa-t-il.

Elle dégrafa l'amphibien hilare de son chemisier, mais hésita à le lui donner.

— Que voulez-vous en faire ?

— Ne vous faites pas de soucis. Il ne va pas me déclencher une nouvelle crise comme l'autre. C'est fini. Leur affaire est terminée.

— On ne sait jamais.

Il lui tendit les clés de sa voiture pour la rassurer.

À contrecœur, elle échangea le pin's contre les clés.

Le pouce sur la face du crapaud, l'index sur le revers,

Dylan ressentit un frémissement de traces psychiques, l'impression de percevoir l'empreinte de plusieurs indivi- dus – peut-être mamie Marjorie l'emportait-elle sur Jilly Jackson ? – mais aucun de ces stimuli ne suscita ce senti- ment d'urgence qui l'avait fait se ruer à toute allure vers Eucalyptus Avenue.

Il lâcha le pin's dans la poubelle de bord.

— Rien. Ou quasiment rien. Ce n'était pas le pin's en soi qui était à l'origine de ce qui m'est arrivé, mais la mort imminente de Marjorie... c'est ça qui était impressionné sur le premier pin's, c'est ça que j'ai senti. Cela vous semble logique ?

— Pourquoi pas... maintenant que nous vivons à *Cau- chemar land* !

— Allons boire un verre.

— Il m'en faut deux !

Ils traversèrent le parking pour rejoindre le restau- rant. Shep marchant entre eux deux, abîmé dans sa lecture des *Grandes Espérances*, éclairé par sa petite liseuse à piles.

Dylan avait pensé lui retirer le livre, mais Shepherd l'avait lu toute la soirée. Ses habitudes avaient été mises à mal, ce qui, d'ordinaire, était source pour lui d'anxiété. Pis encore, il avait subi plus de tensions durant ces deux der- nières heures qu'au cours des dix années précédentes, or Shepherd avait besoin d'une atmosphère sereine pour dompter ses propres angoisses.

Par exemple, si trop d'inconnus lui adressaient la parole durant un vernissage, sa tolérance face aux sollici- tations conversationnelles pouvait s'en trouver grande- ment réduite, même s'il ne répondait à aucune d'entre elles. Trop d'éclairs durant un orage, trop de coups de ton- nerre, trop de pluie pouvaient mettre ses systèmes de pro- tection en surchauffe et provoquer une crise de panique.

Or Shep n'avait pas paniqué au motel ; il ne s'était pas replié sur lui-même comme un cloporte et n'avait pas été pris de spasmes lorsqu'il avait vu la Cadillac en feu, il n'avait ni hurlé, ni ne s'était arraché les cheveux pendant le gymkhana de Dylan sur l'autoroute pour rallier la maison de Marjorie... tout cela tenait du miracle, ou à défaut d'un prodige de self-contrôle pour quelqu'un qui, de coutume, ne supportait pas les agitations, pourtant plus anodines, de la vie quotidienne.

Pour l'heure, *Les Grandes Espérances* était son canot de sauvetage dans la tourmente du soir. Cramponné à son livre, il pouvait se croire à l'abri, fermer les yeux sur les violations caractérisées à son code personnel de conduite, et résister aux déferlantes de stimuli qui l'auraient autrement submergé.

Des gestes maladroits et une mauvaise synchronisation des mouvements étaient les symptômes de sa maladie, mais le fait de marcher avec un livre dans les mains ne dégradait en rien ses capacités motrices – pas de raideur particulière, pas de déhanchement accentué. Même si un escalier se dressait devant eux, Shep pourrait le gravir sans abandonner son cher Dickens.

Aucune marche à franchir pour pénétrer dans le restaurant, aucun obstacle... mais quand Dylan posa la main sur la poignée de la porte, des traces psychiques crépitèrent sous ses doigts et sa paume. Il eut un bref mouvement de recul.

— Qu'y a-t-il ? s'enquit Jilly, toujours sur le qui-vive.

— Un truc auquel il va falloir que je m'habitue...

Il percevait les empreintes de nombreuses personnes, comme un empilement de couches de sueur séchée laissées sur la poignée.

Le restaurant semblait une aberration bicéphale, bafouant toutes les lois de la physique, comme si une cafétéria de supermarché et un restaurant chic étaient parvenus à fusionner dans le même espace sans faire imploser le bâtiment. Des banquettes et des chaises de Skaï rouge, avec des armatures de chrome, étaient disposées autour de tables en véritable acajou. Des appliques de cristal projetaient une lumière savante non pas sur une riche moquette, comme on pouvait s'y attendre, mais sur un linoléum imitation parquet. Serveurs et serveuses étaient en livrées noires et tabliers blancs immaculés, mais les commis qui débarrassaient les tables étaient en civil et pour tout signe distinctif un ridicule chapeau pointu en papier et la même mine renfrognée.

Le coup de feu était passé depuis longtemps, un tiers seulement des tables était occupé. Des clients s'attardaient, devant desserts, digestifs et cafés, bavardant gaiement, légèrement grisés par l'alcool. Peu d'entre eux remarquèrent la présence incongrue de Shep – encadré par Dylan et Jilly – marchant, sans quitter son livre des yeux, derrière une serveuse qui les conduisait à une alcôve.

Sachant que son frère n'aimait pas manger au restaurant près d'une fenêtre (car les gens du « dehors » risquaient de le voir), Dylan demanda à être placé dans le fond de la salle ; il s'assit à côté de son frère, en face de Jilly.

La jeune femme avait curieusement bonne mine, malgré les épreuves qu'elle venait de traverser – et était bien calme pour quelqu'un dont la vie venait d'être bouleversée et dont l'avenir était désormais indéchiffrable, même dans le marc de café le plus expressif. Elle avait une beauté authentique, comme ces étoffes de qualité qui résistent au temps et aux pires traitements, sans perdre leur lustre et leurs couleurs.

Lorsqu'il prit le menu que lui tendait l'hôtesse, Dylan frissonna comme s'il avait touché de la glace. Il le posa aussitôt sur la table. Déposée par les clients précédents, une patine fourmillante d'émotions enduisait le carton plastifié – une couche dense de désirs, d'espoirs et d'envies de toutes sortes qui crépita sous ses doigts comme une décharge d'électricité statique, bien plus violente que les traces imprégnant la poignée de la porte d'entrée.

Durant leur voyage vers le nord, Dylan avait parlé à Jilly de ces marques psychiques. La jeune femme comprit aussitôt pourquoi il avait lâché le menu.

— Je vais lire le mien à haute voix, annonça-t-elle.

Il se surprit à la contempler pendant qu'elle lui faisait la lecture. C'était si agréable, qu'à plusieurs reprises il dut

faire un effort de concentration pour écouter son énumération de salades, de soupes, de sandwiches et de viandes
garnies. La vue de ce visage avait sur lui le même effet
apaisant que *Les Grandes Espérances* sur Shep.

Tout en écoutant Jilly, Dylan posa les mains à plat sur
le menu. Comme il s'y attendait, fort de son expérience
avec la poignée de la porte, le bouillonnement anarchique
d'impressions psychiques diminua et se fit soupe mijotant
en silence. Avec un effort de volonté, il pouvait donc étouf-
fer ces stimuli, atténuer cette sensation déplaisante.

Lorsque Jilly termina son énumération, elle releva les
yeux et vit les mains de Dylan posées sur le menu ; il l'avait
donc laissée lire pour pouvoir l'observer à son aise, sans
avoir à affronter son regard en retour. À en juger par son
expression, cette découverte généra chez la jeune femme
un mélange de sentiments contradictoires, mais elle lui
sourit néanmoins, un sourire à la fois incertain et
charmant.

Avant qu'ils n'aient pu échanger un mot, la serveuse
était de retour. Jilly demanda une bouteille de Sierra
Nevada. Dylan commanda pour Shep et pour lui, en insistant pour que l'assiette de son frère soit apportée cinq
minutes avant la sienne.

Shepherd continuait à lire – le livre ouvert devant lui,
la liseuse éteinte, le corps penché en avant, le nez à
quelques centimètres de la page, bien qu'il n'eût aucun
problème de vue. Tout le temps que la serveuse fut à leur
table, Shep lisait en bougeant les lèvres en silence – une
façon de faire savoir à la cantonade qu'il était occupé et
qu'il aurait été malséant de le déranger.

Comme il n'y avait personne aux tables voisines,
Dylan se sentit libre de parler.

— Jilly, les mots, c'est votre domaine, non ?

— Si on veut.

— Qu'est-ce que signifie, pour vous, le mot « psychotrope » ?

— En quoi est-ce important ?

— Frankenstein l'a utilisé. Il a dit que son machin
dans la seringue avait des effets psychotropes.

Sans relever les yeux de son livre, Shep déclara :

— Psychotrope. Qui affecte l'activité mentale, le comportement ou la perception.

— Merci, Shep.

— Produits psychotropes : tranquillisants, sédatifs, antidépresseurs, neuroleptiques, psychotoniques.

Jilly secoua la tête.

— Je ne crois pas que ce soit une chose comme ça qu'il nous a injectée.

— Drogues, produits psychotropes, précisa Shep. Opium, morphine, héroïne, méthadone. Barbituriques, méprobamates. Amphétamines, cocaïne. Peyotl, marijuana, LSD, bière Sierra Nevada. Drogues psychotropes.

— La bière n'est pas une drogue, rectifia Jilly. N'est-ce pas ?

Ses yeux suivant toujours les mots de Dickens, Shep semblait lire à haute voix :

— Stimulants et spiritueux psychotropes. Bière, vin, whisky. Café. Nicotine.

Jilly fixa Shep des yeux, ne sachant que faire de ces précisions pharmacologiques.

— Shep a oublié, reprit le garçon d'un air chagrin. Psychotropes par inhalation. Colle, solvants, liquide de frein. Psychotropes par inhalation. Shep a oublié. Shep désolé.

— S'il s'agit d'une drogue au sens classique du terme, renchérit Dylan, je pense que Frankenstein aurait employé ce terme. Il n'aurait pas dit *machin* avec tant de constance, comme s'il n'existait pas de mot connu pour son produit. En plus, les drogues ont un effet limité dans le temps. Les molécules finissent par être détruites par l'organisme. Or il a laissé sous-entendre que cette saloperie avait des effets permanents.

La serveuse arriva avec les bouteilles de Sierra Nevada pour Jilly et Dylan, et un verre de Coca-Cola pour Shep, sans glace. Dylan sortit la paille de son emballage et la plongea dans le soda.

Shepherd ne buvait qu'à la paille, qu'elle fût en carton

ou en plastique. Il aimait le Coca froid, mais détestait les
glaçons. Le Coca *avec* de la glace était, pour des raisons
qui restaient connues de lui seul, un crime de lèse-majesté.

En soulevant son verre de bière embué, Dylan lança :

— Aux spiritueux psychotropes !

— Mais à bas les psychotropes par inhalation ! pon-
déra Jilly.

Dylan percevait de faibles signatures d'énergie sur le
verre froid : peut-être les traces psychiques du personnel
en cuisine, et sans doute celles, plus fraîches, de leur serveuse. Il rassembla sa volonté pour occulter ces
empreintes et les trépidations diminuèrent. Il maîtrisait de
mieux en mieux son « don ».

Jilly fit tinter sa bouteille contre le verre de Dylan et
but à longues goulées.

— Alors, il n'y a nulle échappatoire possible ?

— Bien sûr que si.

— Ah oui ? Et où ?

— En tout cas pas à Phœnix. Ce serait une grosse
erreur. On vous attend là-bas pour votre numéro et ils
seront au premier rang pour vous accueillir, c'est sûr. Ils
voudront savoir ce que Frankenstein faisait dans votre
Cadillac, et vous faire une analyse sanguine.

— Les types des Suburban noires ?

— Peut-être d'autres, dans d'autres véhicules, mais ce
sera bonnet blanc et blanc bonnet.

— Qui sont ces gars d'abord ? Des barbouzes ? Des
agents d'une police secrète ? Des VRP aux techniques de
vente agressives ?

— Allez savoir. Mais ce ne sont pas forcément les
méchants dans l'affaire.

— Ils ont quand même fait sauter ma voiture.

— Certes. Mais ils ont fait ça uniquement parce que
Frankenstein était à l'intérieur. Et on est quasiment sûrs
que, lui, il n'était pas dans le camp des gentils.

— Ce n'est pas parce qu'ils atomisent un méchant que
ça fait d'eux des « bons » pour autant, remarqua-t-elle. Les
méchants s'entre-tuent parfois entre eux.

— C'est même fréquent, concéda Dylan. Mais pour éviter tout désagrément, on contournera Phœnix.

— Et ensuite ?

— En passant par les routes secondaires, on monte au nord, vers un truc grand et vide où ils n'auront pas l'idée d'aller nous chercher, peut-être dans les environs du parc national de la forêt pétrifiée. Si tout va bien, on pourrait y être dans quelques heures.

— À vous entendre, on dirait que l'on part en vacances. Je vous parle de l'avenir, de *ma vie*.

— Vous voulez voir les choses à trop long terme. Laissez tomber, conseilla-t-il. Tant que nous manquons d'informations, il est inutile d'espérer voir le tableau dans son ensemble.

— Et à quoi suis-je censée m'intéresser ? Aux détails ?

— Exactement.

Elle avala une gorgée de bière.

— Et quel est le détail du jour ?

— Rester en vie cette nuit.

— Le détail est aussi sinistre que le grand tableau.

— Pas du tout. Il nous suffit de trouver une cachette et de réfléchir.

La serveuse apporta le dîner de Shep.

Dylan avait commandé un plat que le gamin aimait bien, facile à conformer à ses critères culinaires personnels.

— Pour Shep, expliqua Dylan, la forme a davantage d'importance que la saveur. Il aime les carrés et les rectangles, et déteste les ronds.

Deux tranches de viande ovales, au milieu d'une flaque de sauce, constituaient le motif central de l'assiette. Avec les couverts de Shep, Dylan coupa le pourtour des hamburgers, pour former des rectangles réguliers. Après avoir déposé les découpes dans la soucoupe à pain, il trancha chaque rectangle en petits carrés.

Lorsqu'il avait pris les couverts, Dylan avait ressenti un picotement psychique, mais il avait pu le réduire jusqu'à le rendre quasiment imperceptible.

Les extrémités des frites étaient le plus souvent biseautées. Dylan coupa rapidement les pointes de chaque frite, pour les transformer en rectangles.

— Shep mangera les bouts, annonça-t-il en empilant les pointes sur le bord de l'assiette, à condition qu'ils soient mis à part.

Déjà de forme cubique, les carottes ne nécessitaient aucune intervention. Il dut, en revanche, écraser les petits pois et rassembler la bouillie en parallélépipèdes.

Dylan avait commandé du pain de mie en tranches, au lieu des miches de pain classiques. Les trois côtés des tranches étaient rectilignes, mais le quatrième, au sommet, était incurvé. Il sectionna l'arc et déposa les rebuts dans la soucoupe, avec les découpes de viandes.

— Heureusement que le beurre n'est ni battu, ni présenté en boule. (Il déballa trois plaquettes de beurre et les plaça à la verticale, à côté des tranches de pain.) C'est prêt !

Shep repoussa son livre lorsque Dylan lui présenta l'assiette. Il saisit les couverts et commença à manger ses motifs géométriques, avec la même concentration que lorsqu'il lisait Dickens.

— C'est toujours comme ça ? s'enquit Jilly.

— Ça dépend. Il existe d'autres règles pour certaines denrées.

— Et si vous dérogez au protocole, que se passe-t-il ?

— Pour lui c'est très sérieux... c'est une façon de mettre de l'ordre dans le chaos. Shep est un maniaque de l'ordre.

— Mais si vous lui présentez l'assiette en l'état et que vous lui dites : « mange » ?

— Il n'y touchera pas.

— Il mangera quand il en aura assez d'avoir faim.

— Non. Repas après repas, jour après jour, il refusera de s'alimenter, jusqu'à tomber dans les pommes victime d'hypoglycémie.

— Ça ne doit pas être simple, pour vous, d'avoir des petites amies, lui dit-elle en le regardant d'un drôle d'air.

Dylan choisit d'y voir de la sympathie et non de la pitié. Il haussa les épaules.

— Il me faut une autre bière, annonça Jilly lorsque la serveuse apporta le plat de Dylan.

— Pas pour moi, je conduis, précisa Dylan.

— Vu la façon dont vous avez roulé cette nuit, une bière de plus ne vous fera pas grand mal.

Peut-être avait-elle raison... il décida de se laisser aller.

— Va pour deux bières, dit-il à la serveuse.

Pendant que Dylan dévorait son poulet et ses galettes de pommes de terre sans se soucier de leur forme, Jilly revint dans le vif du sujet.

— Très bien. Disons que nous remontons au nord sur trois cents kilomètres et que nous trouvons une cachette pour réfléchir. Sur quoi, au juste, allons-nous cogiter ? Notre situation est sans espoir !

— Ne soyez pas toujours aussi négative.

Elle se hérissa plus vite qu'un porc-épic.

— Je ne suis pas négative.

— En tout cas, vous êtes moins optimiste que le Dalaï Lama.

— Pour votre gouverne, j'étais totalement insignifiante quand j'étais gosse. Un Kleenex usagé jeté dans le caniveau. J'étais d'une timidité maladive, si chétive et ratatinée qu'on aurait pu voir le soleil à travers moi. Comparées à moi, les souris étaient des exemples de témérité !

— Cela doit remonter à Mathusalem !

— Vous n'auriez pas parié à un contre un million qu'un jour je monterais sur une scène, ou que je ferais partie d'une chorale. Mais j'avais un rêve, un rêve pugnace, une force *positive*... je voulais devenir *quelqu'un*, être une artiste... alors je me suis remuée – Dieu sait au prix de quels efforts ! – je me suis fait violence pour m'arracher à ma condition de petite chose fragile et j'ai pu commencer à vivre mon rêve.

Elle vida sa bière en surveillant, derrière sa bouteille, la réaction de Dylan.

— C'est sûr que vous avez une haute estime de vous. Je n'ai jamais dit le contraire. Ce n'est pas envers vous que vous êtes négative, mais envers le reste du monde.

Dylan crut qu'elle allait le frapper avec sa bouteille de bière, mais elle la reposa sur la table et le regarda d'un air tranquille.

— C'est vrai, déclara-t-elle au grand étonnement de Dylan. Le monde est impitoyable. Et la plupart des gens le sont aussi. Pour vous, c'est une vision négative, très bien... pour moi c'est du réalisme.

— Beaucoup de gens sont sans cœur, mais ce n'est pas la majorité. La plupart sont terrorisés, ou trop seuls, ou perdus. Ils ne savent pas ce qu'ils font sur cette Terre, la raison de leur présence, leur utilité, alors ils se dessèchent, malgré eux, à l'intérieur.

— Parce que vous, vous savez ce que vous y faites ?

— Ne me faites pas passer pour un type pompeux.

— Je n'ai pas dit ça. Je suis curieuse de connaître votre rôle sur Terre, c'est tout.

— Chacun doit trouver sa voie, répondit-il, en toute sincérité. Et personne ne peut le faire à votre place.

— *Maintenant*, vous êtes pompeux ! (Finalement, elle allait peut-être le frapper avec la bouteille...)

Shep ramassa l'une des trois tablettes de beurre et l'enfourna dans sa bouche.

Voyant la grimace de Jilly, Dylan expliqua :

— Shep aime le pain et le beurre, mais pas dans la même bouchée. Je vous déconseille de le regarder manger un sandwich grec-mayo !

— Nous sommes fichus ! déclara-t-elle.

Dylan soupira, secoua la tête, mais ne répondit rien.

— Quoi ? C'est la vérité ! Si nos affreux débarquent pour nous tirer dessus, quelles règles imposera Shep en la circonstance ? Toujours les esquiver par la droite, jamais par la gauche ? Zigzags acceptés, mais plongeons interdits – sauf les jours de la semaine commençant par un « M » ? Quelle est sa vitesse de pointe un livre à la main ? Et que se passera-t-il si l'on doit lui retirer son satané bouquin ?

— Le problème ne se posera pas, répliqua Dylan, tout en sachant que la jeune femme avait raison.

Jilly se pencha vers lui. Elle baissa la voix, mais ses paroles gagnèrent en intensité ce qu'elles avaient perdu en volume.

— Vous pensez réellement ce que vous dites ? Même si nous n'étions que tous les deux dans cette panade, nous serions aussi en sécurité que sur une pente de savon noir au-dessus d'un précipice. Alors quelles sont nos chances de nous en sortir avec un boulet de quatre-vingts kilos dévoreur de beurre en plaquette !

— Shep n'est pas un boulet, s'entêta Dylan.

Elle se tourna vers le garçon.

— Ne le prends pas mal, mon chéri, mais si nous voulons trouver le moyen de nous en sortir, il faut voir les choses en face, appeler un chat un chat. Si nous nous voilons la face, nous sommes morts. Peut-être qu'en tant que boulet, tu penses pouvoir nous être utile, alors si c'est le cas, il faut vite nous dire comment.

— On a toujours fait une super équipe, Shep et moi, intervint Dylan.

— Une équipe ? Vous ne pourriez pas faire une course en sac en duo !

— Il n'est pas un boulet...

— Ne recommencez pas, s'emporta-t-elle. Vous êtes un maniaque de l'espoir ! Avec vous, tout le monde il est beau, tout le monde il est gentil ! Ouvrez donc les yeux !

— Mon frère n'est pas un boulet, c'est...

— ... un idiot/savant ! termina-t-elle pour lui.

Patiemment, avec un grand calme, Dylan expliqua :

— Un idiot/savant est un être mentalement diminué, avec un Q.I. faible, mais qui présente un don exceptionnel dans un domaine très spécifique, tel que la résolution de problèmes mathématiques complexes ou le fait de pouvoir jouer de n'importe quel instrument de musique dès la première prise en main. Shep a un Q.I. élevé ; il est exceptionnel dans de nombreux domaines. Il est juste un peu... autiste.

— C'est bien ce que je dis, nous sommes fichus.

Shepherd mâchonna une autre plaquette de beurre, le nez dans son assiette, comme si, lui aussi, à l'instar de Dylan, il avait trouvé l'objet de sa quête sur terre, et que son Graal fût un morceau de viande coupée en carré.

19.

Chaque fois qu'un client entrait, Dylan se raidissait. Le gang des Suburban ne pouvait avoir retrouvé leur piste aussi vite. Et pourtant...

La serveuse apporta la nouvelle tournée de bière. Jilly avala une gorgée pour se donner du courage et dit :

— Très bien, on va se terrer quelque part du côté de la Forêt pétrifiée et... comment vous avez dit déjà... on *réfléchit* ?

— Oui, on réfléchit, confirma Dylan.

— On réfléchit à quoi ? La seule question qui se pose c'est : comment rester en vie ?

— Peut-être existe-t-il un moyen de remonter la piste de Frankenstein ?

— Vous oubliez qu'il est mort ?

— Je veux dire, remonter la piste avant sa mort. Savoir qui il est.

— Nous n'avons pas même son nom...

— À l'évidence, c'est un scientifique. Dans la recherche médicale. Section développement de produits ou de machins « psychotropes »... cela nous donne un mot clé pour nos investigations. Les scientifiques publient des articles, donnent des conférences. Tout cela laisse des traces.

— Des miettes de pain de la grande miche du savoir !

— Si vous voulez. Et si je me concentre, peut-être me

souviendrai-je d'autres paroles que ce salaud a pu prononcer dans ma chambre de motel, d'autres mots clés ?... Si on en a un nombre suffisant, on pourra aller sur Internet et fouiner parmi les chercheurs travaillant dans le domaine des fonctions mentales et consorts...

— Je ne suis pas une déesse de l'informatique, déclara-t-elle. Et vous ?

— Je ne suis pas un dieu non plus. Mais cette recherche ne demande pas de connaissances techniques pointues, juste de la patience. Certains sites proposent même des photos des chercheurs, et si Frankenstein est une pointure dans son domaine, ce qui semble être le cas, alors il aura fait la une d'au moins une revue scientifique. Dès que nous aurons sa photo, nous aurons le nom. On pourra alors aller plus loin et découvrir sur quoi exactement il travaillait.

— Sauf si ces travaux sont classés top secret, comme le Projet Manhattan[1] ou la recette des Pim's !

— Ne recommencez pas, s'il vous plaît...

— Même si nous savons tout de ce bonhomme, je ne vois pas comment cela pourrait nous sortir de cette impasse.

— Peut-être existe-t-il un moyen de défaire ce qu'il a fait ? Un antidote ou quelque chose de ce genre ?...

— Un antidote ? Jetez dans une grande marmite des langues de crapaud, des ailes de chauve-souris et des yeux de lézard, et laissez mijoter le tout avec des brocolis !

— Revoilà Jackson la Négative, et sa tornade de pessimisme. Les gars des Comics devraient s'inspirer de vous pour faire un nouveau Super-héros. La morosité est à la mode aujourd'hui.

— Et vous, vous vivez à Disneyland ! Avec Donald et Pluto !

Shep, dans son T-shirt Vile Coyote, se mit à glousser au-dessus de son assiette, soit parce que la remarque sur

---

1. Programme américain secret lancé pendant la Seconde Guerre mondiale visant à mettre au point la bombe atomique avant les Allemands *(N.d.T.)*.

Disney le faisait rire, soit parce que le dernier carré de viande était particulièrement hilarant.

Shepherd était parfois moins déconnecté de la réalité qu'on pouvait le croire.

— Ce que je dis, poursuivit Dylan, c'est que ses travaux étaient peut-être controversés. Et si tel est le cas, il est possible que d'autres scientifiques se soient opposés à ses recherches. L'un d'entre eux pourra alors comprendre ce qui nous arrive... et être en mesure de nous aider.

— C'est ça. Et si on a besoin de sous pour financer la recherche de cet antidote, on pourra toujours aller demander quelques milliards à Oncle Picsou.

— Vous avez une meilleure idée ?

Elle le regarda en buvant une lampée de Serra Nevada. Puis une autre.

— Apparemment non, constata Dylan.

Lorsque, plus tard, la serveuse apporta l'addition, Jilly insista pour payer ses deux bières.

Elle en faisait une question d'honneur. Apparemment, Jilly était le genre de femme à qui l'on n'offrait pas même une pièce jaune si d'aventure elle se retrouvait à court de monnaie devant un parcmètre. L'affront eût été impardonnable.

Après avoir dûment payé ses consommations, elle examina le contenu de son porte-monnaie. Le calcul était vite fait et ne nécessitait pas de hautes aptitudes en arithmétique.

— Il faut que je trouve un distributeur...

— Non, répondit-il. Ces types qui ont fait sauter votre voiture – s'ils ont la moindre autorité légale, ce qui doit être le cas – ont accès aux fichiers bancaires. Au premier retrait, ils nous auront localisés.

— Vous voulez dire que je ne peux plus me servir de ma carte de crédit ?

— Non, pas pour le moment.

— C'est embêtant, marmonna-t-elle, en fixant des yeux son porte-monnaie quasiment vide.

— C'est un détail. Comparé à nos autres problèmes.

— Les problèmes d'argent, rétorqua-t-elle avec solennité, ne sont jamais des détails.

Cette simple assertion en disait long sur l'histoire de la jeune femme.

Dylan ignorait si leurs poursuivants avaient fait le rapprochement entre Jilly et lui, mais il jugea plus prudent de ne pas se servir non plus de sa propre carte de paiement. Sitôt introduite dans la machine, le centre des interdits bancaires serait automatiquement interrogé. Tout représentant légal ou pirate informatique pouvait obtenir le listing des opérations, respectivement, par mandat officiel ou par introduction clandestine dans le système, et suivre à la trace le propriétaire d'une carte donnée.

Au moment de payer en liquide, Dylan constata avec surprise qu'il ne percevait aucune charge d'énergie sur les billets qui, pourtant, avaient été manipulés par un nombre incalculable de personnes avant d'être placés dans le distributeur. Cela faisait deux jours que les billets étaient dans son portefeuille. Cela signifiait qu'à l'inverse des empreintes digitales les empreintes psychiques s'effaçaient avec le temps.

Il dit à la serveuse de garder la monnaie, puis emmena Shep aux WC tandis que Jilly faisait un passage aux toilettes dames.

— Pipi, annonça Shep sitôt qu'ils eurent poussé la porte des toilettes. (Il posa son livre sur l'étagère au-dessus des lavabos) Pipi.

— Prends une cabine, Elles sont toutes libres.

— Pipi, répéta Shep, tête baissée, en le regardant par en dessous, tout en se dirigeant vers la première des quatre cabines.

Il referma le verrou.

— Pipi, déclara-t-il encore.

Un septuagénaire, arborant une moustache blanche et de gros favoris, se lavait les mains à l'un des lavabos. Il flottait dans l'air le parfum fleur d'oranger du savon.

Dylan se dirigea vers un urinoir. Shep ne pouvait se servir de cet équipement, parce qu'il craignait qu'on ne vienne lui parler pendant qu'il se soulageait.

— Pipi, répéta Shep derrière sa porte de cabine. Pipi.

Dans toutes les toilettes publiques, Shep était si anxieux qu'il lui fallait toujours maintenir un contact auditif avec son frère, pour s'assurer qu'on ne l'avait pas abandonné.

— Pipi (une voix de plus en plus inquiète) Dylan, pipi. Dylan pipi. *Pipi !*

— Pipi, répondit Dylan.

Les « pipi » de Shep étaient autant de bips sonar d'un sous-marin, et les réponses de Dylan autant d'échos retour, signalant, en l'occurrence, une présence amicale et rassurante dans les abysses inquiétants des toilettes pour hommes.

— Pipi, lança Shep.

— Pipi, renvoya Dylan.

Sur la glace murale au-dessus des urinoirs, Dylan observa la réaction du retraité à l'écoute de ce sonar verbal.

— Pipi, Dylan.

— Pipi, Shepherd.

Troublé, mal à l'aise, Mr. Favoris, regardait tour à tour la cabine de Shep et Dylan, comme si cet échange n'était pas seulement étrange, mais vaguement pervers.

— Pipi.

— Pipi.

Quand Mr. Favoris s'aperçut que Dylan le regardait, le retraité détourna la tête. Il ferma le robinet sans se rincer les mains.

— Pipi, Dylan.

— Pipi, Shepherd.

Les doigts dégouttant de savon, semant des bulles iridescentes dans son sillage, l'homme se dirigea vers un distributeur de serviettes en papier.

Enfin, Shep tira la chasse d'eau.

— Beau pipi, annonça Shep.

— Beau pipi.

Sans prendre le temps de bien s'essuyer les mains, le retraité quitta les toilettes, en emportant avec lui sa serviette en papier.

Dylan se rendit à un autre lavabo que celui qu'avait utilisé l'homme... puis une idée lui vint ; il se dirigea vers le distributeur de serviettes en papier.

— Pipi, pipi, pipi, lança Shep, tout joyeux de s'être soulagé.

— Pipi, pipi, pipi, répondit Dylan, en s'approchant avec une serviette du lavabo du retraité.

Il enveloppa sa main droite avec la serviette et toucha la manette du robinet que l'homme venait de refermer. Rien. Pas de crépitement. Pas de décharge électrique.

Il toucha ensuite le métal sans protection. Cela crépitait comme un feu de Bengale.

Un nouvel essai, avec la serviette. Rien.

Il fallait un contact avec la peau. Peut-être cela fonctionnait-il avec autre chose que les mains ? Peut-être le coude, peut-être le pied ? Toutes sortes de situations comiques lui vinrent à l'esprit.

— Pipi.

— Pipi.

Dylan frotta le robinet avec la serviette en papier, nettoyant l'eau et le savon que Mr. Favoris avait laissés.

Il toucha la manette une nouvelle fois. Les traces étaient toujours aussi vives.

— Pipi.

— Pipi.

À l'évidence, cette énergie latente ne pouvait être effacée aussi facilement que des empreintes digitales, mais elles disparaissaient peu à peu avec le temps, comme un solvant volatil.

Dylan se lava les mains à un autre lavabo. Il les séchait près du distributeur de serviettes lorsque Shepherd sortit de la quatrième cabine pour se diriger vers le lavabo que son frère venait d'utiliser.

— Pipi, dit Shepherd.

— C'est bon, tu me vois maintenant.

— Pipi, insista Shep en ouvrant le robinet.

— Je suis là, je te dis.

— Pipi.

Dylan ne voulait pas jouer au jeu du sonar lorsqu'ils pouvaient se voir mutuellement ; il jeta sa serviette dans la poubelle et attendit donc, sans répondre.

Un flot de pensées bizarres se mit à tourner dans sa tête, comme des vêtements multicolores dans un grand sèche-linge. La plus troublante, c'était que Shep était entré dans la première cabine et venait de ressortir par la quatrième.

— Pipi.

Dylan se dirigea vers la cabine numéro quatre. La porte était entrouverte. Il la poussa de l'épaule.

Des cloisons séparaient les box, laissant au sol un jour d'une vingtaine de centimètres. Shep aurait pu s'allonger par terre et passer en rampant de la cabine Un à la Quatre. C'était possible, mais hautement improbable.

— Pipi, répéta Shep, mais avec moins d'enthousiasme, sentant que son frère n'allait plus se prêter au jeu.

Shep, comme avec la nourriture, avait des règles très personnelles quant à la propreté, et lorsqu'il sortait des toilettes, il suivait un *modus operandi* inaltérable : il se lavait les mains vigoureusement, les rinçait avec soin, puis se les savonnait une seconde fois, et les rinçait à nouveau. Pendant que Dylan faisait son inspection de la cabine, Shep entamait le second lavage.

Le gamin était très scrupuleux sur les conditions d'hygiène dans les toilettes publiques. Il considérait les WC les plus immaculés avec une suspicion maladive, persuadé que tous les germes de maladies connues et inconnues pullulaient dans chaque recoin. Ayant lu tous les tomes d'une encyclopédie médicale, il pouvait réciter quasiment tous les virus et bactéries recensés si vous commettiez l'erreur de le lancer sur le sujet ; il serait alors intarissable pendant des heures, et rien ne pourrait plus l'arrêter.

Le deuxième rinçage était terminé. Ses mains étaient cramoisies par les frottements énergiques et l'eau brûlante. Se méfiant des microbes déposés sur la poignée chromée, il referma le robinet avec le coude.

Pourquoi Shep se serait-il mis ventre à terre pour

changer de cabine ? Il y avait autant de chances de voir le gamin ramper sur le sol douteux de toilettes publiques que de voir Satan faire un don à la Croix-Rouge !

En plus, son T-shirt était toujours d'une blancheur impeccable. Il ne s'en était visiblement pas servi comme serpillière.

Tenant ses mains à la verticale, tel un chirurgien attendant qu'une infirmière lui enfile ses gants en latex, Shep se dirigea vers le distributeur de serviettes. Il voulait que Dylan tourne la poignée du dévidoir, ne voulant pas la toucher avec ses mains propres.

— Tu es bien entré dans la première cabine ? demanda Dylan.

La tête baissée, sa posture classique, mais inclinée sur le côté pour surveiller le distributeur, Shepherd fronça les sourcils en désignant la poignée.

— Germes.

— Shep, quand nous sommes entrés ici, tu t'es bien dirigé vers la première cabine ?

— Germes.

— Shep ?

— Germes.

— Shep, s'il te plaît. Écoute-moi.

— Germes.

— Arrête, Shep. Je te pose une question.

— Germes.

Dylan tira plusieurs longueurs de serviettes en papier et les tendit à son frère.

— Mais tu es ressorti par la quatrième.

Shep sécha ses mains avec une énergie et une méticulosité obsessionnelles, ne se contentant pas simplement de les tamponner.

— Ici, lâcha-t-il.

— Quoi ?

— Ici.

— Tu entends quelque chose ?

— Ici.

— Je n'entends rien, petit frère.

— I-ci, articula Shep avec une sorte d'effort, comme si chaque phonème lui était douloureux.

— Qu'est-ce que tu veux dire ?

Shep se mit à trembler.

— Ici.

— Quoi « ici » ? Où ça ? demanda Dylan espérant, sans y croire réellement, avoir quelque éclaircissement.

— Et *là*, dit Shep.

— Là ?

— Là, confirma Shep, en hochant la tête, en fixant toujours des yeux ses mains tremblantes.

— Où ça « là » ?

— Ici !

Il y avait une pointe d'impatience dans la voix de Shep.

— Mais de quoi parles-tu ?

— Ici.

— D'accord, ici, répéta Dylan.

— Là...

Cette fois l'impatience se muait en anxiété.

— Ici, là, ânonna Dylan, tentant d'y voir clair.

— Là... Là..., répéta Shep dans un frisson.

— Shep, qu'est-ce qui se passe ? Tu as peur ?

— Peur, confirma Shep. Oui, peur.

— Qu'est-ce qui te fait peur, petit frère ?

— Shep a peur.

— De quoi ?

— Shep a peur, répéta-t-il en se mettant à trembler de tous ses membres. Shep a peur.

Dylan posa les mains sur les épaules de son frère.

— Du calme. Tout va bien, Shep. Il n'y a pas de raison d'avoir peur. Je suis là, petit frère. Avec toi.

— Shep a peur.

Son visage était aussi livide que les suaires des fantômes qu'il avait peut-être entrevus.

— Tes mains sont propres. Il n'y a pas de germes. Il n'y a que toi et moi. Il n'y a rien qui puisse te faire peur, d'accord ?

Shepherd ne répondit pas et continua de trembler.

Dylan se lança dans une litanie de petits mots qui souvent parvenaient à calmer les crises d'angoisse de Shep.

— Tes mains sont propres, pas de vilains germes, tes mains sont propres. On va s'en aller, reprendre la route, d'accord ? On va rouler ? Tu aimes ça rouler en voiture, n'est-ce pas ? Aller dans des endroits où l'on a jamais mis les pieds. *On the Road Again*, comme ce vieux Willie Nelson[1], toi et moi, sur la route. Comme au bon vieux temps. Tu pourras lire ton livre. Voiture et livre, c'est bien comme programme, non ? Voiture et livre. D'accord ?

— D'accord.

— Voiture et livre.

— Voiture et livre, oui, répéta Shep d'une voix toujours vibrante. Voiture et livre.

Tout le temps que Dylan tentait de rassurer son frère, Shep avait continué à s'essuyer les mains. Le sol à ses pieds était jonché de débris de papier.

Dylan prit les mains de Shep dans les siennes jusqu'à ce que les tremblements cessent. Doucement, il déplia les doigts serrés et retira les restes de papier. Il les roula en boule et les jeta à la poubelle.

Il posa sa main sous le menton du gamin et lui releva la tête.

Dès que leurs regards se rencontrèrent, Shep ferma les yeux.

— Ça ira, Shep ?

— Voiture et livre, d'accord.

— Je t'aime, Shep.

— Voiture et livre.

Ses joues avaient retrouvé un peu de couleur. Les rides d'angoisse s'effaçaient lentement comme des traces de pattes d'oiseau dans la neige, lissées par le vent.

Même si, à l'extérieur, les signes d'accalmie étaient visibles, à l'intérieur, c'était toujours la tempête. Derrière

---

1. Célèbre chanteur de musique country. *On the Road Again* est l'une de ses chansons les plus connues *(N.d.T.)*.

ses paupières diaphanes, ses yeux tressautaient, passant de droite à gauche, explorant un monde qu'il était le seul à distinguer.

— Voiture et livre, répéta Shep, comme si c'était le mantra de la sérénité.

Dylan regarda l'enfilade de cabines. La porte de la quatrième était toujours ouverte, comme il l'avait laissée. Celles de la Deux et de la Trois étaient entrebâillées, et celle de la Un était fermée.

— Voiture et livre, reprit Shep.

— Voiture et livre, lui confirma Dylan. Je vais récupérer ton roman.

Il abandonna Shep à côté du distributeur et prit le livre laissé sur l'étagère au-dessus des lavabos.

Shep resta immobile, la tête relevée, bien que Dylan ne la maintînt plus. Les yeux clos, mais agités.

Le livre à la main, Dylan se dirigea vers la première cabine. Il poussa la porte. Elle ne s'ouvrit pas.

— Ici, là, murmura Shep.

Les paupières closes, les bras le long du corps, les paumes ouvertes, tournées en avant, Shepherd ressemblait à un médium en transe se tenant sur la lisière invisible entre deux mondes. S'il s'était mis à léviter, il n'aurait pas paru moins étrange aux yeux de Dylan. Sa voix, quoique toujours reconnaissable, semblait s'adresser à des esprits de l'Au-delà. *Ici, là...*

Personne ne pouvait se trouver dans la cabine. Toutefois, Dylan s'agenouilla pour regarder sous la porte. Elle était vide. Évidemment.

— *Ici, là...*

Dylan se releva et tenta à nouveau d'ouvrir la porte. Elle était bel et bien fermée – de l'intérieur.

Un problème de verrou. Le loquet, trop lâche, pouvait avoir pivoté tout seul...

Peut-être Shepherd s'était-il approché de la cabine et, trouvant la porte verrouillée, s'était-il alors dirigé vers la quatrième, à l'insu de Dylan ?

— *Ici, là...*

Un frisson étrange naquit dans les os de Dylan – pas sur la peau, *à l'intérieur* de lui – et irradia tout son corps. Sa moelle tourna en glace. C'était l'effet de la peur, certes, mais il y avait autre chose... une sorte d'appréhension extatique, de celles qui précèdent l'avènement d'un cataclysme que l'on sait inéluctable et que l'on désire presque à force de s'y préparer, à l'instar d'un pétrel, volant sous les nuées noires, sentant la tempête approcher avant même d'entendre le premier coup de tonnerre, de voir le premier éclair.

Pris d'une impulsion mystérieuse, Dylan jeta un coup d'œil dans la glace au-dessus du lavabo, s'apprêtant presque à y découvrir, en reflet, une tout autre pièce que ces toilettes de restaurant. Mais son imagination allait trop vite en besogne. Le miroir ne lui renvoya que le sage ordonnancement d'urinoirs et de cabines. Shep et lui étaient les deux seuls personnages dans ce décor. Qui d'autre, *quoi* d'autre s'attendait-il à y voir ?

Il jeta un dernier regard vers la porte verrouillée de la cabine numéro Un et revint vers son frère pour lui passer le bras sur l'épaule.

À ce contact physique, Shepherd ouvrit les yeux et baissa la tête ; ses épaules s'affaissèrent, et le garçon reprit la posture de pénitent qui lui était coutumière.

— Voiture et livre, articula Shep.

Et Dylan répondit :

— Promis.

20.

Jilly attendait, l'air pensif, près de la caisse, à côté de la porte d'entrée, et contemplait la nuit au-dehors ; on eût dit une princesse, nimbée dans son aura, ou encore l'altière descendante d'un empereur romain s'apprêtant à conquérir le désert.

Dylan s'arrêta au milieu de la salle pour graver dans sa mémoire chaque détail de cette scène, chaque effet de lumière sur sa silhouette, projetée par les appliques de cristal, comme autant de carreaux évanescents de mosaïques. Car, plus tard, il lui faudrait se souvenir de tout cela s'il voulait pouvoir restituer cette vision miraculeuse sur la toile.

Préférant rester en mouvement dans un lieu public, de crainte qu'un inconnu ne vienne l'aborder, Shepherd ne pouvait tolérer la moindre pause... si bien que Dylan, comme tiré par une chaîne invisible, emboîta le pas à son frère sitôt que celui-ci lui passa devant.

Un client, quittant le restaurant, souleva son Stetson pour remercier Jilly alors qu'elle s'écartait pour lui laisser le passage.

Lorsque la jeune femme tourna la tête et aperçut Dylan et Shep qui marchaient vers elle, une onde de soulagement chassa l'air pensif de son visage. Visiblement, il lui était arrivé quelque chose durant leur absence.

— Un problème ? demanda Dylan.

— Je vous raconterai dans la voiture. Allons-nous-en. Sortons d'ici.

Pour ouvrir la porte, Dylan posa la main sur la poignée ; un sentiment de solitude, aveuglant, une âme perdue dans une nuit noire, appelant à l'aide... dans l'instant, Dylan fut submergé par une vague de tristesse, étouffant tout, avalant tout sur son passage, comme un tapis de cendres recouvrant la terre après l'incendie.

Il voulut se protéger de l'influx psychique, comme il y était parvenu plus tôt, mais cette fois il était trop fort.

Sans avoir conscience d'avoir franchi le seuil, Dylan se retrouva dehors, marchant d'un bon pas. Bien que le soleil fût couché depuis plusieurs heures, une nappe de chaleur montait encore du sol. Il perçut des effluves de bitume derrière les odeurs de cuisine qui filtraient des vasistas du restaurant.

Derrière lui, Jilly et Shep, debout sur le perron, déjà à plus de trois mètres de lui... Il avait lâché le livre du gamin, qui gisait sur le trottoir. Il voulait faire demi-tour, ramasser l'ouvrage, revenir vers Shep et Jilly. Mais c'était au-dessus de ses forces.

— Attendez-moi ici. Je reviens, leur lança-t-il.

De voitures en pick-up, de pick-up en 4 × 4, il s'enfonçait toujours plus loin sur le parking, pas avec la même urgence impérieuse qui l'avait poussé à faire demi-tour sur l'autoroute plus tôt dans la soirée, mais avec la certitude, néanmoins, qu'il allait rater une opportunité importante s'il lambinait. Il savait qu'il était encore maître de lui, qu'à un niveau subconscient, il comprenait les raisons exactes de son comportement, comme cela avait été le cas durant son gymkhana jusqu'à Eucalyptus Avenue, mais en surface, il restait un pantin de bois mû par des ficelles mystérieuses.

Cette fois, le point d'attraction ne fut pas une brave grand-mère en uniforme rose bonbon, mais un vieux cowboy en Levis marron et chemise à carreaux. Dylan arriva juste au moment où l'homme s'installait au volant d'un 4 × 4 Mercury Mountaineer ; il l'empêcha de refermer la portière.

Sur la poignée, la même signature psychique que sur la porte du restaurant, la même solitude, la même chape de désespoir.

Une vie passée au grand air avait tanné la peau du vieil homme comme du cuir, mais ces décennies de soleil ardent n'avaient laissé aucune lumière dans son cœur, pas plus que le vent du sud n'avait insufflé de la vigueur dans ses os. Il ressemblait à un buisson d'amarante, desséché, usé, brûlé, prêt à se détacher du sol, attendant la bourrasque qui allait le délivrer de l'existence.

Le vieil homme, cette fois, ne souleva pas son Stetson, mais il ne montra ni irritation, ni inquiétude, face à l'irruption de Dylan. C'était quelqu'un qui avait toujours su se débrouiller tout seul, quels que fussent les dangers ou les ennuis – dans ses yeux, toutefois, il y avait une lueur triste, signe qu'il ne se souciait guère de ce qui pouvait lui arriver désormais.

— Vous cherchez quelque chose, déclara Dylan, sans savoir pourquoi il prononçait ces mots.

— C'est bon, mon gars, je n'ai pas besoin de Jésus, répliqua le cow-boy. Par deux fois, il m'a fait un coup pendable (ses yeux azur semblaient avaler davantage de lumière qu'en renvoyer). Inutile de perdre notre temps, toi comme moi, pas vrai ?

— Pas quelque chose, rectifia Dylan. *Quelqu'un.* Vous cherchez quelqu'un.

— C'est ce que tout le monde fait, plus ou moins sur cette terre, non ?

— Cela fait longtemps que vous cherchez, poursuivit Dylan, toujours sans comprendre du tout où il voulait en venir.

Le vieux plissa les paupières, comme si ses cils pouvaient faire office de tamis triant la vérité de l'illusion.

— Comment tu t'appelles, fiston ?

— Dylan O'Conner.

— Connais pas. Mais toi, tu as entendu parler de moi ?

— Non, monsieur. Je ne sais pas qui vous êtes. C'est juste que...

Les mots qui étaient venus jusqu'alors tout seuls dans sa bouche refusaient à présent de sortir. Après un moment d'hésitation, il s'aperçut qu'il lui fallait dire un bout de vérité, révéler une part de son secret, s'il voulait aller plus loin :

— Il se trouve que j'ai des moments d'intuitions...

— Ne compte pas trop dessus au poker !

— Pas de simples intuitions. Je veux dire... je sais des choses que d'ordinaire je n'aurais aucun moyen de savoir. Je ressens, je perçois... je fais des rapprochements.

— Tu es un spirite, c'est ça ?

— Je vous demande pardon ?

— Un médium, un devin, un voyant... quelque chose de ce genre ?

— Peut-être, répondit Dylan. C'est un truc bizarre qui vient de m'arriver, et je ne gagne pas d'argent avec.

Ses traits las et usés semblaient incapables de former un sourire, et pourtant il y en eut un – à peine perceptible, tout juste une esquisse, comme une plume blanche sur le brun de son visage, sitôt posée, sitôt envolée.

— Si c'est le baratin que tu sors à tout le monde, cela ne m'étonne pas que tu ne gagnes pas un sou !

— Vous êtes allé au bout de la route que vous suiviez... (de nouveau, les mots sortaient tout seuls) Vous pensez avoir échoué. Mais peut-être ce n'est pas le cas.

— Continue.

— Elle est peut-être tout près.

— « Elle » ?

— Je ne sais pas, monsieur. Cela me vient comme ça. Mais vous, vous devez savoir de qui je parle.

Les yeux perçants se vrillèrent de nouveau dans ceux de Dylan, mais cette fois, avec la dureté d'un inspecteur de police.

— Recule, que je puisse sortir.

Pendant que le vieil homme descendait du gros 4 × 4, Dylan chercha des yeux Jilly et Shep. Ils s'étaient avancés de quelques pas, mais juste pour que Shep puisse récupérer son livre par terre. Jilly se tenait à côté du gamin ; elle observait la scène, aux aguets, se demandant si, cette fois encore, il y aurait des couteaux.

Dylan regarda la rue au-delà. Pas de Suburban noires à l'horizon. Mais un pressentiment lui disait qu'ils étaient déjà restés trop longtemps à Safford.

— Je m'appelle Ben Tanner.

En se retournant, Dylan découvrit que l'homme lui tendait une main calleuse.

Il hésita, craignant d'être assailli par une overdose de désespoir, une décharge mille fois supérieure à ce qu'il avait ressenti par l'intermédiaire des traces. Cette fois, le contact serait direct et il risquait de se retrouver terrassé sous le choc...

Avait-il touché Marjorie lorsqu'il l'avait trouvée dans sa cuisine ? Il n'en avait pas le souvenir. Et Kenny ? Après lui avoir asséné son coup de batte, il avait demandé les clés des menottes et du verrou. Kenny les avait sorties de sa poche et données à Jilly. Il n'avait pas touché cette petite ordure.

Dylan ne pouvait refuser cette main tendue, s'il ne voulait pas rompre ce fragile lien de confiance... Alors il se fit violence et découvrit, ce faisant, qu'à l'inverse des empreintes psychiques si chargées d'énergie, la paume restait un plot inerte. Décidément, le fonctionnement de son sixième sens lui restait tout aussi obscur que son origine.

— Je suis descendu du Wyoming, il y a bientôt un mois, expliqua Tanner. J'avais quelques pistes, mais c'était du pipi de chat...

Dylan tendit le bras pour toucher la poignée de la portière côté conducteur.

— J'ai sillonné tout l'Arizona sans succès, et maintenant, je rentre chez moi, dans ma maison que je n'aurais jamais dû quitter.

Dans les traces psychiques, Dylan revit la désolation d'une âme calcinée, ce paysage de cendres, cet accablement sans limites, cette solitude de plomb que lui avait transmise la poignée de porte du restaurant.

Sans avoir consciemment formé la question, il demanda :

— Depuis combien de temps votre femme est-elle morte ?

De nouveau, les yeux se plissèrent d'un air inquisiteur. L'homme craignait encore une arnaque, mais la pertinence de la question donnait à Dylan une nouvelle crédibilité.

— Emily est décédée depuis huit ans, répondit Tanner d'un ton neutre.

Les hommes de sa génération se devaient de cacher leurs sentiments, mais, dans ses yeux bleus, on devinait l'ampleur de son chagrin.

Parce qu'il avait su, par une sorte de clairvoyance, que la femme de cet inconnu était morte, avec une certitude intime et non par conjectures, parce qu'il sentait, dans sa chair, les dégâts que cette mort avait causés chez Tanner, Dylan avait l'impression d'être un intrus violant le jardin secret de sa victime, un espion sans vergogne lisant un journal intime. Cet aspect répugnant de son nouveau don vint ternir l'excitation qu'il avait ressentie après avoir sauvé Marjorie d'une mort certaine ; mais que pouvait-il y faire ? Il ne pouvait oblitérer ces révélations qui remontaient à sa conscience telles des bulles à la surface de l'eau.

— Vous et Emily avez commencé à chercher la fille, il y a douze ans, poursuivit Dylan, sans savoir qui était la fille en question ni quelle était la nature exacte de cette recherche.

Chez le vieil homme, le chagrin céda la place à une surprise teintée d'admiration :

— Comment savez-vous ces choses ?

— Je dis « fille » mais elle avait trente-huit ans à l'époque.

— Cinquante, aujourd'hui, confirma Tanner. (l'homme semblait plus abasourdi par la mesure de ces années perdues que par les talents de divination de Dylan). Cinquante ans. Seigneur. Le temps passe si vite.

Sitôt qu'il eut lâché la poignée de la portière, Dylan fut attiré par une nouvelle force, un nouveau pôle d'attraction qui l'incitait à abandonner le vieux cow-boy. Alors qu'il s'éloignait déjà, il se retourna vers Tanner, comme si un détail lui revenait à l'esprit :

— Suivez-moi, annonça Dylan sans avoir la moindre idée où ses pas allaient le mener.

La prudence lui conseillait de remonter en voiture et de verrouiller les portières, mais le vieux cow-boy était touché au cœur, et la prudence, dans ces situations, n'avait plus droit de cité. Tanner rattrapa Dylan au petit trot :

— On pensait pouvoir la retrouver rapidement. Mais les autorités n'ont pas voulu nous aider.

Une ombre passa au-dessus de sa tête. Dylan releva les yeux et aperçut une chauve-souris s'emparant d'une phalène, sa silhouette se découpant dans le halo d'un réverbère. Cette vision ne l'aurait pas impressionné outre mesure en temps ordinaire, mais ce soir, elle lui glaça le sang.

Un 4 × 4 dans la rue. Pas une Suburban. Mais roulant lentement. Dylan l'observa jusqu'à ce qu'il disparaisse de sa vue.

Les lignes du champ d'attraction l'attiraient vers une vieille Pontiac. Il posa la main sur la portière côté conducteur, et un train d'ondes psychiques vrombit sous ses doigts.

— Vous aviez vingt ans, reprit Dylan. Emily en avait tout juste dix-sept quand votre fille est née.

— On n'avait pas d'argent, aucun projet.

— Les parents d'Emily étaient morts jeunes, quant aux vôtres... il n'y avait rien à attendre d'eux.

— Vous ne pouvez savoir tout ça ! s'émerveilla Tanner. C'était pourtant bien la situation. On était seuls au monde, sans famille pour nous aider.

Voyant que les traces psychiques sur la portière côté conducteur ne produisaient pas le choc escompté, Dylan se dirigea vers le côté passager.

Tanner le suivait comme une ombre.

— On se serait quand même débrouillés. Mais alors qu'Emily en était au huitième mois...

— Il y avait de la neige, cette nuit-là. Vous conduisiez un pick-up...

— Ça ne fait pas le poids contre un semi-remorque.

— Vos deux jambes étaient cassées.

— Mon dos aussi, et des organes étaient touchés.

— Et vous n'aviez pas d'assurance maladie.

— On n'avait pas un sou. Je n'ai pas pu marcher pendant un an.

Sur la portière côté passager, Dylan trouva une empreinte d'un type différent...

— Cela vous a brisé le cœur de vous séparer du bébé, mais vous vous êtes dit que c'était mieux pour elle.

Dylan détecta une sorte de résonance harmonique avec la signature psychique de Tanner.

— Seigneur, c'est la vérité vraie, lâcha Tanner, sans plus aucune pointe de scepticisme. (L'espoir, depuis si longtemps inerte, cette petite plume sur l'âme de Tanner, se remettait à vibrer.) Vous êtes un vrai voyant !

Peu importait l'issue, Dylan devait suivre cette trace jusqu'à son dénouement. Il ne pouvait pas plus faire marche arrière que la pluie ne pouvait remonter de la terre détrempée pour abreuver les nuages. Cependant, il n'aimait pas se voir susciter un tel espoir chez Tanner, car il ignorait si la fin de l'histoire serait heureuse ou non. Il ne pouvait garantir si ces retrouvailles miraculeuses auraient lieu cette nuit ou jamais.

— Vous êtes un vrai, répéta Tanner, cette fois avec une sorte de vénération.

Dylan serra plus fort la poignée de la Pontiac et, dans sa tête, une connexion se fit, avec le claquement sonore de deux wagons s'accouplant.

— La piste du mort, murmura-t-il, sans comprendre le sens de ses propres paroles, et à la fois sans être autrement impressionné. (Il se retourna vers le restaurant.) Si vous voulez avoir une réponse, déclara-t-il, elle vous attend là-bas.

Tanner attrapa Dylan par le bras.

— Vous voulez dire ma fille ? Ma fille est dans le restaurant ? Justement là d'où je viens ?

— Je ne sais pas, Ben. Je ne peux voir ce genre de

choses. Rien n'est si clair. Je ne connais pas, d'avance, toutes les réponses. C'est comme une chaîne, j'avance, maillon par maillon, Je ne connais le dernier chaînon que lorsque je le tiens dans la main.

Le vieil homme, choisissant d'ignorer la mise en garde implicite de Dylan, articula d'un ton extatique :

— Je ne la cherchais pas ici. Pas dans cette ville, ni dans cet endroit. Je me suis juste arrêté pour dîner, rien d'autre.

— Ben, écoutez-moi. J'ai dit que, dans ce restaurant, il y avait une réponse. Je n'ai pas dit que votre fille était là-bas. Je n'en sais rien.

Le vieux cow-boy avait pris sa première gorgée d'espoir à peine une minute plus tôt, et il était déjà ivre.

— Eh bien, comme vous dites, si ce n'est pas le dernier maillon, vous trouverez le suivant, et le suivant encore...

— Et ainsi de suite, jusqu'au bout de la chaîne, reconnut Dylan, se souvenant de la force compulsive qui l'avait conduit jusqu'à Eucalyptus Avenue. Mais je ne peux...

— Vous trouverez ma fille, je sais que vous y parviendrez, je le sais. (Tanner ne semblait pas du genre cyclothymique, à passer du désespoir à la liesse en une fraction de seconde, mais peut-être l'idée de résoudre cinquante années de chagrin et de remords suffisait à transporter son cœur d'ordinaire stoïque.) Vous êtes la réponse à nos prières.

En vérité, Dylan aurait bien aimé jouer les héros deux fois dans la même soirée, mais Tanner serait si déçu si l'histoire ne lui offrait pas le dénouement qu'il espérait...

Avec douceur, il retira la main de Tanner qui enserrait son bras et reprit sa marche vers le restaurant. Puisqu'il n'y avait pas de retour arrière possible, Dylan voulait en finir au plus vite et mettre un terme à ce suspense inique.

Des chauves-souris, à présent au nombre de trois, batifolaient dans leur festin aérien, et l'on entendait les fragiles exosquelettes des phalènes céder sous leurs petits crocs avec des claquements secs, comme autant de ponctuations sonores célébrant chaque mort.

Si Dylan avait cru aux signes, il aurait conclu que le ballet de ces chauves-souris incitait à la pondération et à la réserve. Un mauvais augure pour la quête de Tanner.

La piste du mort.

Les mots lui revinrent en mémoire, mais Dylan ne savait toujours pas décrypter le message.

S'il y avait une chance pour que la fille de ce vieil homme se trouve dans ce restaurant, il y en avait une autre, non moins probable, pour que ladite fille soit morte et que la personne qui se trouvait là-bas soit le médecin qui avait signé l'acte de décès, ou le prêtre qui lui avait donné l'absolution. Autre possibilité : elle n'était pas morte de mort naturelle ; elle avait été assassinée, et dans la salle à manger ce soir, dînait le policier qui avait retrouvé son cadavre. Ou son meurtrier.

Malgré l'impatience de Ben derrière lui, Dylan s'arrêta à la hauteur de Jilly et de Shep ; il ne fit pas les présentations, n'offrit aucune explication. Il tendit les clés à Jilly, se pencha vers elle et dit :

— Installez Shep à l'arrière, bouclez sa ceinture. Et allez m'attendre là-bas. (Il désigna un endroit du doigt à l'extérieur du parking.) Laissez le moteur tourner.

Ce qui allait se passer à l'intérieur du restaurant, qu'il s'agisse d'une conclusion heureuse ou tragique, causerait à Tanner un tel émoi que l'événement ne passerait pas inaperçu... les employés et les clients risquaient de s'interroger sur la présence de Dylan et de l'observer, derrière les baies vitrées, lorsqu'il quitterait l'établissement. Il ne fallait pas que la Ford Expedition soit en vue, et encore moins que quelqu'un puisse noter les plaques minéralogiques.

Jilly eut la bonne idée de ne pas poser de questions. C'était encore un effet du *machin* ; Dylan ne pouvait se soustraire à son appel. Elle prit les clés et lança à Shep :

— Viens, mon chéri. On y va.

— Sois bien sage avec Jilly, ordonna Dylan à son frère. Fais tout ce qu'elle te dit.

Puis il entraîna Ben Tanner vers le restaurant.

— Je suis désolée, mais nous ne servons plus à cette heure, leur annonça l'hôtesse à leur arrivée, avant de reconnaître les deux hommes. Oh ! pardon... vous avez oublié quelque chose ?

— J'ai vu un vieil ami, mentit Dylan en s'avançant dans la salle avec l'assurance de celui qui sait où il va – ou plutôt de celui qui va le savoir sous peu.

Le couple se trouvait dans un angle de la salle. Ils avaient une vingtaine d'années.

Trop jeune pour être la fille de Tanner, la femme releva la tête en voyant Dylan s'approcher de leur table, sans l'ombre d'une hésitation. Une jolie brune au teint hâlé avec des yeux d'un bleu d'une rare pureté.

— Excusez-moi de vous déranger, annonça Dylan, mais j'aimerais savoir si l'expression *la piste du mort* signifie quelque chose pour vous ?

La fille esquissa un sourire incertain, comme si elle s'attendait à être charmée par ce qui allait suivre ; elle se tourna vers son compagnon.

— C'est toi qui es derrière ça, Tom ?

Le Tom en question haussa les épaules.

— Une sorte de blague, j'imagine. Mais je n'y suis pour rien, je te le jure.

Elle reporta son attention sur Dylan.

— « La piste du mort » est une petite route dans le désert, entre ici et San Simon. De la caillasse et des crotales qui vous bouffent les pneus. C'est là où Tom et moi, nous nous sommes rencontrés.

— Lynette changeait une roue quand je l'ai aperçue, poursuivit Tom. Je l'ai aidée à serrer les boulons, et tout ce dont je me souviens ensuite, c'est que je lui ai demandé de m'épouser. Elle a dû m'envoûter, me jeter un sort vaudou, j'en suis sûr.

Elle lança un sourire attendri à Tom et reprit :

— D'accord, je t'ai lancé un sort, mais c'était pour te transformer en crapaud, à coasser bêtement jusqu'à la fin de tes jours ! Mais, à l'évidence, c'est raté. J'ai dû me tromper de formule !

Sur la table, deux petits paquets cadeaux, pas encore déballés, et une bouteille de vin, indiquaient que ces deux-là fêtaient un événement. Bien que la robe de Lynette parût bon marché, elle avait apporté un soin particulier à son maquillage et à sa coiffure. La vieille Pontiac sur le parking prouvait que ce genre d'extra au restaurant devait être une exception pour eux.

— C'est un anniversaire ? demanda Dylan, se fondant davantage sur la logique que sur son don de voyance.

— Ne faites pas l'ignorant, répliqua Lynette. C'est notre troisième. Maintenant dites-moi qui vous a prévenu... et ce que vous nous réservez pour la suite.

Le sourire de la jeune femme se figea de surprise, lorsqu'elle vit Dylan se pencher pour toucher son verre de vin.

C'étaient bien les traces qui imprégnaient la porte de la Pontiac, côté passager. Encore une fois, Dylan ressentit le claquement puissant de deux wagons s'accouplant.

— Votre mère vous a dit, je crois, qu'elle était une enfant adoptée et elle vous a raconté tout ce qu'elle savait.

La référence à sa mère acheva de faire disparaître le sourire de Lynette.

— Oui, elle me l'a dit...

— Il n'y avait pas grand-chose à raconter, en fait, juste le peu que ses parents adoptifs connaissaient eux-mêmes – à savoir que ses parents naturels l'avaient abandonnée, toute petite, quelque part dans le Wyoming.

— Dans le Wyoming, oui.

— Elle a essayé de les retrouver, mais elle n'avait pas assez d'argent pour poursuivre ses recherches.

— Vous connaissiez ma mère ?

Dissolvez beaucoup de sucre dans un verre d'eau, laissez pendre un fil dans la mixture, et au matin, des cristaux se seront agglutinés sur le fil. Dylan avait l'impression de plonger mentalement un même fil dans un bain d'énergie psychique, et les événements de la vie de Lynette se cristallisaient dessus, comme le sucre du verre d'eau, mais à une vitesse affolante.

— Elle est morte, il y a eu deux ans, au mois d'août, poursuivit-il.

— Le cancer, précisa Tom.

— Quarante-huit ans, c'est trop jeune pour mourir, articula Lynette.

Malgré sa réticence, Dylan ne pouvait s'empêcher d'exhumer les secrets de la jeune femme ; il ressentait la douleur encore ardente dans son cœur et lisait en elle chaque blessure, chaque joie comme autant de cristaux d'âme sur son fil mental.

— La nuit où votre mère est morte, l'avant-dernière chose qu'elle vous ait dite ce fut : « Lynnie, un jour il te faudra trouver tes racines. Finis ce que j'ai entrepris. On sait mieux où aller quand on sait d'où l'on vient. »

N'en revenant pas d'entendre Dylan répéter les paroles exactes de sa mère, Lynette voulut se lever de sa chaise, mais elle se ravisa et prit son verre de vin – elle ne le porta toutefois pas à ses lèvres, se souvenant peut-être que l'inconnu l'avait touché.

— Qui... qui êtes-vous ?

— Là-bas, à l'hôpital, la nuit de sa mort, ses derniers mots ont été : « Même si l'on risque de le prendre mal là-haut, n'oublie pas, Lynnie, que j'ai beau aimer Dieu de tout mon cœur, je t'aime bien plus fort encore. »

En prononçant ces paroles, ce fut comme s'il assenait un coup de masse sur Lynette. Il vit ses larmes perler dans ses yeux... il avait gâché son bel anniversaire, l'avait replongée dans un passé douloureux.

Et pourtant il savait pourquoi il avait frappé si fort. Il avait besoin de montrer patte blanche avant de présenter Ben Tanner... le contact entre ces deux-là devait être immédiat ; Dylan serait alors délivré de sa mission et il pourrait s'éclipser.

Bien qu'il se tînt en retrait, Tanner avait entendu que son rêve de retrouvailles père-fille n'aurait pas lieu en ce bas monde, mais qu'un autre miracle était en passe de se produire. Il avait ôté son Stetson qu'il tripotait nerveusement et s'approcha.

Le voyant chanceler sur ses jambes, Dylan tira une chaise pour lui. Tanner posa son chapeau et s'assit.

— Lynette, continua Dylan, tandis que votre mère cherchait à retrouver les siens, ses parents faisaient de même de leur côté. Je voudrais vous présenter votre grand-père... le père de votre maman, Ben Tanner.

Le vieil homme et la jeune femme se regardèrent avec une sorte d'émerveillement, leurs deux paires d'yeux luisant du même azur.

Pendant que Lynette restait figée d'étonnement, Ben Tanner tendit une photo qu'il devait avoir sortie de son portefeuille. Il la posa sur la table et la glissa vers sa petite-fille.

— C'est Emily, ta grand-mère, quand elle avait à peu près ton âge. C'est si triste qu'elle ne soit plus de ce monde pour voir à quel point tu lui ressembles.

— Tom, dit Dylan en se tournant vers le mari de Lynette, je vois que cette bouteille de vin est quasiment vide. Et je serais heureux de pouvoir vous offrir une autre bouteille pour fêter l'événement.

Encore stupéfait, Tom hocha la tête, avec un sourire incertain.

— Heu, oui, oui. C'est très aimable à vous.

— Je reviens tout de suite, annonça Dylan, en sachant qu'il ne tiendrait pas sa promesse.

Il se rendit à la caisse près de l'entrée, où l'hôtesse rendait la monnaie à un client – un type aux joues cramoisies qui avait visiblement plus bu que mangé.

— Je sais que vous ne servez plus à cette heure, dit Dylan, mais j'aimerais que l'on porte une bouteille de vin au couple, à cette table, là-bas.

— Bien sûr. La cuisine est fermée, mais le bar est ouvert pendant encore deux heures.

Il savait quel vin ils avaient déjà commandé, un merlot pas trop onéreux. Dylan calcula le pourboire pour le service et déposa l'argent sur le comptoir.

Il jeta un coup d'œil vers leur table. Tom, Lynette et Ben étaient en pleine conversation. Parfait. Personne ne remarquerait son départ.

Il poussa la porte de l'épaule. Une fois à l'extérieur, il

s'aperçut que Jilly avait suivi ses consignes à la lettre. La Ford Expedition était garée dans la rue, à cent mètres du parking.

Au moment où il mettait le cap vers la voiture, il croisa le type soûl qui était sorti du restaurant juste avant lui. À l'évidence, le quidam avait du mal à se rappeler où il avait garé sa voiture. Soudain, il repéra une Corvette argent et fonça dessus, tête baissée, comme un taureau ayant repéré le matador. Mais sa charge était plus lente que celle du bovidé, et plus sinueuse ; sa trajectoire oscillait de droite à gauche tel un marin tirant des bords pour remonter au vent. Il fredonnait une chanson. Dylan crut reconnaître *Yesterday* des Beatles.

Il farfouillait dans sa veste à la recherche de ses clés. En les sortant de sa poche, il fit tomber par terre une liasse de billets. Trop soûl pour s'en rendre compte, il continua sa route en titubant.

— Monsieur, vous avez perdu quelque chose, lança Dylan. Vous pourriez en avoir besoin !

Perdu dans les notes mélancoliques de *Yesterday*, ruminant Dieu sait quels problèmes, le soiffard ne répondit pas à Dylan et continua sa marche, tenant son trousseau de clés à bout de bras, comme un radiesthésiste suivant son pendule, pour parcourir les derniers mètres qui le séparaient de la Corvette.

En ramassant la liasse, Dylan eut l'impression qu'un serpent glacé et gluant se tortillait entre ses doigts ; des billets montait une fragrance fauve et acide, accompagnée d'un bourdonnement de guêpes en colère. Dans l'instant, il sut que le soûlard à la Corvette – un certain Lucas quelque chose... Lucas Croaker ou Crocker – n'était pas seulement un sombre ivrogne, mais un triste sire.

21.

Même soûl et titubant, Lucas Crocker restait dangereux. Après avoir relâché la liasse de billets saturés d'empreintes répugnantes, Dylan se rua sur l'homme, sans autre avertissement.

Crocker paraissait nager dans ses vêtements amples, mais il était robuste comme une barrique de whisky – d'ailleurs, il en avait l'odeur... Poussé dans le dos, il heurta la Corvette, tête la première, tel un bélier humain, les paroles de *Yesterday* moururent écrasées contre la vitre de la portière qui vola en éclats.

D'ordinaire, un homme, après un tel choc, serait tombé à terre, inanimé, mais Crocker se dégagea de la portière en rugissant de rage, animé d'une vigueur nouvelle, comme si l'impact avec la voiture lui avait donné une force surnaturelle. Il abattait ses poings comme des marteaux-pilons, cognait, donnait des coups de pied, ruait comme une bête de rodéo voulant se débarrasser de son cavalier.

Dylan, pourtant loin d'être un poids plume, fut projeté tel un fétu de paille. Il manqua de tomber à la renverse, mais parvint à rester sur ses deux jambes... Pourquoi n'avait-il pas sa batte de base-ball ?

Le nez cassé, la face fendue d'une bouche grimaçante et sanguinolente, Crocker fonça sur son adversaire avec un rictus de ravissement diabolique, comme stimulé par l'idée d'avoir quelques dents cassées, par la certitude de connaître une souffrance plus grande encore, comme si c'était là sa distraction préférée.

L'avantage de la taille ne suffirait sans doute pas à protéger Dylan ; pas plus que le fait d'être sobre et maître de ses mouvements... En revanche, sa colère, elle, était un grand atout. Lorsque Crocker chargea avec un enthousiasme de viande soûle, Dylan le nargua avec un petit geste de la main lui faisant signe d'approcher ; il esquiva l'attaque *in extremis*, et assena à son assaillant un coup de pied dans le genou.

Crocker s'écroula au sol, son front heurtant le macadam, qui se révéla plus dur et solide que la vitre de la portière. Son esprit belliqueux, toutefois, n'en fut pas pour autant émoussé ; l'homme se mettait déjà à quatre pattes, prêt à se relever.

Mais Dylan puisait son courage au magma bouillonnant de colère qui était monté en lui lorsqu'il avait vu le garçonnet rossé et ficelé dans la chambre d'Eucalyptus Avenue. Le monde était empli de victimes, bien trop nombreuses, et il y avait trop peu de justiciers pour les défendre. Les images de cauchemar qui avaient filtré des billets de banque, des tableaux saisissants dépeignant la cruauté et la perversité de Crocker, ricochaient encore sous son crâne comme des particules radioactives au pouvoir de mort. Son juste courroux, comme un flot impétueux, noyait toutes considérations de prudence.

Pour un peintre de scènes bucoliques rêvant de paix dans le monde, Dylan parvenait à décocher des coups de pied d'une belle vigueur et à les placer avec une précision digne d'un soldat de la mafia. Malgré son écœurement devant ce déchaînement de violence, Dylan accomplissait consciencieusement sa besogne.

Quand les côtes brisées de Crocker commencèrent à tester la résistance de ses poumons à la perforation, quand ses doigts écrasés devinrent gourds comme des saucisses bouffies, quand ses lèvres tuméfiées transformèrent son rictus de haine en un sourire grimaçant de pantin, l'ivrogne jugea, enfin, qu'il avait son compte de distraction pour la soirée. Il cessa de vouloir se relever, s'effondra sur le flanc et roula sur le dos dans un concert de hoquets et de gémissements.

Hors d'haleine, mais indemne, Dylan jeta un regard circulaire autour de lui. Personne en vue sur le parking. Il était quasiment certain qu'aucune voiture n'avait emprunté la rue. Pour l'instant, le reste du monde ignorait le passage à tabac.

Il ne fallait pas tenter le diable.

Les clés de la Corvette luisaient par terre à côté de la voiture. Dylan les ramassa.

Il retourna vers l'homme sanguinolent et s'aperçut qu'il avait un téléphone portable à la ceinture.

Au fond de son visage enflé comme un jambon, luisaient ses petits yeux porcins, attendant une opportunité.

— Donnez-moi votre téléphone, ordonna Dylan.

Voyant que Crocker ne semblait pas décidé à obéir, Dylan posa le pied sur sa main cassée, et écrasa du talon ses doigts boudinés.

Dans un juron, Crocker, avec sa main valide, détacha le téléphone de sa ceinture et le tendit à Dylan, ses petits yeux voilés de souffrance mais toujours aussi perfides.

— Faites-le glisser au sol, lança Dylan. Par ici.

Lorsque Crocker s'exécuta, Dylan retira son pied.

Le portable atterrit à côté de la liasse de billets. Dylan le ramassa, mais ne toucha pas à l'argent.

Crocker cracha quelque chose – un bout de dents ou un morceau de verre ? – et demanda, dans un marmonnement de bouche tuméfiée :

— Qu'est-ce que tu veux ? Me dépouiller ?

— Je ne vais vous voler que des unités d'appel longue distance. Gardez votre argent. En revanche, vous allez avoir une note de téléphone salée.

Dégrisé par la douleur, Crocker regardait Dylan d'un air ahuri.

— Qui es-tu ?

— Tout le monde me pose cette question ce soir. Il va falloir que je me trouve un nom de scène qui sonne bien !

Cent mètres plus loin, Jilly attendait à côté de l'Expedition, observant la scène. Peut-être que, si Dylan avait eu le dessous avec Crocker, serait-elle accourue à sa rescousse avec sa bombe d'insecticide ?

Pendant que Dylan courait vers sa voiture, il surveilla ses arrières. Mais Lucas Crocker ne cherchait pas à se relever. Peut-être était-il tombé dans les pommes ? Peut-être regardait-il les chauves-souris faisant bombance de phalènes sous les feux des lampadaires : un spectacle fascinant, et exaltant, presque poétique, pour un type tel que lui.

Lorsque Dylan rejoignit l'Expedition, la jeune femme s'était installée sur le siège côté passager. Il monta à bord et claqua la portière.

Les traces de Jilly sur le volant eurent sur lui un effet apaisant, comme s'il plongeait ses mains endolories dans un bain d'eau chaude rehaussé de sels relaxants. Puis, il perçut l'inquiétude de la jeune femme. Comme si un fil électrique venait d'être plongé dans son bain de sels. Dans un effort, il chassa tous ces stimuli, les bons comme les mauvais.

— Qu'est-ce qui vous a pris, nom de Dieu ? demanda Jilly.

Il lui tendit le téléphone.

— Appelez la police.

— Je croyais que c'était une mauvaise idée ?

— Plus maintenant.

Des phares percèrent la nuit derrière eux. Un autre 4×4, roulant bien en dessous de la vitesse maximale autorisée. Peut-être le même que celui qu'il avait aperçu, plus tôt. Peut-être pas. Dylan regarda le véhicule passer. Le conducteur sembla ne leur prêter aucune attention. Un bon professionnel, certes, aurait adopté la même attitude...

À l'arrière, Shepherd avait repris sa lecture des *Grandes Espérances*. Il paraissait étrangement calme.

Le restaurant faisait face à la nationale 70, la route que désirait emprunter Dylan. Il s'y engagea, cap au nord-ouest.

Après avoir composé le 911 sur le portable de Crocker, Jilly attendit quelques instants, l'oreille collée à l'écouteur, puis annonça :

— La ville doit être trop petite pour être raccordée au central national.

Elle appela les renseignements, demanda qu'on la connecte à la police locale, et rendit le téléphone à Dylan.

Dylan expliqua succinctement à la standardiste qu'un dénommé Lucas Crocker gisait soûl et roué de coups sur le parking du restaurant, et qu'il lui fallait une ambulance.

— Puis-je avoir votre nom ? demanda la standardiste.

— Ce n'est pas nécessaire.

— Je dois vous demander votre nom.

— C'est fait, vous me l'avez demandé.

— Monsieur, si vous avez été témoin de l'agression...

— C'est moi l'auteur, répondit Dylan.

Les procédures routinières de police, dans ces petites villes du désert étaient rarement mises à mal. La standardiste, troublée, transforma la déclaration de Dylan en question :

— C'est vous l'auteur de l'agression ?

— Oui, m'dame. En même temps que l'ambulance, envoyez un officier de police sur les lieux.

— Vous allez attendre notre patrouille ?

— Non, m'dame. Mais avant l'aube, Crocker sera aux arrêts.

— Mais Mr. Crocker est la victime ?

— Oui, c'est la victime. Mais c'est aussi un criminel. Je sais que vous pensez que c'est moi qui devrais être arrêté, mais, détrompez-vous, c'est bien Crocker le vrai criminel. Il vous faudra envoyer également une autre voiture...

— Faire une fausse déclaration est passible de...

— Je ne suis pas un menteur, m'dame. Je suis coupable d'agression, de vol de téléphone portable, de bris de glace avec la tête de cette crapule... mais je dis la vérité..

— Avec sa tête ?

— Je n'avais pas de marteau sous la main. Écoutez-moi, il faut envoyer une autre voiture, ainsi qu'une autre ambulance au domicile de Crocker... sur Fallon Hill Road. Je ne vois pas le numéro de la maison, mais c'est une petite ville, vous trouverez.

— Vous serez là-bas ?

— Non, m'dame. La personne qui vous attend là-bas, c'est la vieille mère de Crocker. Noreen, je crois qu'elle s'appelle. Enchaînée dans la cave.

— Enchaînée ?

— Cela fait deux semaines qu'elle est abandonnée là-dedans, dans ses propres excréments. Un spectacle guère ragoûtant.

— C'est vous qui l'avez enchaînée là ?

— Non, m'dame. Crocker veut l'héritage. Il la laisse mourir à petit feu, pendant qu'il vide son compte en banque et vend ses biens.

— Où pouvons-nous vous trouver, monsieur ?

— Ne vous préoccupez pas de moi, m'dame. Vous avez assez de pain sur la planche pour cette nuit.

Il coupa la communication, referma le téléphone et le tendit à Jilly.

— Nettoyez-le bien et débarrassez-vous-en.

Elle essuya l'appareil avec un Kleenex et jeta les deux par la fenêtre.

Un kilomètre plus loin, Dylan lui donna les clés de la Corvette, qui suivirent le même chemin que le téléphone.

— Ce serait drôle que nous soyons arrêtés pour dépôt d'ordures sur la voie publique !

— Où est Fred ?

— Pendant que je vous attendais, je l'ai transporté dans le coffre, pour que je puisse étendre mes jambes.

— Vous pensez que ça va aller pour lui, là-dedans ?

— Je l'ai coincé entre les deux valises. Il est bien arrimé.

— Je voulais dire *psychologiquement*...

— Fred est très solide dans sa tête.

— Vous aussi.

— C'est une façade. Qui était ce vieux cow-boy ?

Au moment où il s'apprêtait à répondre à sa question, Dylan subit le contrecoup de sa confrontation avec Crocker, de ce contact intime avec le mal absolu, généré par la liasse de billets. Un essaim de phalènes affolées voletaient dans sa tête, cherchant une lumière qui ne se manifesterait jamais.

Déjà, ils quittaient les faubourgs de Safford et gagnaient une étendue plate qui, sous le glacis de la nuit, paraissait exempte de traces humaines, comme s'ils avaient fait un bond de dix millions d'années dans le passé pour se retrouver au Mésozoïque.

Dylan se gara sur le bas-côté.

— Excusez-moi une minute. J'ai besoin de... de chasser Crocker de ma tête.

Lorsqu'il ferma les paupières, il se retrouva dans une cave, où une vieille femme gisait au sol, enchaînée, souillée d'excréments. Avec une attention pointilliste d'artiste, Dylan compléta le tableau avec une série de détails aussi baroques que répugnants.

Il n'avait pas vu la mère de Lucas Crocker quand il avait touché les billets du fils. Cette cave et cette malheureuse étaient les fruits de son imagination, et sans doute cette reconstitution était-elle très éloignée de la réalité.

Dylan ne *voyait* pas des choses avec son sixième sens, pas plus qu'il n'entendait des sons, percevait des odeurs, ou éprouvait des consistances. Il en avait, simplement, une conscience instantanée. Qu'il touche un objet riche de spores psychiques, et la connaissance inondait son esprit, comme un souvenir remontant à sa mémoire, comme s'il se remémorait les pages d'un livre lu jadis. Parfois, ses réminiscences se limitaient à une phrase ou deux, réunissant des événements par un lien de causalité, parfois, c'étaient des paragraphes d'informations *in extenso*, des pages entières...

Dylan ouvrit les yeux, abandonnant la Noreen imaginaire dans son cloaque, alors que la véritable Noreen, au même instant, entendait s'approcher les sirènes de ses libérateurs.

— Ça va ? s'enquit Jilly.

— Je ne suis peut-être pas aussi solide que Fred...

Elle esquissa un sourire.

— Il a l'avantage de ne pas avoir de cerveau.

— Mieux vaut repartir, déclara-t-il en désengageant le frein à main. Nous éloigner au plus vite de Safford. (Il enfonça l'accélérateur et s'élança sur la chaussée.) À mon avis, les gars des Suburban ont dû lancer un bulletin d'alerte pour tout l'État, demandant à être tenus informés du moindre incident curieux.

À la demande de Dylan, Jilly sortit une carte de l'Arizona de la boîte à gants et l'examina à la lumière d'un crayon éclairant, tandis qu'il roulait toujours vers le nord-ouest.

De part et d'autre d'eux, les chicots noirs des montagnes déchiquetaient le ciel nocturne. Lorsqu'ils s'enfoncèrent dans la vallée de Gila River, ils eurent l'impression de s'enfoncer dans la gueule, hérissée de crocs, d'un Léviathan.

— Nous sommes à cent vingt kilomètres de Globe, annonça Jilly. Si vous pensez vraiment qu'il vaut mieux éviter Phœnix...

— Oui, c'est plus prudent. Je n'ai aucune envie de me retrouver carbonisé dans ma voiture.

— Alors à Globe, il faudra prendre l'A-60 vers le nord et tout droit jusqu'à Holbrook, qui se trouve juste à côté de la Forêt pétrifiée. De là, on pourra rattraper la Nationale 40, et filer vers Flagstaff à l'ouest, ou vers Gallup, à l'est, au Nouveau-Mexique – si tant est que le choix de la direction ait quelque importance.

— Jackson la Négative, Grande prêtresse du pessimisme. Oui, cela aura de l'importance !

— Et pourquoi ?

— Parce que, lorsque nous serons à Holbrook, la situation aura évolué et nous saurons alors quel chemin prendre.

— Ben voyons, on sera tellement baignés d'ondes positives que nous serons devenus milliardaires ! Et on piquera vers l'est pour aller s'acheter un manoir dominant le Pacifique.

— Allez savoir... En revanche, ce qui est sûr, c'est que je vais acheter quelque chose sitôt que les boutiques seront ouvertes.

— Et quoi donc ?

— Des gants.

22.

Aux abords de Globe, vers minuit, ils s'arrêtèrent à une station-service, au moment où l'employé de nuit fermait boutique. La nature l'avait affublé d'un visage allongé de renard, et sa coupe en hérisson n'améliorait en rien l'impression d'ensemble. Il semblait âgé d'une vingtaine d'années, mais avait les manières mal dégrossies d'un adolescent, doublées d'un sévère problème hormonal. À en croire le badge sur son T-shirt, il s'appelait Skipper.

Peut-être le jeune homme aurait-il accepté de rallumer les pompes et de faire le plein de la Ford si Dylan avait sorti une simple carte de crédit, mais il y avait peu à parier... un bookmaker de Las Vegas n'aurait pas misé un *cent* là-dessus. Mais sitôt que Dylan annonça qu'il paierait en liquide, une lueur sournoise s'alluma dans les yeux de l'employé, à l'idée de pouvoir se mettre facilement quelques billets dans la poche et son air revêche d'adolescent s'adoucit comme par enchantement.

Skipper ralluma les pompes, mais pas l'éclairage extérieur, pour plus de discrétion. Dans l'obscurité, il remplit le réservoir laissant à Dylan et Jilly le soin de nettoyer le pare-brise et la vitre du hayon arrière ; visiblement le garçon était tout aussi incapable de proposer ce genre de service de courtoisie que de réciter des sonnets de Shakespeare avec l'accent oxfordien.

Lorsque Dylan surprit le regard de Skipper, ostensi-

blement lascif, posé sur Jilly, une bouffée de fureur pri-
maire lui échauffa les joues. Depuis quand éprouvait-il ce
genre d'instinct de possession à l'égard de la jeune femme ? Et surtout de quel droit ?

Cela faisait à peine cinq heures qu'ils s'étaient rencontrés. Certes, ils avaient traversé de grands dangers,
beaucoup d'angoisse ; forcément, ils en savaient plus long
l'un sur l'autre que ce qu'ils auraient pu découvrir dans
des conditions normales – même durant un laps de temps
plus long. Cependant, la seule chose réellement importante que Dylan avait apprise sur Jilly, c'était qu'il pouvait
compter sur elle en cas de besoin, et qu'elle ne lui ferait
pas faux bond. C'était une donnée nécessaire, mais insuffisante, pour dresser un tableau complet du personnage.

Insuffisante, vraiment ?...

Alors qu'il achevait de laver son pare-brise, agacé par
les regards lubriques de Skipper, Dylan se demanda si ce
seul aspect de Jilly n'était pas finalement l'essentiel. La
jeune femme méritait sa confiance. Peut-être que tout ce
qui se noue entre deux êtres naît de la confiance mutuelle
– de l'assurance tranquille dans le courage, l'intégrité et la
bienveillance de l'autre personne.

Il perdait l'esprit ! Le *machin* devait altérer également
son jugement. Voilà qu'il songeait à partager sa vie avec
une femme qui lui reprochait *déjà* de sortir tout droit de
Disneyland !

Ce n'était pas un détail. Ils n'étaient pas même amis !
On ne se lie pas d'amitié en quelques heures. Au mieux,
ils étaient des survivants obligés de se serrer les coudes,
des victimes du même naufrage, ayant un intérêt commun
à rester à la surface et à éviter les requins.

En fait, à l'égard de Jilly, ce n'était pas de la possession amoureuse, mais un simple instinct protecteur, tout
comme celui qu'il éprouvait pour Shep, ou qu'il aurait
éprouvé pour sa sœur s'il en avait eu une. Une sœur, voilà.
Jilly était comme une sœur !

Lorsque Skipper prit l'argent en paiement de l'essence, son air acariâtre s'adoucit encore et passa à la

simple maussaderie. Loin de tenter de dissimuler son forfait, il glissa ouvertement les billets dans son portefeuille, en montrant sa satisfaction par une moue de gros dur de cinéma.

Le plein coûtait trente-quatre dollars ; mais Dylan avait donné deux billets de vingt, laissant entendre que le garçon pouvait garder la différence. Il ne tenait pas à récupérer la monnaie, pour ne pas avoir de contacts avec les empreintes psychiques de Skipper. Dylan n'avait aucune envie de connaître les secrets intimes du garçon, ni avoir un aperçu de sa vie misérable et de ses trafics sordides.

Au regard de l'espèce humaine, Dylan restait un indécrottable optimiste. Il continuait à aimer son prochain, mais il avait eu son lot de déceptions pour la journée.

* * *

Tandis qu'ils laissaient Globe derrière eux et filaient au nord à travers les monts Apache, où se nichait la réserve indienne de San Carlos un peu plus à l'est, Jilly s'aperçut que quelque chose avait changé entre elle et Dylan O'Conner. Il se comportait de façon différente avec elle. Il quittait la route des yeux plus souvent pour la regarder – discrètement, s'illusionnait-il. Un nouveau courant passait entre eux deux, mais elle ne parvenait pas encore à en définir la nature.

Elle était trop fatiguée, physiquement et nerveusement, pour pouvoir se fier à ses impressions. Après cette soirée agitée, une femme normale aurait perdu la raison, alors que la grande Jilly Jackson, l'amazone du désert, soit un peu paranoïaque... il n'y avait rien de bien surprenant.

Pendant le trajet jusqu'à Globe, Dylan lui avait raconté sa rencontre avec Lucas Crocker. Il lui avait narré aussi l'histoire de Ben Tanner et de sa petite-fille. Cela prouvait que son sixième sens pouvait avoir du bon et non lui faire rencontrer uniquement des affreux tels Crocker et Kenny Les-Longs-Couteaux...

Les feux de Globe s'évanouissaient dans leur sillage, Shep était abîmé dans sa lecture. Jilly jugea le moment opportun pour évoquer l'incident qui s'était produit dans les toilettes des dames...

Tandis qu'elle se lavait les mains au lavabo, elle avait relevé les yeux et aperçu, en reflet dans la glace, des toilettes pour dames légèrement transformées... À la place de la rangée de cabines, se dressaient trois confessionnaux de bois sombre, avec des croix sculptées sur les portes, couvertes chacune de feuille d'or.

— Je me suis retournée, mais il n'y avait que les cabines. Mais quand j'ai regardé de nouveau dans la glace, les confessionnaux étaient là.

Pendant qu'elle se rinçait les mains, incapable de détacher les yeux du miroir, elle vit la porte de l'un des confessionnaux s'ouvrir lentement. Un prêtre apparut sur le seuil, sans un sourire aux lèvres, sans missel à la main, mais qui glissa le long du chambranle, mort et tout ensanglanté.

— Je me suis enfuie à toutes jambes, bredouilla-t-elle en tremblant encore à l'évocation de ce souvenir. Mais je ne peux empêcher ces images de survenir, Dylan. Ces visions me submergent et je sens que c'est pour me dire quelque chose.

— Des visions, répéta-t-il. Pas des *mirages* ?

— J'étais dans le refus, je le reconnais (elle glissa le bout de son doigt sous le sparadrap pour gratter la zone d'injection légèrement enflammée). Mais je ne joue plus à ce jeu-là. Ce sont bel et bien des visions. Des prémonitions.

La ville suivante serait Seneca, à cinquante kilomètres. Quarante kilomètres plus loin, ce serait Carrizo. Ces deux bourgades n'étaient que des petits points sur la carte routière. Ils s'enfonçaient dans l'un de ces nombreux secteurs du Sud-Ouest américain baptisés, de façon générique, les *Terres de Grandes Solitudes*.

— Quant à moi, renchérit Dylan, je perçois des connexions entre des gens et des lieux, concernant des événements, soit passés, soit en train de se produire. Mais vous, vous pensez voir dans l'avenir ?

— Oui. Un drame dans une église, quelque part. Cela va arriver. Et bientôt. Des morts... un massacre. Et d'une certaine manière, nous serons présents lorsque cela surviendra.

— Parce que nous sommes là – dans vos visions ?

— Non. Mais je ne vois pas d'autres raisons pour lesquelles ces images ne cessent de me hanter – les oiseaux, l'église, tout ça.... Je n'ai aucune vision prémonitoire sur des déraillements de train au Japon, des crashes aériens en Amérique du Sud ou des raz de marée à Tahiti. Je ne vois que mon futur, notre futur.

— Il nous suffit de passer au large des églises, répliqua Dylan.

— En fait... je crois que c'est l'église qui va venir à nous. Que nous ne pourrons rien éviter du tout.

La lune sombra à l'horizon, laissant un ciel noir piqueté d'étoiles. Les Terres de Grandes Solitudes parurent soudain encore plus vastes et désolées.

* * *

Dylan ne poussait pas le moteur de la Ford comme s'il voulait dépasser mach-1, mais il maintenait une certaine pression sur les gaz. Il accomplit en deux heures et demie un voyage qui aurait dû durer plus de trois heures.

Pour une ville de cinq mille âmes, Holbrook offrait un nombre considérable de motels. C'était le seul endroit où les touristes, voulant visiter la Forêt pétrifiée ou assister à l'un des spectacles folkloriques indiens organisés dans les réserves hopi ou navajo, pouvaient trouver un gîte convenable.

Il n'y avait pas de cinq étoiles, mais Dylan se fichait d'avoir un mini-bar dans sa chambre. Tout ce qu'il désirait, c'était un endroit tranquille où les cafards se montreraient furtifs.

Il choisit un motel le plus éloigné des stations-service et des zones d'activités qui risquaient d'être bruyantes au matin. Il paya la chambre à un gardien de nuit ensommeillé, d'avance et en liquide.

L'employé lui demanda son permis de conduire. Dylan n'était guère enchanté à cette idée, mais refuser aurait par trop éveillé les soupçons. Il avait déjà donné un numéro d'immatriculation en Arizona – et pas celui qui figurait sur ses plaques d'emprunt. Par chance, le réceptionniste ne parut pas intrigué par l'association contradictoire d'un permis de conduire californien et d'un véhicule immatriculé en Arizona.

Jilly ne voulait pas de chambres communicantes. À la lumière des derniers événements de la nuit, même s'ils laissaient la porte de séparation ouverte, elle se sentirait trop isolée.

Ils prirent donc une chambre unique équipée de deux lits doubles. Dylan et Shep dormiraient dans l'un des lits, Jilly dans l'autre.

Le décor aux motifs surchargés, destinés à cacher taches et autres signes d'usure, donna à Dylan une vague nausée. Il était épuisé, aussi, les paupières lourdes comme du plomb. Et avait un gros mal de tête.

À 3 h 10 du matin, ils purent enfin poser leurs valises dans la chambre. Shep n'avait pas voulu se séparer de son roman ; Dylan remarqua qu'il en était toujours à la même page, malgré plusieurs heures de lecture apparemment assidue.

Jilly se rendit, la première, dans la salle de bains. Lorsqu'elle en ressortit, sa toilette faite, elle était encore tout habillée.

— Pas de pyjama ce soir, expliqua-t-elle. Je veux être parée à mettre les voiles au besoin.

— C'est une bonne idée, reconnut Dylan.

Shep avait réagi à cette soirée chaotique avec un détachement d'airain ; Dylan ne voulait donc pas forcer le destin en lui demandant de passer outre son protocole du coucher. S'il poussait le bouchon trop loin, Shep pouvait sortir de son mutisme stoïque et passer au mode hyperverbal, pour des heures et des heures. Auquel cas, adieu le sommeil pour tout le monde.

En outre, Shep portait quasiment les mêmes vêtements de jour comme de nuit. Sa garde-robe diurne se résumait à une collection de T-shirts blancs, à l'effigie de Vile Coyote, et à une série de jeans tous identiques. Le soir, il enfilait un T-shirt propre et un pantalon de pyjama noir.

Sept ans plus tôt, ne supportant plus, chaque matin, d'être plongé dans un désespoir chronique quant au choix de ses habits pour la journée, Shep avait tiré un trait définitif sur la variété vestimentaire. Il s'habillerait, *ad vitam aeternam*, en jean et T-shirt Vile Coyote.

La fascination qu'exerçait sur lui le canidé de Tex Avery restait mystérieuse. Lorsqu'il était d'humeur à regarder la télé, il passait en boucle des cassettes de *Bip-Bip*. Parfois, il riait de ravissement, parfois, il suivait les péripéties de Vile Coyote avec la solennité d'un cinéphile visionnant un film d'Ingmar Bergman ; parfois encore, des larmes silencieuses coulaient dans ses yeux.

Shepherd O'Conner était une énigme enveloppée dans une gangue de faux-semblants, mais Dylan doutait que le rébus eût une solution sensée et édifiante. Les monolithes de l'île de Pâques, grand mystère de la planète, contemplant l'océan d'un air de sagesse[1], restaient, somme toute, des pierres plantées dans le sol.

Après s'être brossé les dents à deux reprises, lavé les mains deux fois avant d'aller aux toilettes, et deux fois encore ensuite, Shep revint dans la chambre à coucher. Il s'assit sur le bord du lit et retira ses tennis.

— Tu gardes tes chaussettes ? demanda Dylan.

D'ordinaire, le gamin dormait pieds nus. Mais quand Dylan s'agenouilla pour les lui retirer, Shep glissa ses jambes sous les couvertures.

Seule, une force extérieure pouvait le faire déroger à ses règles de conduite. Jamais, ce n'était de son fait.

— Tout va bien, Shep ? s'enquit Dylan, inquiet par ce changement de procédure.

---

1. En réalité, les statues de l'île de Pâques sont, dos à la mer, tournées vers le centre de l'île. (*N.d.T.*).

Shepherd ferma les yeux et tira les draps sous son menton. Le sujet des chaussettes était déclaré tabou.

Peut-être avait-il froid aux pieds... Le climatiseur ne rafraîchissait pas la pièce de façon uniforme, mais soufflait des courants d'air glacés au ras du sol.

Peut-être redoutait-il la présence de germes – sur la moquette, dans le lit – mais seulement ceux qui pouvaient atteindre ses pieds ?

Peut-être les monolithes de l'île de Pâques étaient-ils des statues de géants enchâssées dans la terre... peut-être qu'en creusant suffisamment profond découvrirait-on qu'eux aussi avaient des chaussettes aux pieds ? Le mystère serait alors tout aussi épais que dans le cas de Shep.

Dylan, déjà trop épuisé pour se soucier des dommages que pouvait causer le *machin* psychotrope sur son cerveau, n'avait pas la force de s'arrêter sur le cas des chaussettes de Shep. Il se rendit à son tour dans la salle de bains, et grimaça en apercevant, dans la glace, sa tête de déterré.

* * *

Jilly était étendue sur le lit et fixait des yeux le plafond.

Shep, quant à lui, contemplait la face interne de ses paupières.

Le bourdonnement du climatiseur, dérangeant au début, générait un bruit blanc masquant les claquements de portières au-dehors, les voix dans les chambres voisines.

Mais ce ronronnement occulterait également l'éventuel bruit de moteur d'une Suburban ou les préparatifs d'artificiers plaçant une bombe devant leur porte...

Pendant un moment, Jilly envisagea cette nouvelle vulnérabilité, mais la peur ne vint pas ; la vérité, c'était qu'elle se sentait en sécurité dans cette chambre. Du moins, *physiquement*.

Si elle n'avait eu l'esprit occupé par ces considérations immédiates et terre à terre, un désespoir plus vaste l'aurait assaillie tout entière. Dylan était certain de pouvoir retrouver la piste de Frankenstein et découvrir la nature exacte de ce produit qu'il leur avait inoculé, mais elle ne partageait pas cette belle assurance.

Pour la première fois depuis des années, elle n'était plus maîtresse de sa vie. Or elle avait un besoin *vital* de tenir les rênes. Sinon, elle se retrouvait comme dans son enfance : faible, impuissante, à la merci du monde entier. Elle détestait ce sentiment de vulnérabilité. Accepter son statut de victime, au point d'en faire son refuge, était, à ses yeux, un péché mortel. Mais, aujourd'hui, elle n'avait pas d'autre choix...

Un philtre psychotrope œuvrait en elle, *dans son cerveau*, et cette pensée l'emplissait d'horreur. Elle n'avait jamais touché à la drogue, n'avait jamais été soûle, parce qu'elle tenait à ses neurones. Durant toutes ces années, quand elle était démunie de tout, c'était sa seule richesse – son intelligence, sa clairvoyance, son imagination. Son cerveau était son arme secrète contre le monde, un refuge contre la cruauté et l'adversité. Si elle devait être victime du *muchomega*, la malédiction qui touchait toutes les femmes de sa lignée, si son postérieur devait enfler au point de l'empêcher de se mouvoir autrement que dans la benne d'un camion, il lui resterait son esprit et toutes les satisfactions d'une vie intérieure épanouie. Mais à présent, un ver grignotait son cortex, peut-être pas un véritable ver, mais tout aussi vorace : le « ver du changement », et Jilly ignorait ce qui resterait d'elle, quel être elle serait devenue, quand l'animal aurait fini de festoyer.

L'excitation qui l'avait gagnée lorsqu'elle et Dylan avaient terrassé Kenny et Becky semblait bien lointaine. Elle ne parvenait plus à se réjouir de ce nouveau pouvoir qui leur avait été donné. Comment oser croire, après toutes ces visions sanglantes de mauvais augure, que son don de double vue allait pouvoir l'aider à sauver son prochain – ou à mieux maîtriser sa propre vie ?

Jackson la Négative ! Elle n'avait jamais eu grande foi en ses congénères, mais une confiance d'airain en elle-même. Dylan avait raison sur ce point. Mais voilà, sa belle assurance commençait à se lézarder.

Dans son lit, Shepherd murmura :

— Ici, là...

— Qu'est-ce que tu dis, mon chéri ?

Shep était étendu sur le dos, les yeux clos. L'inquiétude plissait son front.

— Tout va bien, Shepherd ?

— Shep a peur, répondit-il à mi-voix.

— Il ne faut pas avoir peur.

— Shep a peur.

— Nous sommes en sécurité, ici, pour le moment, lui assura-t-elle. Personne ne peut te faire du mal.

Ses lèvres s'agitèrent, prononçant des mots inaudibles.

Shepherd était plus fluet que son frère, mais il restait plus costaud que Jilly ; un grand jeune homme, en pleine vigueur, et pourtant il paraissait si fragile sous les draps. On eût dit un petit enfant, avec ses cheveux ébouriffés, sa bouche déformée en un rictus de peur.

Une onde de compassion traversa la jeune femme... cela faisait vingt ans que Shepherd n'était plus maître de sa vie. Pis encore, il avait besoin de règles, de protocoles inflexibles, de placer partout des garde-fous à sa vie... tout cela montrait sa détresse, son désir hurlant de ne pas lâcher tout à fait les rênes.

Il resta silencieux. Ses lèvres cessèrent de s'agiter. La peur ne disparut pas de son visage, mais s'atténua notablement, comme si elle avait été domptée, ramenée dans la cage de ses angoisses chroniques.

Jilly se rallongea sur son oreiller, remerciant le ciel de n'être pas prisonnière, depuis sa naissance, d'un piège aussi impitoyable que celui de Shep ; mais, quand le ver sera repu, qui lui disait qu'elle ne serait pas dans le même état que ce pauvre garçon ?

Quelques instants plus tard, Dylan sortit de la salle de bains. Il retira ses chaussures, et les plaça au pied du lit qu'il partageait avec son frère.

— Ça va ? demanda-t-il.

— Oui. Juste fatiguée.

— Moi aussi, je suis vanné.

Tout habillé, prêt à sauter dans ses baskets à la moindre alerte, Dylan se coucha et contempla à son tour le plafond ; il n'éteignit pas la lampe de chevet.

— Je suis désolé, articula-t-il, après un moment.

Jilly tourna la tête vers lui.

— À propos de quoi ?

— Peut-être, depuis le motel, n'ai-je pris que de mauvaises décisions.

— Par exemple ?...

— Nous aurions peut-être dû aller à la police, tenter le coup. Vous avez raison, on ne peut pas fuir comme ça indéfiniment. Je dois m'occuper de Shep, mais je n'avais pas à vous embarquer là-dedans.

— L'infaillible O'Conner. Le grand gourou de la responsabilité. Le super-héros qui veille sur la veuve et l'orphelin.

— Je suis sérieux.

— Je sais. C'est gentil de vous préoccuper de ça.

Sans quitter le plafond du regard, il esquissa un sourire.

— Je vous ai dit beaucoup de choses que je regrette, vous savez.

— Je vous ai pas mal provoqué aujourd'hui. Il y avait de quoi sortir de ses gonds. Et j'ai dit de pires choses que vous encore. C'est juste que je déteste dépendre de quelqu'un d'autre... ça me rend folle. En particulier, s'il s'agit d'un homme. Alors, ce soir, forcément, tous mes voyants d'alerte sont passés au rouge.

— Pourquoi, « en particulier s'il s'agit d'un homme » ?

Elle le quitta des yeux pour contempler de nouveau le plafond.

— Imaginez que votre père vous ait abandonné quand vous aviez trois ans.

Après un silence, il dit pour l'encourager à continuer :

— D'accord, j'imagine...

— Imaginez que votre mère soit votre soleil, votre fée, votre ange gardien qui a toujours été là pour vous, un rocher d'amour que rien ni personne ne saurait ébranler. Mais il la cogne si fort avant de s'en aller qu'elle en perd un œil et marche avec des cannes jusqu'à la fin de sa vie.

Malgré la fatigue, Dylan eut la bonté de la laisser se confier à son rythme, de ne pas la presser.

Après un long silence, elle ajouta :

— Il vous laisse alors dans la misère et aux bons soins des aides sociales pour qui vous n'êtes plus rien. Mais ce n'est pas fini. Elle doit boire le vin jusqu'à la lie. Deux fois par an, il revient nous rendre visite. Deux jours maudits.

— Et la police ?

— Maman n'osait pas les appeler quand il débarquait. Ce salaud lui a dit que, si elle portait plainte, à sa sortie de prison, il reviendrait la voir et lui crèverait l'autre œil. Et l'un des miens, aussi. Il l'aurait fait, c'est sûr.

— Puisque c'est lui qui est parti, pourquoi revient-il ?

— Pour nous faire peur. Nous garder à sa botte. Et réclamer une part des allocations de maman. On la lui a toujours donnée. Parce qu'on dîne souvent gratis à l'Armée du Salut. La plupart de nos vêtements provient des fripes de l'église. Alors papa a toujours sa part du fric.

Le souvenir de son père remonta à sa mémoire, planté dans l'encadrement de la porte, avec ce sourire malveillant. Et sa voix... « Je suis venu récupérer l'argent pour l'œil de ta maman poulette. Vous avez bien touché le fric de l'assurance ? »

— Mais assez parlé de ça, lâcha-t-elle. On ne va pas verser dans le pathos. Je voulais juste vous expliquer que je n'ai rien contre vous, en tant qu'individu. C'est juste le fait d'être dépendant de quelqu'un...

— Vous n'étiez pas obligée de me donner d'explications.

— Je tenais à ce que vous sachiez. (Le visage de son père continuait de flotter devant ses yeux. Malgré son état d'épuisement, elle ne pourrait trouver le sommeil tant qu'elle n'aurait pas exorcisé cette image.) Votre père, à vous, a dû être un type en or, j'imagine.

Il parut surpris.

— Pourquoi dites-vous ça ?

— Il suffit de voir la façon dont vous vous comportez avec Shep.

— Papa a fondé un cabinet d'investissement pour aider des chefs d'entreprise à monter leurs sociétés dans le secteur des nouvelles technologies. Il travaillait quatre-vingts heures par semaine. Il aurait pu être un père en or, mais j'ai passé trop peu de temps avec lui pour le savoir. Il a eu de gros problèmes financiers. Deux jours avant Noël, il est allé se garer sur le parking de la plage, avec cette superbe vue sur le Pacifique. C'était la fin de la journée. Il faisait froid. Pas de nageurs, pas de surfeurs. Il a branché un tuyau au pot d'échappement, a passé l'autre bout par la fente de la vitre de la portière, il s'est installé au volant et, pour être sûr de son coup, il a pris une grosse dose de Nembutal. Il était prévoyant, papa. Il ne laissait jamais rien au hasard... Il est mort devant le plus beau soleil couchant de l'année. Shep et moi, on l'a regardé, ce coucher de soleil, depuis la colline derrière la maison, à quelques kilomètres de cette plage, et, bien entendu, nous ignorions qu'il l'admirait aussi, au même moment, alors qu'il trépassait.

— Cela date de quand ?

— J'avais quinze ans. Shep en avait cinq. Cela fait presque quinze ans.

— C'est triste.

— Certes. Mais ce n'est rien comparé à ce que vous avez vécu.

— Alors d'où ça vous vient ?

— Comment ça ?

— De prendre si bien soin de Shep.

Il éteignit la lampe. Sa voix résonna dans l'obscurité :

— De ma mère. Elle est morte jeune, aussi. Elle était géniale, si tendre avec Shep. Mais parfois, on peut tirer aussi de grands enseignements de très mauvais exemples.

— Possible.

— C'est sûr. Il suffit de vous regarder.

— Moi ? J'ai tout raté.

— Vous connaissez quelqu'un qui a tout réussi ?

Alors qu'elle fouillait sa mémoire pour lui citer un nom, elle s'endormit.

Lorsqu'elle s'éveilla la première fois, sortant d'un sommeil miraculeusement paisible, elle entendit Dylan ronfler en sourdine.

La chambre était froide. Le climatiseur s'était éteint.

Ce n'étaient pas les ronflements de Dylan qui l'avaient réveillée, mais peut-être la voix de Shepherd. Trois mots, prononcés dans un murmure :

— Shep a peur.

À en juger par le point d'émission de la voix, Shep était encore dans le lit.

— Shep a peur.

— Shep est courageux, répondit la jeune femme en chuchotant.

— Shep a peur.

— Shep est courageux.

Le gamin redevint silencieux. Et Jilly se rendormit.

Lorsqu'elle s'éveilla de nouveau, Dylan ronflait toujours paisiblement, mais des lames de lumière filtraient sous les doubles rideaux. Pas la pâleur de l'aube, mais un grand soleil du matin.

Puis elle prit conscience d'une autre source lumineuse, s'échappant par la porte entr'ouverte de la salle de bains. Une sorte de rayonnement.

Sa première pensée fut : *le feu !* mais au moment de bondir de son lit, et de pousser un cri pour alerter tout le monde, elle s'aperçut que ce n'était pas du tout le scintillement de flammes. Mais quelque chose de bien différent.

23.

Dylan, sentant qu'on le secouait, abandonna son rêve. Il descendit du lit et enfila ses chaussures, avant d'être réellement sorti du sommeil, à la manière des pompiers, si bien entraînés aux alarmes nocturnes qu'ils enfilent leur tenue et sautent sur le mât avant même d'avoir ouvert les yeux.

À en croire le réveil sur la table de nuit, la matinée était bien avancée – 9 h 12 – et, à en croire Jilly, ils avaient des problèmes – une information qu'elle lui transmit non par des mots, mais par son regard, brillant d'inquiétude.

Shep n'était plus dans le lit, et nulle part ailleurs dans la chambre.

Puis Dylan remarqua la lumière qui filtrait de la porte entrouverte de la salle de bains. Une fournaise, mais sans flamme, traversée de pulsations. Un rouge des enfers, avec ses pics d'ocre sur fond noir. Une palpitation orangée, comme ces halos évanescents entourant les points de lumière dans une scène filmée à la caméra infrarouge. Il y avait aussi le pourpre avide de l'œil du prédateur nocturne en maraude. C'était tout cela à la fois, et autre chose encore. Cette lumière était indescriptible avec des mots connus, et sans doute non reproductible avec des pinceaux et de la peinture.

La salle de bains était une pièce aveugle. Il ne pouvait s'agir de rayons de soleil traversant un rideau multicolore.

Et le tube fluorescent au-dessus du lavabo n'aurait jamais pu émettre un spectre aussi étrange.

Dans l'instant, la vision de cette lumière lui noua le ventre. Son cœur se mit à tambouriner dans sa poitrine. Rien sur terre ne pouvait produire cette lueur, aucun homme n'aurait pu la fabriquer. Cette chose-là s'enfonçait jusqu'au cœur de l'âme, pinçait toutes les cordes de la superstition.

Lorsque Dylan s'approcha de la salle de bains et que le halo toucha sa peau, il découvrit qu'il pouvait *sentir* cette lumière et pas uniquement en termes de chaleur, comme en été, lorsque l'on passe de l'ombre au soleil. Cette lumière courait sur sa peau, à l'instar de centaines de fourmis, d'abord sur son visage, lorsqu'il aborda l'orée du halo, puis sur sa main droite, une trépidation frénétique, au moment où il voulut pousser le montant de la porte.

Le visage de Jilly, quoiqu'en retrait derrière lui, semblait oint d'une substance rouge et irradiante. Elle aussi, visiblement, découvrait cet étrange contact tactile. Avec un rictus de répulsion, elle se frotta le visage, comme si les fils d'une toile d'araignée invisible s'étaient collés à sa peau.

Dylan n'était pas féru de science, sauf dans le domaine de la biologie et de la botanique, ce qui lui permettait de restituer plus précisément sur la toile le chatoiement du monde naturel. Il savait toutefois qu'aucune radiation létale, y compris celle d'une bombe atomique, ne stimulait le sens tactile, pas plus qu'on ne sentait le passage des rayons X à travers la mâchoire quand le dentiste vous faisait la radio d'une molaire. Les survivants de Hiroshima, qui périrent plus tard des suites de la radioactivité, n'avaient jamais perçu l'armada des particules subatomiques leur traverser les entrailles.

Même s'il n'y avait guère de chance que ce fourmillement sur sa peau représente un danger, Dylan hésitait à avancer. Il aurait bien refermé la porte, tourné les talons et tant pis pour sa curiosité, mais voilà, Shep était de l'autre côté, peut-être en danger...

Lorsqu'il l'appela, Shep ne répondit pas. Cela n'avait rien de surprenant. Le gamin était, certes, plus loquace qu'une tombe, mais il répondait aussi rarement aux questions qu'une dalle funéraire. Dylan fit un nouvel essai. Toujours le silence. Il poussa alors la porte.

Comme il s'y attendait, Dylan vit la cabine de douche, la cuvette des toilettes, le lavabo, le miroir, le porte-serviettes.

Ce à quoi il n'était pas préparé, et qui provoqua en lui une montée fulgurante d'adrénaline, ainsi qu'une crispation douloureuse des intestins, ce fut la vision de ce couloir à côté du lavabo, là où la veille au soir se trouvait un mur aveugle. L'étrange palpitation écarlate provenait de cet endroit.

Avec précaution, il s'avança dans la salle de bains.

Le mot *couloir* n'était pas le bon terme pour rendre compte de ce passage mystérieux. La section n'était pas rectangulaire, mais circulaire, comme une écoutille de sous-marin. L'analogie restait toutefois approximative, car aucun encadrement n'était visible sur le mur.

L'ouverture, large de deux mètres, paraissait plane, comme un dessin en trompe l'œil. Pas de moulures, pas de chambranle, pas de seuil en saillie. Et pourtant l'espace qui s'ouvrait derrière apparaissait bel et bien en trois dimensions – un tunnel plongé dans une lumière rouge, donnant, tout au bout, sur un disque de lumière bleue.

Dylan avait vu des chefs-d'œuvre d'illusions où l'artiste, avec seulement de la peinture et son talent, recréait des espaces et des volumes qui abusaient totalement l'œil humain. Mais ceci n'était pas un simple jeu sur les perspectives.

D'abord, la lumière rouge jaillissant des parois lumineuses du tunnel éclairait la salle de bains. Elle se mirait sur les dalles de linoléum du sol, se reflétait dans le miroir, et *fourmillait* sur sa peau nue.

En outre, les parois ne cessaient de tourner, comme ces tonneaux de fête foraine où vous devez rester en équilibre pendant sa giration. Un trompe-l'œil pouvait restituer le volume, la texture, mais pas le mouvement.

Jilly rejoignit Dylan dans la salle de bains. Il posa sa main sur son épaule pour l'empêcher de s'approcher.

Ils contemplèrent, dans un silence religieux, le tunnel qui pivotait devant eux ; il semblait mesurer dix mètres de long.

C'était impossible, bien sûr. Une autre chambre du motel était adossée à cette paroi, pour limiter les coûts de construction. En toute logique, un trou dans le mur aurait donné un point de vue sur une salle de bains jumelle. Pas sur un tunnel – en aucun cas sur un tunnel ! Dans quoi pourrait-il être creusé ? Jusqu'à preuve du contraire, la salle de bains n'était pas construite à flanc de montagne !

Pourtant, il était bel et bien là. Dylan ferma les yeux. Les rouvrit. Un tunnel. Deux mètres de diamètre. Lumineux, en rotation.

Bienvenue au tonneau fou. Achetez votre ticket, venez tester votre équilibre !

En fait quelqu'un était déjà entré dans le manège. Sa silhouette se découpait devant le disque bleu.

C'était Shep, sans aucun doute. Tout au bout, près de la sortie, leur tournant le dos. Le gamin semblait contempler quelque chose dans le disque azur.

Le vertige qui assaillit alors Dylan, cette sensation de tomber dans un trou sans fond, n'étaient pas dus à la rotation de ce tunnel, mais à la brutale prise de conscience que la réalité, telle qu'il l'avait toujours connue, était moins stable et pérenne qu'il ne le supposait.

Le souffle court, Jilly se mit à bredouiller des suppliques incantatoires :

— Ce ne peut être vrai. Ça ne peut pas être réel. Je dois dormir. Je suis toujours dans mon lit.

— Non, vous ne dormez pas.

— Vous faites sans doute partie de mon rêve.

— Ce n'est pas un rêve, précisa-t-il, d'une voix plus impressionnée encore que celle de la jeune femme.

— D'accord... ce n'est pas un rêve. C'est exactement ce que vous diriez si j'étais en train de rêver.

Il avait posé sa main sur son épaule, non par crainte

qu'elle ne fonce tête la première dans le boyau, mais qu'elle n'y soit attirée contre son gré. Les murs en giration rappelaient un tourbillon de rivière, prêt à attirer dans son œil glauque l'imprudent qui passerait à sa portée. Mais sa crainte d'être aspiré dans le vortex diminuait d'instant en instant.

— Que se passe-t-il ? demanda-t-elle. Qu'est-ce que ça veut dire ? C'est quoi ce truc ?

Pas un son ne s'échappait du boyau. Devant le ballet de ces parois pivotantes, Dylan s'attendait à entendre un crissement, un bourdonnement mécanique ou des glouglous d'une chose liquide et visqueuse, mais non... le silence absolu.

Aucun souffle d'air ne montait de l'ouverture, ni chaleur, ni ondes glacées. Pas d'odeur, non plus. Juste de la lumière.

Dylan s'approcha du portail énigmatique.

— Non..., souffla Jilly.

Une fois devant l'ouverture, il tenta d'examiner la jonction entre le tunnel et le sol de la salle de bains, mais la zone était brouillée... un flou qui refusait de se dissiper malgré force clignements de paupières. En fait, son regard ne pouvait s'y poser et glissait sur cette frontière improbable, comme si une force primale en lui savait qu'il ne fallait pas lever ce voile, que, derrière, se trouvaient des secrets touchant à la création même du monde et à son ordonnancement, susceptibles de faire chavirer la raison du simple mortel. Un monde d'entités supérieures faisant tourner la grande roue de l'univers.

Lorsqu'il avait treize ou quatorze ans, il avait lu Lovecraft et tremblé en découvrant ces récits macabres. Maintenant, il savait... il savait que Lovecraft avait bien vu ces choses !

Dylan délaissa la mystérieuse jonction entre ces deux mondes pour reporter son attention sur les parois en mouvement, dans l'espoir de déterminer la nature du matériau. De plus près, le tunnel semblait fait d'une brume lumineuse, ou creusé dans une veine d'énergie pure ; il avait l'impression d'être un dieu, depuis les cieux, plongeant son regard dans l'œil d'une tornade.

Avec précaution, il posa sa main droite sur le mur à côté de l'étrange ouverture. Le plâtre peint semblait normal, ni plus chaud, ni plus froid que de coutume.

Il glissa sa main sur la gauche, vers l'ouverture du boyau, espérant sentir le point de transition entre le motel et le tunnel, et comprendre la nature de cette connexion. Mais lorsque sa main quitta la paroi pour passer devant l'ouverture, Dylan ne ressentit rien de particulier, hormis une certaine froideur, et bien sûr le crépitement de la lumière sur sa paume ouverte.

— Non, ne faites pas ça ! intervint Jilly.

— Non, quoi ?

— N'allez pas là-dedans.

— Je ne compte pas y aller.

— J'ai cru que vous étiez sur le point de le faire.

— Pourquoi ferais-je une chose pareille ?

— Pour récupérer Shep.

— Il n'y a aucune chance que je mette un doigt de pied là-dedans.

— Allons, vous sauteriez du haut d'une falaise pour sauver Shep !

— Sûrement pas, répliqua-t-il avec impatience.

— Bien sûr que si, insista-t-elle. Vous auriez l'espoir de le rattraper en vol et de le dévier de sa trajectoire pour le faire tomber dans une meule de foin ! Je vous dis que vous sauteriez.

Dylan voulait juste s'assurer de la réalité de la scène devant lui, trouver la confirmation que cette chose avait un volume, que c'était bien un passage et non une fenêtre – un portail vers un autre monde et non juste une lorgnette pointée sur un bout de ciel bleu. Une fois ce point établi, il reculerait pour réfléchir à la situation, trouver une logique à cette incongruité.

De la main, il exerça une pression à l'endroit où aurait dû se trouver le mur ; pas de plâtre pour supporter l'image de tunnel, pas la moindre résistance au mouvement. Il quittait la salle de bains pour pénétrer dans cet autre monde, où l'air était froid, où la lumière courait sur ses doigts non plus comme des bataillons de petites fourmis, mais comme une nuée de coléoptères cuirassés, capables de vous dévorer jusqu'aux os.

Son instinct de survie lui disait de retirer sa main tout de suite, mais Dylan voulait en savoir davantage sur cette bizarrerie. Il avança encore le bras dans l'ouverture, plongeant la main dans ce monde parallèle. Malgré le froid mordant, le grouillement répugnant sur sa peau, il poursuivit le mouvement jusqu'au coude, et puis, comme l'avait averti son instinct, l'inévitable se produisit. Le tunnel l'avala tout entier.

24.

Dylan n'eut pas à parcourir toute la longueur du tunnel... il n'y eut ni secousse, ni aspiration. Il ne perçut pas même le moindre déplacement, mais sitôt qu'il eut franchi le seuil, il se retrouva au côté de Shep. Dans le même pas, son pied passa des dalles de linoléum de la salle de bains à la souplesse de la terre meuble. Lorsqu'il baissa la tête, il découvrit ses jambes cernées d'herbes hautes.

Son irruption soudaine souleva un nuage de graines parmi les herbacées dorées, cuites par le soleil d'été. Quelques sauterelles s'enfuirent en bondissant.

Dylan cria le nom de son frère « *Shep !* » mais celui-ci ignora l'appel.

Ils se trouvaient sur le sommet d'une colline, sous un ciel azur, par une chaude journée d'été, traversé d'une petite brise. Dylan ignora ce panorama qui fascinait tant Shepherd et se retourna, s'attendant à trouver dans son dos le tunnel par lequel il était venu. Mais le boyau avait disparu. Une ouverture de deux mètres l'avait remplacé, derrière laquelle il apercevait Jillian dans la salle de bains, juste devant lui, comme si elle se tenait de l'autre côté d'une fenêtre circulaire dépourvu de vitres.

De la salle de bains, Shep semblait éloigné, une frêle silhouette contre le bleu du ciel. Mais de ce côté-ci, Jilly paraissait juste devant lui. Ce qui n'était visiblement pas le cas de son point de vue à elle... Dylan la voyait se pencher dans l'ouverture, en clignant des yeux comme pour distinguer les traits de son visage au loin.

La bouche de Jilly s'ouvrit, ses lèvres remuèrent. Peut-être l'appelait-elle ? Bien qu'elle parût tout près de lui, il n'entendait pas sa voix.

La vue de la salle de bains flottait dans l'air telle une grosse bulle de savon. Dylan fut pris de vertige. Le sol sembla se dérober sous ses pieds, comme le ressac d'une vague. On l'avait enivré pour le transporter au Pays des Merveilles...

Il brûlait de repasser par l'ouverture, de retourner dans le motel. Même s'il était arrivé entier sur cette colline, il craignait qu'une part de lui, essentielle, vitale, ne fût restée derrière, dans la salle de bains, et qu'en tirant sur ce fil d'Ariane, son esprit n'allât se détricoter comme un vieux chandail.

Mais la curiosité fut la plus forte. Il contourna l'ouverture, voulant savoir ce qu'il y avait derrière. De profil, le portail magique ressemblait moins à une bulle ou à une fenêtre qu'à une grande pièce de monnaie posée en équilibre sur la tranche. Un *cent* sans les dentelures et les traces d'usure *ad hoc*. Une ligne argentée s'élevait des herbes en un arc ascendant et disparaissait quasiment dans le bleu lumineux du ciel, bien plus mince que la tranche d'une pièce, un simple filament de lumière, comme si cette « porte » était un disque aussi fin et translucide qu'une aile de mouche.

Dylan, foulant les herbes hautes, passa derrière le portail, ne voyant plus Shep.

De dos, l'ouverture offrait rigoureusement la même vue que de face : la salle de bains du motel ; Jilly, l'air inquiète, clignait les yeux pour l'apercevoir.

Shep avait disparu de son champ de vision et il n'aimait pas ça. Dylan termina rapidement son tour d'inspection et revint à côté de son frère.

Shep n'avait pas bougé, les bras inertes le long des flancs, la tête inclinée sur le côté, le regard s'égarant sur le paysage. Son sourire était teinté de plaisir et de mélancolie.

Les ondulations des collines, tapissées d'herbes dorées, barraient l'horizon du nord au sud, décorées çà et là de grands chênes qui étiraient leurs ombres sur les versants. La colline où se trouvait Dylan descendait vers une vaste prairie. Au bout de cette prairie, vers l'ouest, se dressait une demeure d'allure victorienne, avec une grande terrasse couverte. Derrière la maison, d'autres prairies verdoyantes, une allée de gravillons menant à la grande route qui longeait la côte. Trois cents mètres derrière le ruban d'asphalte, l'océan Pacifique, un grand miroir où se reflétait le ciel, magnifiant l'azur en un bleu roi profond.

Santa Barbara était à quelques dizaines de kilomètres plus au sud ; une portion de côte très peu peuplée. Le premier voisin se trouvait à un kilomètre. C'était la maison où Dylan avait grandi. C'était ici que sa mère était morte dix ans plus tôt, et c'était là que Dylan et Shep revenaient poser leurs valises entre deux voyages vers des expositions de peinture.

— C'est de la folie !

Toute sa frustration vibrait dans ces quelques mots. Il y avait dans son ton le même désespoir que s'il venait de rater le gros lot de la loterie à un chiffre près, et la même stupeur que s'il venait de se donner un coup de marteau sur les doigts. Il était plongé en pleine confusion, effrayé. Il ne pouvait rester silencieux, sa tête menaçait d'exploser comme une cocotte-minute sous la pression, alors il répéta stupidement :

— De la folie !

Quelques kilomètres plus au nord, sur un parking de plage désert, leur père avait mis fin à ses jours quinze ans plus tôt. Et c'était de cette colline que Shep et Dylan avaient contemplé ce funeste soleil couchant de décembre que leur père admirait à travers les brumes du Nembutal et du monoxyde de carbone, avant de plonger dans le grand sommeil.

Ils se trouvaient à des centaines de kilomètres d'Holbrook en Arizona, où ils avaient passé la nuit.

— De la folie pure, explicita-t-il. Du concentré de folie. Je deviens barjot !

Le soleil chaud, l'air marin, les grillons faisant crin-crin dans les herbes sèches... tout cela était réel, même s'il avait l'impression de rêver.

D'ordinaire, Dylan ne se tournait pas vers Shep quand il avait besoin d'éclaircir quelque mystère. Shepherd O'Conner n'était pas une source de réponses, ni un puits de pensées sages et limpides. Le gamin était plutôt un bain bouillonnant de confusion, une fontaine bouillante d'énigmes, un geyser de chimères.

Mais en l'occurrence, Dylan n'avait pas le choix – sauf à s'adresser aux grillons ou aux graines dérivant sur les courants de convexion de l'air.

— Shep, tu m'entends ?

Le gamin regardait la maison dans la vallée avec un sourire teinté de regret.

— Shep, j'ai besoin que tu sois avec moi. Il faut que tu me parles. Je veux savoir comment tu es arrivé ici.

— Timbré, déclara Shep, toqué, zinzin...

— Non, Shep. Ne fais pas ça.

— ... maboule, frappadingue, bildé...

— Non, Shep, je t'en prie. Arrête.

— ... déjanté, azimuté, branque...

Dylan se carra devant son frère, le saisit avec fermeté par les épaules et le secoua pour avoir son attention.

— Shep, regarde-moi. Je suis là. Sois avec moi. Comment es-tu arrivé ici ?

— ... Louftingue, givré, siphonné...

Dylan secoua le gamin plus fortement.

— Ça suffit, Shep. Arrête ces conneries ! *Assez !*

— ... branquignol, cinglé, dingo...

Dylan lâcha Shep et prit son visage dans ses mains, le serrant comme dans un étau à dix doigts.

— Ne t'enfuis pas encore, ne te cache pas encore une fois derrière ton petit truc. Ce n'est pas le moment, Shep. Je t'en prie. Pas maintenant.

— ... piqué, ravagé, sinoc...

Malgré la résistance de Shep pour garder la tête baissée, Dylan lui releva de force le menton :

— Écoute-moi, parle-moi. Regarde-moi, nom de Dieu !

Pour éviter le contact visuel forcé, Shep ferma les paupières.

— ... cintré, détraqué, toctoc, golito...

Dix ans de frustration, dix ans de patience et de sacrifices, dix ans de vigilance pour éviter que Shep ne se fasse du mal, des milliers de jours à découper sa nourriture en petits carrés, en petits rectangles, des heures, infinies, à s'inquiéter de ce qu'il adviendrait de lui si d'aventure Dylan partait le premier... toutes ces choses, et bien d'autres encore, avaient chargé son esprit, comme autant de pierres, s'empilant les unes sur les autres, jusqu'à le clouer au sol, l'écraser sous leur masse, jusqu'à ce qu'il ne puisse plus dire avec la moindre sincérité : *Shep n'est pas un boulet pour moi. C'est mon frère.* Parce que son frère était un boulet ! Un fardeau incommensurable, plus lourd que le rocher que Sisyphe était condamné à remonter sur le versant de sa colline jusqu'à la fin des temps, plus écrasant encore que le poids du monde meurtrissant le dos d'Atlas !

— ... marteau, tapé, fêlé, locdu, ouf...

Pressé entre les mains de Dylan, le visage de Shep était tout fripé, froncé, comme celui d'un poupon sur le point de pleurer ; sa voix, aussi, était curieusement déformée.

— ... timbré, toqué, zinzin...

— Tu es en boucle, Shep ! lança Dylan avec colère. Tu es toujours en boucle. Jour après jour, semaine après semaine. Toujours le même disque qui tourne, toujours la même chanson. Année après année, les mêmes vêtements, les mêmes cochonneries dans ton assiette, les mêmes rites absurdes, ton obsession à te laver les mains toujours deux fois, à rester neuf minutes sous la douche, jamais huit, jamais dix ; neuf ! toujours neuf ! Et à longueur de temps à te balader tête baissée, à contempler tes chaussures, et toujours ces peurs stupides, ces mêmes tics, ces mêmes rictus. Dada-doudou-dada, ces répétitions idiotes, ces manies imbéciles, à l'infini... Je n'en peux plus !

— ... maboule, frappadingue, bildé...

Avec son index, Dylan tenta d'ouvrir la paupière de son frère.

— Regarde-moi, Shep. Regarde-moi !

— ... déjanté, azimuté, branque...

Sans offrir de résistance apparente, ses bras pendant toujours inertes le long du corps, Shep referma son œil, repoussant le doigt intrusif de Dylan.

— ... louftingue, givré, siphonné...

— *Regarde-moi, espère de petit con !*

— ... branquignol, cinglé, dingo...

— *REGARDE-MOI !*

Shep cessa de résister et se laissa soulever la paupière, ses cils venant quasiment en butée contre le sourcil sous la pression de l'index de Dylan. L'image de cet œil fixe et rond sur le visage de Shep, rivé dans un contact visuel d'une intensité unique, semblait sortir tout droit d'un film d'horreur – le regard écarquillé, béant de la victime, juste avant que l'Alien n'explose sa cage thoracique, juste avant que la main du zombie lui arrache le cœur, juste avant que le psychopathe lui décalotte la boîte crânienne pour déguster son cerveau avec un verre de cabernet-sauvignon.

REGARDE-MOI... REGARDE-MOI... REGARDE-MOI...

Dylan entendit ces deux mots se perdre en écho dans les collines, faiblissant à chaque répétition. Même si c'était son seul cri de colère qui se réverbérait, la voix qui lui revenait paraissait appartenir à un étranger, brusque et sèche, vibrant d'une colère dont Dylan se croyait incapable, mais aussi chevrotant de terreur – une terreur, en revanche, qui ne lui était que trop familière.

Un œil clos, l'autre ouvert, exorbité, le gamin articula :

— Shep a peur.

Ils se regardaient à présent, exactement comme le désirait Dylan, les yeux dans les yeux, une connexion directe, sans faux-fuyants. Il se sentit transpercé par ce regard épouvanté. Ses poumons furent soudain privés d'air, son cœur cessa de battre, comme si une épingle le maintenait cloué sur une planchette de dissection.

— Shep a p-p-peur.

Le gamin était terrifié, totalement terrifié ; jamais, après vingt ans pourtant de frayeurs en tout genre, il n'avait eu aussi peur. Il y a quelques minutes encore, ce tunnel improbable qui lui avait fait franchir d'un pas près de mille kilomètres l'inquiétait ; mais, cette fois, la peur était d'une tout autre nature : son frère, en un instant, s'était transformé en étranger, en un étranger hurlant et furieux, comme si ce soleil lui faisait le coup de la pleine lune et avait métamorphosé le doux Dylan en loup garou.

— Sh-shep a p-p-peur.

Horrifié par l'épouvante de Shep, Dylan retira son doigt de la paupière et laissa le gamin baisser la tête ; il recula d'un pas, tremblant de dégoût et de remords.

— Shep a peur, répéta le garçon, les deux yeux écarquillés.

— Je te demande pardon, Shep.

— Shep a peur.

— Je suis désolé, vraiment. Je ne voulais pas te faire peur, gamin. Je ne pensais pas ce que je disais, pas le moindre mot. Oublie tout ça.

Shep baissa ses yeux voilés d'effroi ; ses épaules s'affaissèrent, sa tête retomba sur sa poitrine, s'inclina sur le côté : son code gestuel pour dire au reste du monde « je suis inoffensif », une posture humble et timide pour traverser la vie inaperçu, être invisible et ne jamais attirer l'attention des gens méchants.

Le gamin n'avait pas oublié pour autant le coup de sang de Dylan. Il était toujours empli de peur, n'avait pas encore surmonté le choc émotionnel ; ce genre de chose ne se faisait pas en un clin d'œil ; peut-être ne pourrait-il d'ailleurs jamais s'en remettre. La seule défense de Shep en cas d'agression de toute espèce, c'était de rentrer dans sa coquille, comme une tortue, de protéger toutes les parties vulnérables de son être, se cacher derrière une carapace d'indifférence.

— Excuse-moi, petit frère. Je ne sais pas ce qui m'a pris. Non, ce n'est pas vrai. Je sais exactement quelle mouche m'a piqué. C'est le grand faucheur qui m'a soufflé dans le cou, le croque-mitaine qui m'a mordu les orteils. J'en ai des frissons partout. J'ai peur, Shep, j'ai tellement les foies que je n'ai plus les idées claires. Et je n'aime pas avoir peur, je déteste ça ! Je n'ai pas l'habitude... alors j'ai reporté ma colère sur toi, et ce n'est pas bien.

Shepherd piaffait sur place, passant son poids d'une jambe à l'autre, lentement, un mouvement monotone de balancier. L'expression de son regard, rivé sur ses tennis, était facile à décrypter – il y avait encore de l'inquiétude, mais plus de terreur. Il semblait presque surpris d'apprendre que quelque chose pouvait effrayer son grand frère.

Dylan regarda le portail magique derrière l'épaule de Shep, vers la salle de bains qui, à son grand étonnement, lui parut un paradis perdu. Et son cœur s'emplit de nostalgie.

Une main en visière devant ses yeux, scrutant le boyau rouge, Jilly était pâle d'angoisse. Pourvu qu'elle ne pénètre pas dans le tunnel. Son arrivée sur ces collines compliquerait encore la situation.

Il continua à se confondre en excuses auprès de Shepherd, jusqu'à s'apercevoir que trop de *mea culpa* pouvait être aussi néfaste qu'une indifférence d'airain. C'était se laver la conscience à bon compte, en inquiétant encore Shep, à force de tapoter à la porte de sa forteresse. Shep, s'agitait de plus en plus, piaffait sur place nerveusement.

— Bref, le plus ridicule, conclut Dylan, c'est que je t'ai crié dessus parce que je voulais que tu me dises comment tu es arrivé ici... mais je savais déjà, d'une façon diffuse, que tu avais dû faire ça tout seul, une sorte de talent insoupçonné chez toi. Comment tu as réussi ce prodige dépasse mon entendement. Même toi, tu ne dois pas plus comprendre le fonctionnement de ce truc qui tourne que moi je ne saisis comment fonctionnent ces traces psychiques, comment elles passent d'une poignée de porte à mon cerveau. Mais le reste, je le savais déjà avant de te poser la question.

Dylan fit un effort de volonté pour se taire. La meilleure façon d'apaiser Shepherd, c'était de cesser de lui casser les oreilles, d'arrêter de lui envoyer des stimuli, du sens, des sous-entendus... il fallait le laisser tranquille.

Sous les risées de brise marine, les herbes ondulaient en vagues amollies, telles des algues sur le fond de l'océan. Des moucherons, aussi minuscules que des grains de poussière, tournoyaient lentement dans l'air.

Plus haut dans le ciel, un faucon glissait sur les courants thermiques, à la recherche du mulot égaré cent mètres plus bas.

Au loin, la rumeur de l'autoroute était à peine perceptible derrière le chuintement de la brise. Un bruit de moteur se fit entendre, de plus en plus proche ; Dylan quitta le rapace des yeux et reporta son attention sur la maison. Une moto remontait l'allée gravillonnée.

La Harley Davidson appartenait à Vonetta Beesley, la femme de ménage qui venait s'occuper de la maison une fois par semaine, qu'il y ait quelqu'un dans les murs ou non. Pendant les mois d'hiver, elle arrivait à bord d'un pick-up surélevé sur des roues de cinquante-quatre pouces et peint comme un dragon rouge.

Vonetta était âgée d'une quarantaine d'années ; une femme au caractère bien trempé qui appréciait les distractions d'hommes. Femme de ménage irréprochable et cuisinière hors pair, elle avait la force et les tripes pour être garde du corps – d'ailleurs elle aurait été ravie de cette reconversion.

La colline où se trouvaient Shep et Dylan était trop éloignée pour que Vonetta puisse reconnaître leurs visages. Mais si elle apercevait leurs silhouettes, elle risquait de trouver leur présence suspecte et décider d'aller jeter un coup d'œil d'un coup de Harley à travers champs. Elle ne se soucierait pas du danger ; son sens du devoir et son goût de l'aventure guideraient ses pas.

Peut-être Dylan pourrait-il inventer une histoire justifiant sa présence ici, avec son frère, alors qu'ils étaient censés sillonner le Nouveau-Mexique, mais il n'avait ni le

goût du mensonge, ni le temps de trouver une explication
à ce gros œil en suspension derrière lui, qui s'ouvrait sur
une salle de bains d'un motel en Arizona et sur Jilly, clignant les yeux et livide, telle une Alice penchée sur son
miroir, cherchant à apercevoir le Pays des Merveilles de
l'autre côté de la glace.

Il se tourna vers son petit frère, s'apprêtant à le plonger de nouveau dans l'angoisse en lui disant qu'il était
temps de rentrer à Holbrook, en Arizona.

Mais avant que Dylan ait articulé un mot, Shepherd
prononça :

— Ici, là...

La scène dans les toilettes du restaurant remonta à sa
mémoire, la veille au soir. *Ici* faisait référence à la cabine
numéro Un. *Là*, à la cabine numéro Quatre. La petite virée
de Shep avait été modeste, d'une cabine de toilettes à une
autre.

Dylan ne se souvenait pas d'avoir remarqué de
lumière rouge. Peut-être Shep avait-il refermé le passage
sitôt après l'avoir emprunté ?

— Ici, là..., répéta Shep

La tête toujours baissée, Shep releva les yeux sous ses
sourcils, non pas vers Dylan, mais vers la maison au bas
de la colline, vers la prairie au-delà, vers Vonetta sur sa
Harley Davidson.

— Qu'essaies-tu de me dire, Shep ?

— Ici, là...

— Là ? Où ça, *là* ?

— Ici, dit Shep en foulant les herbes de son pied
droit.

— Et *ici*, où est-ce ?

— Là, répondit Shep, en tournant la tête sur sa droite,
vers Jilly et le portail.

— Peut-on retourner de l'endroit d'où nous venons ?
le pressa Dylan.

Sur sa moto, Vonetta Beesley gravissait l'allée qui
menait au garage.

— Ici, là, prononça Shep.

— Comment peut-on retourner au motel sans danger ? demanda Dylan. En repassant par le tunnel, tout simplement ?

Dylan ne voulait pas franchir le portail en premier. Même si ça fonctionnait et qu'il se retrouvât sain et sauf dans la salle de bains du motel, Shep pouvait très bien refuser de le suivre.

— Ici, là. Ici. Là, répéta Shep.

D'un autre côté, si Shep faisait en premier le voyage retour, la porte pouvait se refermer immédiatement derrière lui, et Dylan se retrouverait coincé en Californie, jusqu'à ce qu'il trouve le moyen de revenir à Holbrook, par des modes de locomotion conventionnels. Et, pendant ce temps-là, Jilly devrait se débrouiller toute seule avec Shep.

Puisque tous les événements bizarres qui leur arrivaient étaient causés par le *machin* de Frankenstein, Shepherd avait dû avoir droit, lui aussi, à sa piqûre, et développer une sorte de talent pour ouvrir des portes. Ou d'en créer de toutes pièces, ce qui était plus probable encore. Par conséquent, le portail obéissait aux règles de Shep, des lois par définition inconnues et imprévisibles. Voyager par ces tunnels, c'était jouer au poker avec le diable ayant dans ses manches trois quintes flush.

Vonetta se gara à côté du garage. Le ronronnement caractéristique du bi-cylindre s'arrêta.

Dylan hésitait à prendre la main de Shep pour l'entraîner dans l'ouverture. S'ils étaient arrivés en Californie par téléportation – c'était d'ailleurs la seule explication *cartésienne* – et qu'ils franchissent à deux le seuil pour le trajet retour, l'appareil risquait de s'emmêler les crayons, et de ne pas rendre à l'un ou à l'autre l'intégralité de ses molécules... Dylan songeait à ce vieux film *La Mouche noire* où le savant avait effectué une petite téléportation d'un bout à l'autre de son laboratoire, à l'instar de Shep avec ses cabines de toilette. N'ayant pas remarqué la présence d'une petite mouche dans son sas de départ, le voyage s'était soldé par un désastre comme seuls les politiciens savent en générer. Dylan ne voulait pas revenir au motel avec le nez de Shep collé au milieu du front, ou avec son pouce saillant d'une de ses orbites.

— Ici, là. Là, ici, scandait Shep.

Derrière la maison, Vonetta posa la Harley sur sa béquille et mit pied à terre.

— Pas là, pas là. *Icilà*, articula Shep, fusionnant les deux mots en un seul. *Icilà*.

Ils avaient un échange, une réelle conversation et Dylan n'avait pas la moindre idée de ce que Shep essayait de lui dire... cependant, pour une fois, il était certain que Shep l'écoutait vraiment et qu'il fournissait des réponses directes aux questions qu'il lui posait. C'était déjà miraculeux.

Fort de cette constatation, Dylan alla tout droit au but :

— Shep, tu te souviens du film *La Mouche noire* ?

Le gamin, la tête toujours baissée, acquiesça.

— *La Mouche noire*. Sorti en salles en 1958. Durée, quatre-vingt-quatorze minutes.

— Peu importe. C'est du sujet dont je te parle. Te souviens-tu de ce qui arrive au savant dans ce film ?

Loin en contrebas, Vonetta retirait son casque.

— La distribution était David Hedison dans le rôle du savant. Patricia Owens, Vincent Price...

— Shep, ne commence pas, je t'en prie.

— ... et Herbert Marshall. Réalisation Kurt Neuman qui avait aussi réalisé *Tarzan et la femme léopard*...

Voilà que le gamin se lançait dans son grand *quizz*... Si vous vouliez participer au jeu, apporter votre pierre à l'édifice dans l'espoir de ramener la conversation vers son sujet original, il fallait vous armer de patience, car il pouvait se passer une bonne demi-heure avant que ne vienne votre tour de parler. Shep avait, en effet, mémorisé des quantités d'informations sur toutes sortes de sujets, et parfois, il lui prenait l'envie de vous les réciter *in extenso*.

— ... *Le Fils d'Ali Baba, Le Kid du Texas*...

Vonetta accrocha son casque au guidon de la moto, leva les yeux vers le faucon qui décrivait des cercles dans le ciel et aperçut Shep et Dylan sur la colline.

— ... *L'Attaque du Fort Douglas*, *Vingt-quatre heures chez les martiens*, entre autres.

— Shep, écoute-moi. Revenons à l'intrigue. Au savant. Tu te souviens qu'il avait construit une cabine de téléportation et...

— Il y a eu un remake en 1986. *La Mouche*.

— ... et qu'une mouche s'était glissée dans la cabine, en même temps que le savant...

— la durée de ce remake est..

— ... mais le savant ignorait...

— de cent minutes.

— ...qu'elle était à l'intérieur du sas, avec lui.

— Réalisée par David Cronenberg, poursuivit Shepherd. Avec Jeff Goldblum...

À côté de sa grosse Harley, Vonetta agitait les bras pour leur faire signe.

— ... Geena Davis, John Getz.

Que faire ? se demandait Dylan. Répondre ou ignorer les signes de Vonetta ? À cette distance, elle ne pouvait les avoir reconnus, pas encore...

— David Cronenberg a réalisé d'autres films, tels que *Dead Zone*, qui est un bon film. Il fait peur, mais c'est un bon film. Shep aime bien *Dead Zone*.

Vonetta risquait d'apercevoir la silhouette de Jilly derrière eux, mais elle était trop loin pour prendre conscience de la bizarrerie de la situation.

— ... *Chromosome 3* et *Frisson*. Shep n'aime pas ces deux-là, parce qu'ils sont trop sanglants. Il y a plein de trucs dégoulinants. Shep ne veut plus jamais voir ces choses. Plus jamais. Plus ces choses.

S'il répondait au salut de Vonetta, cela risquait de l'inciter à venir leur rendre une petite visite, aussi Dylan décida d'ignorer sa présence.

— Personne ne va te forcer à regarder un film de Cronenberg, lui promit Dylan. Je veux juste que tu te souviennes de la façon dont le savant et la mouche se sont mêlés.

— Par téléportation.

Apparemment suspicieuse, Vonetta renfila son casque.

— Oui, par téléportation, confirma Dylan. C'est exactement ça. La mouche et le savant ont fusionné, ont mélangé leurs cellules.

Sans quitter le sol des yeux, Shepherd répondit :

— Le remake de 1986 était trop gore.

— C'est vrai.

— Trop de scènes d'hémoglobine. Trop de dégoulinades répugnantes. Shep n'aime pas le gore.

La femme de ménage remonta en selle.

— La première version était plus poétique, reconnut Dylan. Mais l'important, c'est que...

— Neuf minutes sous la douche, c'est exactement ce qu'il faut, déclara Shepherd à brûle-pourpoint, coupant Dylan dans son élan.

— Oui. Sans doute. Neuf minutes. C'est bien. Mais je...

— Neuf minutes. Une minute par bras, une minute par jambe. Une minute...

Vonetta voulut faire démarrer le moteur. Mais la Harley hoqueta et cala.

— ... pour la tête, continuait Shep. Deux minutes encore pour laver tout le reste. Et deux minutes pour se rincer.

— Si nous retournons ensemble dans le motel, main dans la main, en même temps, allons-nous fusionner comme le savant et la mouche ?

La voix de Shep vibra d'indignation.

— Shep ne mange pas de la crotte !

Dylan écarquilla les yeux.

— Quoi ?

À la deuxième tentative, la moto obtempéra.

— Tu as dit que Shep mangeait des cochonneries. Shep mange de la nourriture comme toi.

— Bien sûr, petit frère. J'étais juste en...

— Les cochonneries, c'est sale, lui rappela Shep. C'est comme de la crotte.

— Je suis désolé. Je ne pensais pas ce que je disais.

Juchée sur sa Harley, les deux pieds posés au sol, Vonetta tourna la poignée des gaz et le rugissement du moteur se réverbéra dans les collines.

— Crotte ou caca, fiente...

Dylan en eut les larmes aux yeux de frustration. Mais il ravala sa colère et garda son calme.

— Shep, écoute-moi. Fais un effort, gamin. Écoute-moi.

— ... excrément, bouse, déjection et autres substantifs, précédemment cités.

— Tout juste, répondit Dylan avec soulagement. *Précédemment cités*. Tu as déjà énuméré la liste complète. Je me souviens de tous les synonymes. Alors, réponds-moi. Que va-t-il se passer pour nous ? On va faire comme le savant et la mouche ?

Le menton dans la poitrine, Shep répliqua :

— Tu me hais ?

La question prit Dylan de court. Pas uniquement la question en soi, mais sa formulation. Shep avait employé le « je » pour parler de lui et non la troisième personne du singulier. Il n'avait pas demandé : « Tu hais Shep ? » mais « tu *me* hais ? » Il devait être très blessé.

En contrebas, Vonetta traversait le jardin derrière la maison pour s'engager sur la prairie.

Dylan s'agenouilla devant Shep.

— Je ne te hais pas, petit frère. Même si je le voulais, cela me serait impossible. Je t'aime, et j'ai peur pour toi et quand j'ai peur, je suis d'une humeur de dogue.

Shep ne regarda pas Dylan ; toutefois, il ne ferma pas les yeux.

— J'ai été méchant, poursuivit Dylan. Et tu ne peux comprendre ça, parce que, toi, tu n'es jamais méchant. C'est un comportement qui t'est totalement étranger. Mais je ne suis pas aussi gentil que toi, gamin. Je n'ai pas une âme aussi pure.

Shepherd fronça les yeux, comme s'il venait d'apercevoir une créature inconnue rampant dans l'herbe à ses pieds, mais ce devait être la simple manifestation de son étonnement, à l'idée que, malgré ses failles et limites mentales, il pouvait être, d'une certaine manière, supérieur à son frère.

En contrebas, Vonetta traversait la prairie. Les grandes herbes dorées s'écartaient devant la moto, comme de l'eau devant l'étrave d'un bateau.

Dylan reporta son attention sur Shepherd.

— Il faut que nous partions d'ici, et tout de suite. Nous devons retourner à l'hôtel, retrouver Jilly, mais pas si nous risquons de fusionner comme le savant et sa mouche.

— Trop gore, lâcha Shep.

— Exactement. Il ne faut pas que ce soit gore.

— Le gore, c'est pas bien.

— Non, c'est pas bien.

Les sourcils froncés, Shep déclara :

— Pas comme dans un film de Cronenberg.

— Non, répondit Dylan, touché de voir Shep participer ainsi à la conversation. Mais que veux-tu dire exactement, Shep ? Pouvons-nous, oui ou non, retourner à l'hôtel ensemble ?

— Icilà, répliqua Shep, en utilisant sa nouvelle compression sémantique.

Vonetta Beesley avait déjà parcouru la moitié de la prairie.

— Icilà, répéta Shep. Ici c'est là, là c'est ici, et partout c'est le même endroit, si tu sais comment replier l'espace.

— Replier quoi ?

— Plier ici sur là, un endroit sur un autre, icilà.

— Il ne s'agit pas de téléportation ?

— Ce n'est pas un film de David Cronenberg, rétorqua Shep.

Pour Dylan, c'était la confirmation qu'il attendait ; le principe de la téléportation n'était pas à l'œuvre, et donc aucun regrettable effet secondaire dû au réagencement moléculaire n'était à craindre...

Dylan se releva et posa les mains sur les épaules de

son petit frère, avec l'intention de l'entraîner avec lui dans l'ouverture.

Mais avant qu'il ait le temps d'esquisser le moindre mouvement, le portail magique vint à eux. L'image de Jilly dans la salle de bains se replia, les enveloppa, comme s'ils faisaient partie d'un origami géant en train de prendre forme. Un pli à droite, un pli à gauche, un pli au-dessus, au-dessous, et ils avaient quitté la Californie.

25.

Déjà folle d'inquiétude, Jilly manqua de perdre définitivement la raison lorsqu'elle vit le tunnel devant elle se
fracturer en mille morceaux, et s'effondrer sur lui-même.
Et, dans le même temps, elle avait la sensation que le
boyau fondait sur elle, s'ouvrait comme une corolle, prête
à l'envelopper tout entière. Sous le choc, elle recula d'un
pas.

À la place du tunnel, dansaient des motifs géométriques dans un camaïeu de rouges. Cela ressemblait à un
kaléidoscope, sauf que les éléments fractals étaient en
trois dimensions, et en constante évolution. Elle avait peur
de tomber dans ce puits de lumière – pas nécessairement
vers le bas, mais aussi vers le haut ou tangentiellement, à
la manière d'un astronaute en apesanteur, aspiré dans le
champ d'un vortex de couleur, condamné à tournoyer
dans le bras spiral d'une galaxie jusqu'à la fin des temps.

La structure qui s'ouvrait dans le mur défiait son sens
de la vision, ou du moins ses capacités mentales pour
interpréter les informations que ses yeux envoyaient à son
cerveau. La chose, contre toute attente, paraissait plus
réelle, plus tangible, que la quasi-totalité des objets présents dans la salle de bains – et en même temps si étrangère que son regard ricochait d'un détail à l'autre sans
pouvoir embrasser l'ensemble dans toute sa complexité. À
plusieurs reprises, elle perçut une profondeur *au-delà* des

trois dimensions, mais ne pouvait y focaliser son regard, maintenir l'image devant ses yeux, alors qu'une voix intérieure, blanche de terreur, dénombrait cinq dimensions, puis six, puis sept. Passé sept, Jilly refusa d'en entendre davantage.

Presque simultanément, de nouvelles couleurs s'immiscèrent dans le dégradé de rouges : le bleu d'un ciel d'été, l'or de certaines plages ou du blé mûr. Sur les milliers de carreaux que comptait cette mosaïque en constante métamorphose, le pourcentage de rouge déclina au profit du bleu et du jaune. Elle crut reconnaître des fragments de corps humains disséminés de façon aléatoire dans les motifs kaléidoscopiques – c'étaient des morceaux d'humains, elle en était sûre ! – ici, un œil fixe, là un doigt, là une oreille, comme les éléments d'un vitrail emportés dans le cœur d'un cyclone. Elle aperçut même une portion du visage grimaçant de Vile Coyote, un pan de chemise hawaiienne ici, un autre là-bas.

Cinq ou six secondes s'étaient écoulées depuis que le tunnel s'était replié sur lui-même, lorsque Dylan et Shepherd se recomposèrent devant Jilly, entiers et saufs. Derrière eux, le tunnel rouge avait disparu. Il ne restait qu'un pan de mur parfaitement anodin.

Dylan poussa un soupir de soulagement et marmonna quelque chose du genre : « Parfait. Pas de gore au rendez-vous. »

— Shep est sale, annonça le gamin.

— Ne me refaites plus jamais un coup pareil ! lança Jilly en donnant un coup de poing dans la poitrine de Dylan.

Elle n'avait pas retenu son poing. L'impact produisit un *tchac* des plus satisfaisants. Mais Dylan était trop grand pour être déséquilibré par ce coup.

— Hé ! protesta-t-il.

Tête baissée, Shep annonça :

— C'est l'heure de la douche.

— Ne me refaites plus jamais ça ! répéta Jilly en frappant de nouveau Dylan.

— Qu'est-ce qui vous prend ?

— Vous m'aviez promis de ne pas entrer là-dedans, lui rappela-t-elle avec colère, en le cognant encore plus fort.

— Aïe ! Hé ! Je ne l'ai pas fait exprès.

— Vous y êtes allé ! rétorqua-t-elle en levant de nouveau son bras.

D'une main, il attrapa le poing de Jilly, mettant un terme à la volée de coups.

— J'y suis allé, d'accord, mais je ne voulais... J'y suis entré malgré moi.

Shep se montrait patient mais déterminé :

— Shep est sale. C'est l'heure de la douche.

— Vous m'aviez promis de ne pas y aller, insista Jilly. Mais vous l'avez fait quand même, et vous m'avez laissée ici, toute seule.

Jilly s'aperçut que Dylan lui maintenait les deux bras.

— Je suis revenu ; nous sommes, tous les deux, revenus. Tout va bien.

— Comment pouvais-je savoir que vous alliez revenir ? Je vous voyais déjà mort !

— Pour rien au monde, je n'aurais voulu rater de si douces retrouvailles !

— Je n'ai pas le cœur à rire, répliqua-t-elle en tentant de dégager ses poignets. Lâchez-moi, espèce de salaud !

— Vous allez encore me frapper ?

— En tout cas, si vous ne me lâchez pas sur-le-champ, je vous réduis en charpie, ça je vous le promets.

— C'est l'heure de la douche.

Dylan la libéra, mais il garda les mains levées, prêt à parer une nouvelle volée de coups.

— Dites donc, quand vous êtes en colère, vous n'y allez pas de main morte ! lâcha-t-il.

— C'est exact. Je suis très en colère. (Elle tremblait de tous ses membres.) Vous m'aviez promis de ne pas entrer là-dedans, et vous y êtes allés quand même, en vous fichant de m'abandonner derrière vous. (Elle s'aperçut qu'elle tremblait moins de fureur que de soulagement.) Où êtes-vous allés, d'abord ?

— En Californie, répondit-il.

— Comment ça *en Californie* ?

— La Californie. Disneyland. Hollywood. Le Golden Gate. La Californie, quoi !

— La Californie, confirma Shep. Quatre cent onze mille kilomètres carrés.

— Vous êtes allés en Californie en passant à travers ce mur ? demanda Jilly d'un ton incrédule.

— Ben oui. Pourquoi pas ? Où pensiez-vous que nous étions ? À Narnia ? Au pays d'Oz ? Sur la Terre du Milieu ? La Californie, de toute façon, est plus bizarre encore que ces contrées-là.

Shep, évidemment, était un puits de science concernant cet État.

— Population : trente-cinq millions quatre cent mille habitants, au dernier recensement.

— Mais nous ne sommes pas réellement passés à travers ce mur, précisa Dylan, ni à travers quoi que ce soit, d'ailleurs. Shep a replié le *ici* sur le *là*.

— Point culminant : le mont Whitney...

— Replié quoi sur quoi ? demanda Jilly.

— ... quatre mille trois cent quarante-huit mètres au-dessus du niveau de la mer.

Maintenant qu'elle retrouvait son calme et ses esprits, Jilly s'aperçut que Dylan paraissait curieusement hilare – encore un peu secoué, certes, avec sans doute des traces de peur, mais il avait le sourire aux lèvres ; on eût dit un enfant tout excité par sa découverte.

— Il a replié la réalité, l'espace et le temps, les deux à la fois peut-être, je ne sais pas, mais il a bel et bien mis le ici sur le là. Qu'as-tu replié au juste, Shep ? Quoi exactement ?

— Point le plus bas, poursuivait Shep : la vallée de la Mort...

— Il va rester bloqué sur la Californie un petit moment.

— ... quatre-vingt-quatre mètres sous le niveau de la mer.

— Qu'as-tu replié, petit frère ?

— Capitale : Sacramento.

— La nuit dernière, il a replié la cabine de toilettes numéro Un sur la numéro Quatre, reprit Dylan. Mais sur le coup, je ne m'en suis pas aperçu.

— La Un sur la Quatre ? répéta Jilly en fronçant les sourcils, tentant d'oublier la douleur qui irradiait sa main droite, celle avec laquelle elle avait frappé Dylan. Shep tient un discours plus cohérent que vous !

— Oiseau emblème : la colin de Californie.

— Dans les toilettes pour hommes. Il a replié une cabine sur l'autre. Il est entré dans la cabine Un et est ressorti par la cabine Quatre. Je ne vous en ai pas parlé, parce que sur le coup, je n'ai pas compris ce qui s'était passé.

— Fleur emblème : le pavot de Californie.

Jilly semblait perplexe.

— Vous dites qu'il s'est téléporté d'une cabine à une autre ?

— Non, il ne s'agit pas, à proprement parler, de téléportation. Vous voyez, je suis revenu avec ma tête sur les épaules, et lui avec la sienne.

— Arbre emblème : le séquoïa.

— Montre-lui ton minois, Shep.

Le garçon garda la tête baissée.

— Maxime nationale : *Eurêka*. Ce qui signifie : j'ai trouvé.

— Vous pouvez me croire sur parole. C'est bien son visage qu'il a sur les épaules. Shep a raison, nous ne sommes pas dans un film de David Cronenberg.

Elle médita ces dernières paroles, tandis que Dylan dodelinait de la tête avec un grand sourire.

— Je sais que je n'ai pas encore pris mon café, mais il me faut une bière !

Shepherd désapprouva :

— Produit psychotrope.

— C'est à moi qu'il parle ? s'enquit Jilly.

— Oui, répondit Dylan.

— Je veux dire, à moi vraiment ? En sachant que j'existe ?

— Oui. Il change en ce moment. (Dylan abaissa le couvercle des toilettes.) Tiens, Shep, assieds-toi.

— C'est l'heure de la douche, insista Shep.

— Oui, oui, tout à l'heure. Mais d'abord, tu t'assois là, répliqua Dylan en installant son frère sur la cuvette.

— Shep est sale. C'est l'heure de la douche.

Dylan s'agenouilla devant son frère et examina ses bras.

— Je ne vois rien.

— C'est l'heure de la douche. Neuf minutes.

Dylan retira les tennis du garçon.

— Quel animal cette fois ? Les paris sont ouverts, lança Dylan à la jeune femme.

Une bière, une bière, mon royaume pour une bière ! songea Jilly totalement perdue.

— Comment ça ?

La tête baissée, Shep regarda Dylan poser les tennis à côté de la cuvette.

— Neuf minutes. Une minute pour chaque bras.

— Alors ? Un petit lapin ou un petit chien ?

La jeune femme examina son pansement au coude. Il était détendu, mais cachait encore le point d'injection.

Dylan retira la chaussette du pied droit de Shep.

— Une minute, poursuivit le garçon. Pour chaque jambe.

Jilly s'approcha et regarda Dylan inspecter la cheville de Shep.

— Si Frankenstein l'a piqué, pourquoi ne l'a-t-il pas fait au bras ? s'enquit-elle.

— ... et une minute pour la tête...

— Shep faisait un puzzle, répondit Dylan.

— Et alors ?

— Et deux minutes pour laver le reste...

— Vous n'avez jamais vu Shep faire un puzzle ! Il est très rapide. Ses mains ne restent pas une seconde en place. Et rien ne saurait détourner son attention.

— ... et deux minutes encore pour se rincer, termina Shep, avant d'ajouter : un chat.

— Il est tellement à son affaire, continua Dylan, que vous ne pourrez jamais le convaincre d'abandonner son jeu. Aucune force au monde, aucun cataclysme ne saurait l'arrêter... Inutile d'espérer lui faire garder le bras immobile ! En revanche, vous pourrez lui faire tout ce que vous voudrez aux pieds si vous lui laissez les mains libres pour qu'il puisse terminer son puzzle.

— Peut-être l'a-t-il endormi avec du chloroforme, comme moi ?

Pas de trace de piqûre sur la cheville droite.

— Non. Quand je suis sorti pour aller chercher à manger, il avait déjà commencé son puzzle, et quand je me suis réveillé scotché à la chaise, Shep le poursuivait toujours.

Sans raison apparente, Shep lança une nouvelle fois :

— Un chat.

— S'il avait été chloroformé, il n'aurait pas recouvré ses esprits aussi vite, reconnut Jilly, se souvenant de sa propre confusion d'esprit à son réveil.

— Un chat.

— En outre, se retrouver avec un tampon de chloroforme sur le nez aurait été, pour Shep, un événement encore plus traumatisant que pour vous. Beaucoup plus, même. C'est un être fragile. À son réveil, il aurait été affolé comme une petite bête, ou se serait recroquevillé en position fœtale. En tout cas, il ne se serait pas remis à son jeu comme si rien ne s'était passé...

Dylan retira la chaussette du pied gauche.

Le pansement de Shepherd arborait une tête de gros matou.

— Un chat, dit le gamin. Shep parie pour un chat.

Avec précaution, Dylan retira l'adhésif et le montra au garçon.

— Shep a gagné ! fanfaronna-t-il.

Plus de douze heures après l'injection, la zone restait enflammée et légèrement enflée.

À la vue de la blessure, un curieux frisson traversa Jilly.

Elle retira son pansement à l'effigie de lapin. Le point de piqûre était tout aussi cramoisi.

Le petit chien de Dylan dissimulait une blessure tout aussi infectée.

— Frankenstein m'a dit que son machin produisait des effets différents suivant les sujets.

Se tournant vers le pan de mur où se trouvait le tunnel, Jilly bredouilla :

— Dans le cas de Shepherd, c'est carrément autre chose.

— « L'effet est toujours intéressant », déclara Dylan, citant Frankenstein pour la seconde fois. « Souvent étonnant, parfois positif. »

Jilly vit l'émerveillement dans les yeux de Dylan, la lueur du fol espoir.

— Vous pensez que pour Shep c'est « positif » ?

— Je ne connais pas grand-chose au pliage de l'espace-temps... je ne sais si c'est un bien ou une malédiction. L'avenir nous le dira. Mais Shep parle davantage. Et s'adresse à moi de façon plus directe. Et c'est depuis qu'il a ce machin dans les veines que sont apparus tous ces changements en lui.

Jilly savait ce que Dylan avait en tête, et qu'il n'osait formuler, de peur de rompre le charme : grâce à cette piqûre, à ce *machin* psychotrope, Shep allait peut-être sortir de son autisme.

D'accord, à bien des égards, elle méritait de s'appeler Jackson la Négative... Peut-être dans ses moments les plus sombres était-elle effectivement une grande tornade de pessimisme – même si ce n'était pas tant les vicissitudes de sa propre vie qui oblitéraient sa foi en l'avenir que la lassitude de voir l'humanité, avec un tel acharnement, courir à sa perte. Mais elle n'était pas négative, ni même d'un pessimisme exagéré, quand elle songeait aux effets de ce machin sur Shep... elle y voyait, *raisonnablement*, plus de sujets d'inquiétude que de liesse, moins de motifs de joie que d'horreur.

Fixant des yeux le point rouge de la piqûre, Shep articula.

— *Au clair de lune.*

Sur le visage du garçon, d'ordinaire placide, Jilly ne vit ni la vacuité de l'autisme, ni l'innocence, ni les tourments de la peur, qui jusqu'à présent constituaient sa palette d'expressions faciales... une pointe d'amertume teintait sa voix, et ses traits se durcirent, formant un masque curieusement acide et caustique. De la colère peut-être, mais une colère sourde, dur, ancienne.

— Il a déjà dit ça, annonça Dylan, hier, au moment où je le faisais sortir de la chambre de motel, juste avant de vous rencontrer.

— *Vous accomplissez votre œuvre.*

— Ça aussi, il l'a déjà dit, précisa Dylan.

Les épaules de Shepherd restèrent avachies, les mains posées sur ses cuisses, les paumes en l'air, comme s'il méditait, mais son visage crispé laissait entrevoir la tempête qui rugissait sous son crâne.

— De quoi parle-t-il ? demanda Jilly.

— Je l'ignore.

— Shep ? De quoi parles-tu, chéri ?

— *Vous accomplissez votre œuvre au clair de lune.*

— Quelle œuvre, Shep ?

Une minute plus tôt, Shep était en connexion avec eux et avec l'instant présent, mais désormais il était parti très loin, comme s'il avait de nouveau franchi le mur de la salle de bains pour rejoindre la Californie.

Elle s'agenouilla à côté de Dylan et prit doucement la main molle de Shep dans les siennes. Il n'eut aucune réaction à ce contact. Ses doigts restèrent aussi inertes que ceux d'un cadavre.

Ses yeux verts s'agitaient, toutefois, tandis qu'il gardait la tête baissée. Ce n'était pas le sol ni ses pieds qu'il regardait, mais quelque chose ou quelqu'un, par-delà le mur de ses souvenirs et cette vision le mettait dans tous ses états.

— *Vous accomplissez votre œuvre au clair de lune*, murmura-t-il une fois encore.

Cette fois son expression de colère fut soulignée par une ostensible vibration de rage dans sa voix.

Jilly n'eut pas de vision presciente, pas d'images prémonitoires de quelque horreur à venir... juste l'intuition d'une simple mortelle, la mettant en garde, lui disant de rester aux aguets et de s'attendre au pire.

26.

Sitôt que Shepherd fut revenu de son pays imaginaire, il se souvint qu'il avait besoin d'une douche.

Jilly avait disparu dans la chambre, mais Dylan était resté dans la salle de bains avec son frère. Il ne voulait pas, pour l'instant, le laisser seul – pas depuis sa récente découverte du *icilà*.

Tandis que Shep retirait son T-shirt, Dylan déclara :

— Je veux que tu me promettes quelque chose, petit frère.

Sans répondre, Shep se débarrassa de son jean d'un coup de jambe.

— Jure-moi que tu ne vas pas replier un ici sur un là, que tu ne vas aller nulle part, du moins sans me demander la permission.

Shep ôta son slip.

— Neuf minutes.

— Shep, promets-le-moi, s'il te plaît.

— Neuf minutes, répéta Shep en ouvrant le rideau de douche.

— Je suis sérieux, gamin. Plus de pliage de l'espace, tant que je n'en ai pas appris davantage sur ce qui nous arrive.

Shep ouvrit le robinet, avança une main précautionneuse sous le jet, régla les boutons et testa de nouveau la température.

Souvent les gens pensaient que Shepherd était très retardé et qu'il avait besoin d'une surveillance de tous les instants. C'était une erreur. Shep pouvait se laver tout seul, s'habiller, et accomplissait, sans faillir, nombre de tâches quotidiennes, à l'exception de la cuisine. Pas question de lui demander de préparer une tarte brûlée, ou de mettre du pain à griller. Ni, bien sûr, de lui confier les clés de votre Porsche. Mais Shep était intelligent et, en bien des domaines, il surpassait Dylan.

Malheureusement, dans son cas, l'intelligence restait déconnectée des processus cognitifs élémentaires. Shep était né avec un câblage défectueux. À l'image d'un coupé Mercedes, équipé d'un moteur puissant, mais dépourvu de système de transmission. Vous pouviez faire rugir le moteur toute la journée, mais vous n'iriez jamais nulle part.

— Neuf minutes, répéta Shep.

Dylan lui tendit le minuteur – un simple minuteur de cuisine à ressort. Le cadran blanc arborait soixante graduations, un chiffre inscrit tous les cinq traits.

Shep approcha l'appareil de son visage et le scruta comme si c'était la première fois qu'il avait un minuteur dans les mains. Avec grand soin, il tourna le cadran sur le neuvième trait. Il prit son pain de Neutrogena, le seul savon qui avait droit de cité sous la douche, et monta dans le bac, en maintenant le cadran pour l'empêcher de commencer le compte à rebours.

Par crainte d'une crise de claustrophobie, Shep laissait d'ordinaire le rideau ouvert.

Une fois sous le jet, il posa le minuteur sur le rebord du bac, et lâcha le cadran. Un tic-tac audible se fit entendre malgré les bruits d'eau.

Le minuteur était toujours copieusement arrosé. En deux mois, la rouille avait raison du mécanisme. Dylan les achetait par dizaines.

Aussitôt, Shep se savonna le bras gauche, appliquant le Neutrogena directement à la main. Même s'il ne regardait pas le minuteur, le timing pour chaque partie de son corps serait exact. Deux ou trois secondes avant que ne retentisse la sonnerie, il clôturait ses ablutions en lançant un *ding !* sonore et satisfait.

Peut-être gardait-il une notion du temps en comptant mentalement les tic-tac du minuteur – à raison d'un par seconde ? Peut-être après toutes ces années de douche chronométrée, Shep avait-il développé une sorte d'horloge interne infaillible ?

Durant les dix dernières années, Dylan aussi avait entendu les cliquetis de son horloge interne, mais il avait refusé de penser au temps qui s'enfuyait. Peu lui importait de savoir où il serait dans neuf minutes, six mois ou un an. Il serait en train de peindre le monde, bien sûr, à voyager d'exposition en salon d'art, à faire la tournée des galeries de peinture du Grand Ouest. Et à veiller sur Shep.

Aujourd'hui son horloge ne tiquetait pas plus vite, mais avec plus de force, et Dylan ne pouvait s'empêcher de songer à la nature soudainement hyperfluide de son futur. Comment savoir où il se trouverait demain, et dans quel état le surprendrait le couchant ? Quant à faire des prévisions sur l'année, c'était définitivement hors de propos... Pour quelqu'un qui avait vécu une existence parfaitement routinière pendant une décennie, cette nouvelle situation avait de quoi lui donner des sueurs froides – et c'était le cas – mais, dans le même temps, tout cela restait excitant, presque enthousiasmant.

À son grand étonnement, cette grande inconnue exerçait sur lui un charme irrésistible. Depuis toujours, il s'était vu comme un homme qui ne reconnaissait que les vertus de la constance, un être fidèle aux traditions qui n'appréciait que l'immémorial et le pérenne, et qui, au grand jamais, ne se serait laissé séduire par les feux follets de la nouveauté, ces miroirs aux alouettes qui entraînaient la société vers l'éphémère et le superficiel.

Une bouffée de culpabilité lui empourpra les joues au souvenir de sa tirade au sommet de la colline, quand il avait reproché à Shep « ses répétitions idiotes », ses « manies imbéciles », comme si le pauvre garçon avait quelque libre arbitre en la matière.

Être transporté de joie à l'idée que son existence allait être bouleversée, sans savoir si ce serait en bien ou en mal, lui avait paru, au début, comme une folie douce. Mais à présent qu'il prenait conscience que ce changement pouvait mettre le fragile Shep en péril, cette excitation n'était plus de la folie douce, mais de l'égoïsme pur et simple.

Face à la glace du lavabo, Dylan répliqua en silence à son reflet que cette bienveillance devant la perspective d'une modification du cours de sa vie, quelle qu'elle soit, n'était que l'expression de son optimisme d'airain, ni plus ni moins. Mais qui espérait-il berner ? Même s'il avait psalmodié en boucle et à haute voix cette assertion, la méthode Coué n'aurait pas fonctionné. Ces paroles auraient toujours sonné faux. Inquiet par l'être qu'il était devenu, Dylan se détourna du miroir. La vérité était criante : il avait beau se mettre en garde contre les dangers à venir, se répéter que ce futur inconnu ne serait pas forcément rose, son excitation ne diminuait en rien.

* * *

Holbrook en Arizona n'était pas une ruche bourdonnante d'activité. Hormis durant la Fête du Far-West en juin, le Festival d'art indien en juillet et le rassemblement navajo en septembre, un tatou pouvait traverser la grand-rue, au rythme qui lui plaisait, sans risquer de se faire écraser.

Mais à sa grande surprise, Jilly découvrit que leur modeste motel deux étoiles offrait un port modem dans ses chambres, et ce, distinct de la ligne téléphonique. Ce genre d'équipement était digne de l'hôtel Peninsula de Beverly Hills !

Installée à l'étroit sur le petit bureau, Jilly ouvrit son ordinateur portable, le brancha et se connecta sur Internet. Elle avait commencé sa visite des sites scientifiques traitant des techniques d'optimisation des capacités cérébrales, lorsque Shep, dans la salle de bains, lança son *ding !* suivi, deux secondes plus tard, par la sonnerie du minuteur annonçant la fin des neuf minutes.

Elle écarta tous les sites qui abordaient le sujet par le biais des vitamines et autres régimes. Frankenstein n'avait pas le profil d'un aficionado de la macrobiotique ni de la médecine douce.

De même, elle écarta, d'emblée, les sites traitant du yoga et des diverses formes de méditation. Même le plus brillant des savants ne pourrait jamais extraire les principes actifs de la méditation, les diluer dans un liquide quelconque afin de pouvoir les injecter à ses patients à l'instar d'un vaccin contre la grippe.

Pimpant comme un sou neuf, les cheveux encore humides, vêtu d'un jean et d'un T-shirt Vile Coyote tout propres, Shepherd sortit de la salle de bains.

Dylan l'accompagna jusqu'au seuil de la porte et s'arrêta.

— Jilly ? demanda-t-il, vous voulez bien garder un œil sur Shep, le temps que je fasse ma toilette ? Histoire de s'assurer qu'il ne va aller... nulle part.

— Bien sûr.

Deux chaises se faisaient face à la petite table sous la fenêtre. Elle en prit une qu'elle installa à côté du bureau, enjoignant Shep de venir s'asseoir à côté d'elle.

Mais le garçon ignora l'invitation et alla se carrer dans un coin de la chambre, lui tournant le dos.

— Shep ? Tout va bien ?

Il ne répondit pas. Les lés de papier peint – beige, jaune, avec des bandes vert d'eau – se joignaient mal dans l'encoignure. Shep leva lentement la tête, étudiant la ligne discordante des motifs.

— Chéri, quelque chose ne va pas ?

Après avoir examiné à deux reprises le travail bâclé du tapissier, Shep regarda droit devant lui, à la convergence des murs. Il leva sa main droite, comme s'il s'apprêtait à prêter serment, bras plié, paume en avant, à hauteur du visage. Au bout de quelques secondes, il se mit à agiter la main, comme s'il se tenait devant une fenêtre et non devant un coin de mur, et qu'il saluât une vieille connaissance passant dans la rue.

Dylan sortit de nouveau de la salle de bains, cette fois pour prendre des affaires de rechange dans sa valise.

— À qui fait-il signe comme ça ? lui demanda Jilly.

— Ce n'est pas vraiment un signe, expliqua Dylan. C'est un mouvement spasmodique, l'équivalent d'un tic facial. Il peut faire ça pendant des heures.

Jilly s'aperçut que le poignet de Shep était devenu tout mou, et que sa main s'agitait mollement, pendant au bout de son bras à angle droit. Ce geste ne ressemblait en rien à un coucou ni à un adieu.

— Il pense avoir fait quelque chose de mal ? s'enquit-elle.

— Pourquoi ? Parce qu'il se tient dans le coin ? Non. Il est juste débordé par ce qui se passe. Trop d'informations en trop peu de temps. Il ne peut tout intégrer en même temps.

— Il n'est pas le seul ?

— En se mettant dans un coin, il limite ses zones de perception. Réduit son monde à ce petit espace. Cela l'aide à retrouver son calme. Il s'y sent plus en sécurité.

— J'aurais, moi aussi, bien besoin d'un petit coin, répliqua Jilly.

— Ne le perdez pas de vue. Il sait que je veux qu'il reste ici. C'est un bon petit. La plupart du temps, il fait ce qu'on lui demande. Mais j'ai peur que ce truc à plis ne revienne... peut-être ne peut-il pas plus le contrôler qu'il ne peut contrôler les mouvements de sa main.

Shep faisait des signes au mur, encore et encore.

La jeune femme pivota son ordinateur portable et se décala sur le bureau afin de pouvoir travailler tout en gardant Shep dans son champ de vision.

— Vous pouvez compter sur moi, déclara-t-elle.

— Oui, je le sais.

La douceur dans son ton étonna Jilly.

Son regard avait la même qualité que la veille, à Globe, après qu'ils avaient fait le plein, le même mélange d'émerveillement et de questionnement.

En voyant Dylan sourire, Jilly s'aperçut que c'était elle

qui avait souri la première, que le sourire de Dylan n'était qu'une réponse au sien.

— Vous pouvez compter sur moi, répéta Shep.

Ils regardèrent tous deux le gamin, toujours dans son coin, à faire signe au mur.

— Je sais que je peux compter sur toi, gamin, répondit Dylan. Tu ne m'as jamais laissé tomber. Tu restes ici, bien sagement, promis ? Juste ici, pas *là*. Pas de pliage d'espace.

Shep ne répliqua rien. Il n'avait plus rien à dire pour le moment.

— Je ferais bien d'aller me doucher, annonça Dylan.

— Neuf minutes, lui rappela Jilly.

Souriant encore, Dylan retourna dans la salle de bains avec ses affaires de rechange.

Tout en gardant Shepherd à la périphérie de son champ de vision, lui jetant, de temps en temps, de petits coups d'œil, Jilly voyagea sur le Web à la recherche de sites traitant de l'optimisation des fonctions du cerveau, de l'acuité mentale, de la mémoire... tout ce qui pouvait leur offrir une piste vers Frankenstein.

Le temps que Dylan ait fini ses ablutions et revienne dans la chambre, vêtu d'un pantalon de toile propre et d'une nouvelle chemise hawaiienne, Jilly avait trouvé quelques axes de recherche possibles ; une série d'articles, en particulier, concernant la possibilité d'augmenter la mémoire par l'implantation de micro-puces, avait éveillé son intérêt.

Dylan s'installa sur la chaise libre à côté d'elle.

— Ils disent qu'ils seront bientôt capables, expliqua-t-elle, d'installer des ports de données dans notre cerveau et qu'en cas de besoin il suffira de connecter des cartes mémoire pour augmenter notre connaissance.

— Des cartes mémoire...

— Par exemple, si vous voulez dessiner les plans de votre nouvelle maison, il vous suffira d'enficher une carte mémoire – qui n'est rien d'autre qu'une grosse puce bourrée de données – et dans l'instant l'architecture et le dessin industriel n'auront plus de secrets pour vous, et vous pourrez sortir des plans de construction qui tiendront la route. Vous saurez tout, depuis les canons esthétiques des anciens jusqu'au calcul de charge sur les piliers des fondations en passant par les techniques d'implantation des systèmes de chauffage et d'air conditionné.

Dylan paraissait sceptique.

— C'est ce qu'ils disent...

— Oui. Vous voulez connaître l'histoire française avant de visiter Paris ? Hop, glissez la carte je-sais-tout dans la fente et le tour est joué. À entendre ces gars-là, c'est quasiment fait.

— Qui sont ces gens ?

— Des pointures en informatique. Des développeurs de Silicon Valley.

— Ceux-là mêmes qui nous ont collé dix mille faillites avec les start-up ?

— La plupart des créateurs de start-up étaient de simples arnaqueurs, des mégalos ivres de puissance, ou des gamins de seize ans. Rien à voir avec des types de la recherche.

— Je ne suis toujours pas convaincu. Qu'est-ce que disent les neurochirurgiens là-dessus ?

— Bizarrement, nombre d'entre eux considèrent que c'est une possibilité à terme.

— À supposer qu'ils n'aient pas fumé trop d'herbe, qu'entendent-ils, au juste, par « à terme » ?

— Certains annoncent trente ans, d'autres cinquante.

— Je ne vois toujours pas le rapport avec nous. Personne ne m'a installé un port série dans le crâne. Je viens de me laver les cheveux, je l'aurais remarqué.

— Pour moi aussi, cela reste très flou, reconnut-elle. Mais même si ce n'est pas la bonne piste, quelque chose me dit que si je la suis assez longtemps, je finirai par croiser celle qui nous intéresse. Celle qui nous mènera au domaine de recherche de notre docteur Frankenstein.

Dylan acquiesça.

— Je ne sais pas pourquoi, mais j'ai le même sentiment que vous.

— Appelons cela une intuition.

— On y revient toujours.

Elle se leva de sa chaise.

— Vous voulez bien continuer à chercher pendant que je me lave ?

— Neuf minutes.

— Impossible. Mes cheveux récalcitrants demandent plus de soins que ça !

* * *

Après avoir plusieurs fois frôlé la brûlure du cuir chevelu Jilly sortit victorieuse de son duel avec le sèche-cheveux et put revenir dans la chambre, toute pimpante et brushée, au prix de quarante-cinq minutes d'efforts. Elle avait passé un polo de laine jaune à mailles ajourées, un jean blanc moulant qui prouvait que la malédiction familiale du *muchomega* ne l'avait pas encore touchée, et choisi une paire de tennis blanches à lacets jaunes pour apporter une touche finale à l'ensemble.

Elle se sentait jolie. Cela faisait plusieurs semaines qu'elle ne s'était pas souciée de son physique, voire des mois, et voilà qu'elle devenait coquette, alors qu'un cyclone menaçait de s'abattre sur eux, que sa vie était en miettes et que des épreuves pires encore l'attendaient ! Elle avait passé plusieurs minutes à s'examiner dans la glace de la salle de bains, à réaliser de savants arrangements pour se rendre plus belle encore. Elle n'en éprouvait aucune honte. D'accord, c'était futile, superficiel, mais tellement agréable.

Reclus dans son encoignure, Shepherd ne remarqua pas que Jilly était ressortie, de la salle de bains, rayonnante de beauté. Il avait arrêté ses signes. Son bras pendait contre son flanc. Il était penché en avant, tête baissée, le sommet de son crâne plaqué contre le mur, en contact avec le papier peint, comme si la jonction disgracieuse des lés était un talisman le protégeant du monde extérieur.

Jilly espérait davantage de réaction de la part de

Dylan ; mais, lorsque celui-ci releva le nez de l'ordinateur, il ne lui fit aucun compliment, pas même un sourire.

— J'ai trouvé ce salaud, déclara-t-il.

Jilly était tellement déçue et frustrée par cette indifférence qu'il lui fallut un moment pour assimiler le sens de ces paroles.

— Quel salaud ?

— Le dingue à l'aiguille, la face de rat hilare, le mangeur de cacahuètes, votre voleur de Cadillac. Notre salaud quoi !

Dylan pointa le doigt vers l'ordinateur. Jilly s'approcha et aperçut, sur l'écran, une photographie de leur Dr. Frankenstein, l'air respectable et bien moins fou qu'il ne le paraissait la veille, lors de leur rencontre.

27.

Lincoln Merriweather Proctor était, en l'occurrence, un nom trompeur à bien des égards. *Lincoln* évoquait le président Abraham, modèle de sagesse et d'intégrité, qui, malgré ses origines humbles, avait su s'élever, à la force du travail jusqu'aux plus hautes sphères de l'État. *Merriweather* ajoutait à l'ensemble une note de légèreté[1] laissant présager une âme débonnaire, joyeuse, goûtant les plaisirs terrestres. Quant à Proctor, il signifiait « censeur », un personnage qui supervisait les étudiants, qui jouait le rôle de mentor et maintenait l'ordre et la tradition.

Ce Lincoln Merriweather Proctor avait eu une enfance dorée, premiers pas à Yale, puis à Harvard. À en juger par un rapide survol de ses publications, Jilly s'aperçut que cette âme-là, loin d'être joyeuse et débonnaire, était hantée par des visions mégalomaniaques ; l'homme se piquait de vouloir surpasser la nature et ce projet n'était pas sans effets pervers ; l'œuvre de sa vie – son mystérieux *machin* – ne concourait pas à l'ordre ni au respect des traditions, mais à l'incertitude, la terreur, voire au chaos.

En véritable surdoué, Proctor avait décroché, à l'âge de vingt-six ans, deux doctorats, l'un en biologie moléculaire, l'autre en médecine. Courtisé par les universités comme par l'industrie, il jouissait d'une grande aura dans

---

1. *Merriweather*, littéralement « joyeux temps » *(N.d.T.)*.

l'une et l'autre de ces sphères, mais avant son trentième anniversaire, il avait créé sa propre société et prouvé que son plus grand génie résidait dans sa capacité de trouver des financements colossaux pour ses recherches, en laissant entendre que celles-ci déboucheraient sur des applications commerciales très lucratives.

Dans ses articles et ses conférences, toutefois, on percevait que Proctor ne cherchait pas seulement à établir un empire financier, mais rêvait de transformer toute la société, de changer la nature même de l'être humain. Grâce aux découvertes de la fin du xxe siècle et du début du xxI^e, il voyait enfin l'opportunité de parfaire l'humanité et de créer sur terre l'Utopie.

Ses motivations avouées – la compassion pour les pauvres et les déshérités, la préservation de l'écosystème, le désir d'instaurer l'égalité universelle et la justice – paraissaient admirables. Cependant, en lisant sa prose, Jilly entendit le claquement cadencé du pas de l'oie, le tintement des chaînes du goulag.

— De Lénine à Hitler, les utopistes sont tous les mêmes, admit Dylan. Tellement déterminés à parfaire la société quel qu'en soit le prix, qu'ils finissent par la détruire.

— On ne peut changer les gens. Chaque fois, je me suis cassé les dents.

— J'aime l'œuvre de la nature, C'est ce que je peins. Partout chez Dame Nature, on voit la perfection. L'efficacité optimale des abeilles dans la ruche. L'organisation parfaite d'une fourmilière ou d'une colonie termite. Mais ce qui rend l'humanité si belle, c'est notre liberté de penser, notre individualité, nos efforts acharnés pour progresser, malgré notre imperfection patente.

— C'est beau, et à la fois terrifiant.

— Une beauté tragique, certes, mais c'est ce qui nous différencie de la nature, ce qui nous rend uniques et précieux. Il n'y a pas de tragédie dans la nature, seulement un processus d'évolution – et donc pas de place pour le triomphe ni pour la contrition.

Il ne cessait de la surprendre, ce gros nounours avec son visage rond, avec sa grande chemise portée, à l'Hawaiienne, par-dessus le pantalon.

— En tout cas, ajouta-t-il, le domaine de recherche de Proctor n'est pas celui des cartes mémoire enfichables dans le cerveau. Mais vous aviez raison sur un point. Quand vous disiez que cette piste, même erronée, nous conduirait à croiser la bonne...

Il se pianota sur le clavier pour faire apparaître de nouvelles données à l'écran.

— Voici le train où est monté Proctor depuis un certain temps, déclara Dylan, en désignant le titre de l'en-tête.

Jilly lut le mot au-dessus de l'index de Dylan :

— La nanotechnologie.

Elle releva les yeux vers Shep, s'attendant presque à ce qu'il lui donne la définition de ce terme, mais le garçon resta abîmé dans son projet d'enchâssement crânien dans l'angle du mur.

— *Nano*, en unité de mesure, signifie « milliardième », expliqua Dylan ; une nano-seconde est un milliardième de seconde. En ce cas particulier, cela signifie quelque chose de très petit, d'infinitésimal. La nanotechnologie, la technologie de très petites machines, si minuscules qu'elles sont invisibles à l'œil nu.

Jilly médita ces paroles en silence. Le concept était difficile à appréhender.

— Trop petites pour être vues ? Des machines faites avec quoi ?

Dylan la considéra avec perplexité.

— Vous êtes certaine que cela ne vous évoque rien ?

— Ça devrait ?

— Peut-être, répondit-il d'un air mystérieux. Ces machines, reprit-il après un silence, sont constituées d'une petite poignée d'atomes.

— Assemblés par qui ? Par des farfadets ?

— On en a parlé aux infos, il y a une dizaine d'années. Ce logo d'IBM que des chercheurs ont réussi à écrire avec une cinquantaine d'atomes. Ils sont parvenus à les bloquer dans une certaine position pour qu'ils forment ces trois lettres.

— Oui, je m'en souviens. J'étais au lycée. Notre prof de physique nous a montré la photo.

— C'était un cliché fait au microscope électronique.

— Mais ce n'était qu'un petit logo, pas une machine, objecta-t-elle. Cela ne *faisait* rien.

— Certes, mais des armées de chercheurs dépensent des fortunes pour mettre au point des nano-machines qui fonctionnent, qui *font* quelque chose.

— Des petites machines de farfadets.

— Si vous voulez.

— Pour quel usage ?

— Lorsque la technologie sera au point, les applications seront innombrables, quasi infinies, en particulier dans le domaine médical.

Jilly tenta d'imaginer ces minuscules machines accomplissant de *minuscules* tâches. Elle poussa un soupir de dépit.

— À force d'écrire des gags et de faire le pitre sur scène, je suis totalement déconnectée des choses sérieuses. Quelles applications au juste ?

Il désigna l'écran.

— J'ai déniché une interview qu'a donnée Proctor, voilà quelques années. C'est de la vulgarisation, tout à fait compréhensible pour le profane. Même moi, j'ai tout saisi.

— Faites-moi donc un résumé.

— D'accord. D'abord, une ou deux applications possibles... Imaginez une machine plus petite qu'un globule sanguin, composée de quelques atomes, mais capable d'identifier des agrégats de graisse sur les parois des vaisseaux sanguins et de les retirer, mécaniquement, et ce, sans danger pour le patient. Ces nano-machines sont actives d'un point de vue biologique, mais composées d'atomes inertes pour l'organisme ; le corps donc ne lancera pas ses bataillons d'anticorps pour s'en débarrasser. Imaginez, à présent, une injection de centaines de milliers de ces nano-machines, peut-être de millions.

— Des millions ?

Dylan haussa les épaules.

— On peut en mettre des millions dans quelques centimètres cubes de sérum phy. Cela tiendrait dans une seringue bien plus petite que celle que Proctor a utilisée sur nous.

— Cela me fiche la chair de poule.

— Lorsque les premiers vaccins ont été mis au point, les gens de l'époque devaient aussi avoir la chair de poule à l'idée de recevoir tous ces germes *morts* pour exciter les défenses immunitaires de leur organisme.

— Cela ne me rassure pas pour autant.

— Bref, ces millions de nano-machines vont se mettre à circuler dans votre corps, à la recherche du moindre dépôt de graisse, et garder ainsi votre système sanguin propre comme un sou neuf.

Jilly était impressionnée.

— Si jamais ces machins sont en vente, les marchands de cheeseburgers vont pouvoir se frotter les mains ! Tout bien réfléchi, cela commence à me dire quelque chose...

— Le contraire m'eût étonné.

— Ah bon ? Pourquoi ?

Au lieu de répondre à sa question, Dylan poursuivit son exposé :

— Les nano-machines pourraient détecter des colonies de cellules cancéreuses et les éliminer, avant que la tumeur atteigne la taille d'une tête d'épingle.

— On a du mal à voir le côté sombre de cette révolution technologique, répliqua Jilly. Mais je suis sûre qu'il y en a un. D'abord pourquoi êtes-vous si mystérieux ? Pourquoi tout cela devrait-il éveiller quelque écho en moi ?

Dans son coin, Shep articula :

— Icilà.

— Oh non !

Dylan bondit de sa chaise avec tant d'empressement qu'il la renversa.

— Icilà.

Jilly, mieux placée, rejoignit le gamin la première. À son approche, elle ne vit rien d'extraordinaire, pas de tunnel rouge débouchant en Californie ou ailleurs sur la planète.

Shepherd n'avait plus la tête coincée dans l'encoignure du mur. Il avait reculé d'un pas et se tenait droit comme un « i », le regard rivé sur quelque chose de captivant en face de lui et que Jilly ne pouvait voir.

Il avait levé de nouveau la main droite, comme s'il prêtait serment. Lorsque Jilly arriva à son côté, Shep tendit le bras devant lui, à hauteur de son visage, et attrapa quelque chose entre son pouce et l'index, quelque chose d'invisible qui flottait dans l'air. Mais dès qu'il eut pris cette chose – cette pincée d'air – l'angle de la pièce commença à se replier.

— Non, souffla Jilly. (Même si elle savait que Shep détestait tout contact physique, elle se carra devant lui, et referma la main sur la sienne.) Ne fais pas ça, chéri.

Les bandes tricolores du papier peint se mirent à s'incurver en tous sens. L'angle de la pièce devint si confus que Jilly ne pouvait plus suivre l'arête du sol au plafond.

De l'autre côté de Shep, Dylan posa la main sur l'épaule de son frère.

— Reste, ici, gamin. Reste avec nous. Ici, avec nous, tu es en sécurité.

La distorsion cessa, mais l'angle du mur demeurait contourné en une géométrie cubiste.

Jilly avait l'impression d'observer cette petite portion de l'univers à travers un prisme octogonal. Son esprit se révoltait devant cette vision qui défiait la raison, plus violemment encore que devant l'apparition du tunnel rouge dans le mur de la salle de bains.

Sa main toujours sur celle du gamin, Jilly hésitait, de crainte qu'au moindre mouvement de sa part, le pliage ne se poursuive, et achève de juxtaposer le « ici » sur le « là » – et que serait le « là » cette fois ?

— Du calme, chéri, bredouilla-t-elle, d'une voix vibrante, aussi déformée que les murs devant elle. Ne fais pas ça. Remets tout en place comme c'était.

Entre son pouce et l'index, Shepherd tenait toujours le voile de la réalité.

Lentement, il tourna la tête vers Jilly. Leurs regards se rencontrèrent... cela ne s'était produit qu'une seule fois auparavant – quand il était assis à l'arrière de la Ford Expedition devant la maison d'Eucalyptus Avenue, juste après que Dylan était parti sans explication. Cela n'avait duré qu'un instant et Shep avait aussitôt détourné les yeux.

Mais cette fois, il soutint son regard. Ses iris verts paraissaient deux lacs émeraude, éclairés de l'intérieur.

— Vous sentez ça ? demanda-t-il.

— Sentir quoi ?

— La boule à facettes... comment ça tourne et ça se replie ?

Le garçon s'imaginait que, par simple transmission tactile entre leurs deux mains, Jilly pouvait percevoir ce qu'il tenait entre le pouce et l'index, mais les seules impressions qui lui parvenaient c'étaient la tiédeur de sa peau, les bosses des métacarpes et des jointures des doigts. Elle s'attendait à sentir des tremblements, une tension particulière de l'épiderme, traduisant les efforts que devait déployer Shep pour gauchir l'espace, mais non, il semblait parfaitement détendu, comme s'il pliait une simple serviette de toilette.

— Vous sentez la beauté de tout ça ? demanda-t-il encore, en s'adressant directement à elle, sans plus la moindre séquelle d'autisme.

Si belle que fût la nature cachée de la réalité, cette rencontre du troisième type avec l'étrangeté la ravissait moins que Shep. Cela lui glaçait plutôt le sang. Elle ne tenait pas à comprendre, juste à le persuader de refermer cette porte avant qu'il ne soit trop tard.

— Je t'en prie, remets tout en place, chéri. Je voudrais voir comment ça se déplie, comment tout ça peut revenir à la normale.

Le père de Jilly était mort un an plus tôt, abattu au cours d'une rixe entre trafiquants de drogue qui avait mal tourné... et pourtant, Jilly était persuadée que, si le gamin achevait son origami de l'espace-temps, qu'il surimposait le ici sur le là, elle allait se retrouver face à son père honni, et devoir affronter une fois encore son sourire démoniaque. Shep pouvait ouvrir les portes de l'enfer aussi facilement qu'il avait ouvert celle de la Californie, organiser une rencontre père-fille. *Je suis venu récupérer l'argent pour l'œil de ta Maman, poulette. Vous avez bien touché le fric de l'assurance ?* Comme si Shep, involontairement, pouvait donner l'occasion à son père, depuis l'Au-delà, de mettre à exécution sa menace – prendre l'autre œil de sa mère.

Shep détourna lentement la tête et reporta son attention sur son pouce et son index.

Il avait déplacé sa pincée d'air de la gauche vers la droite. À présent, il opérait le mouvement inverse.

Les lignes brisées des lés retrouvèrent leur alignement. L'arête de l'encoignure redevint verticale et longiligne, sans plus le moindre zigzag, ni discontinuité. Le prisme octogonal devant ses yeux s'évanouit ; tout avait repris sa place (comme auparavant).

En plissant les yeux, la jeune femme crut voir scintiller quelque chose entre le pouce et l'index de Shep, comme le miroitement ténu d'un film de cellophane.

Puis Shep écarta les doigts, lâchant cette trame inconcevable.

Les yeux verts du garçon se voilèrent. À la place de lacs émeraude limpides, une eau boueuse, à la place de l'émerveillement... la mélancolie.

— C'est bien, souffla Dylan avec soulagement. Merci, Shep. Tu as fait ce qu'il y avait de mieux à faire. Tu es un bon garçon.

Jilly lâcha la main de Shep. Son bras retomba inerte contre son flanc. Il baissa la tête, fixant le sol, ses épaules s'affaissèrent, comme si tout le poids de son autisme, un instant évaporé, l'écrasait de nouveau.

28.

Dylan alla chercher la dernière chaise libre qui se trouvait sous la fenêtre et les trois jeunes gens s'installèrent en demi-cercle autour du portable sur le bureau. Shepherd avait été placé au milieu, pour pouvoir être mieux surveillé.

Le garçon avait le menton dans sa poitrine, les mains posées sur ses cuisses, paumes en l'air. Il paraissait interroger les lignes de ses mains – la ligne du cœur, la ligne de vie, la ligne de tête – ainsi que le réseau de ridules entre le pouce et l'index, la zone appelée la tabatière anatomique.

La mère de Jilly lisait dans les lignes de la main – pas pour l'argent, mais pour l'espoir. Elle s'intéressait non seulement aux lignes classiques mais également à la tabatière anatomique, aux coussinets entre les doigts, à la jonction du poignet, au thénar et à l'hypothénar.

Jilly avait croisé les bras et enfoui ses mains sous ses aisselles. Elle n'aimait pas montrer ses paumes, de crainte qu'on ne puisse y lire son avenir.

Lire dans les mains, les feuilles de thé, interpréter les Tarots, établir des horoscopes – Jilly avait banni tout ça de sa vie. Pas question de laisser le destin diriger sa vie. Si le sort voulait à tout prix tenir les rênes de son avenir, il lui faudrait d'abord la plonger dans le coma, la rendre à l'état de légume.

— Des nano-machines, répéta Jilly, reprenant le fil de sa discussion avec Dylan. Des bidules qui récurent les parois internes des artères, traquent le moindre groupe de cellules cancéreuses en goguette.

Dylan observait Shepherd, l'air inquiet ; finalement, il releva les yeux vers Jilly.

— C'est en gros l'idée. Dans son interview, Proctor parle de nano-machines qui seraient également des nano-ordinateurs, pouvant être programmés pour pouvoir accomplir des tâches complexes.

Même si tous les trois étaient des exemples vivants prouvant que Lincoln Proctor n'était pas un illuminé, cette nouvelle merveille technologique paraissait à Jilly tout aussi improbable que la capacité de Shepherd de replier l'espace. Du moins, elle se refusait à y croire tout à fait, parce que les implications étaient cauchemardesques.

— C'est un doux rêve, non ? Combien d'informations peut-on stocker dans un ordinateur de la taille d'un grain de sable ?

— En fait, ils seraient pas plus gros qu'un grain de poussière, rectifia Dylan. Comme le dit Proctor – à juste titre d'ailleurs : la première puce en silicone avait la taille d'un ongle et contenait un million de circuits. Et le plus petit circuit était cent fois plus petit que la section d'un cheveu humain.

— Tout ce que je veux, moi, c'est faire rire les gens jusqu'à ce qu'ils en rendent leurs tripes, se lamenta-t-elle.

— Puis on a fait des progrès majeurs grâce à la... lithographie par rayon X, c'est comme ça que ça s'appelle.

— Pour moi, c'est de l'hébreu.

— Bref, ils sont parvenus, grâce à cette technique, à imprimer un milliard de circuits sur une puce, dont les éléments mesuraient le millième du diamètre d'un cheveu humain. Puis ils sont passés à deux milliards. Et tout cela date de plusieurs années.

— C'est ça... et pendant que ces petits génies faisaient leurs découvertes, moi je mémorisais cent dix-huit blagues sur les gros culs. On verra bien qui des deux fera le plus rire à une sauterie !

L'idée de nano-machines et de nano-ordinateurs circulant dans ses veines lui parut aussi terrifiante que la présence d'un embryon d'Alien grossissant dans sa poitrine.

— En réduisant les dimensions, expliqua Dylan, les concepteurs gagnent en vitesse et en puissance de calcul. Proctor parle de nano-machines pilotées par des nano-ordinateurs constitués *d'un seul atome.*

— Des ordinateurs pas plus gros qu'un atome ? Ils feraient mieux de nous construire une machine à laver portable de la taille d'un radis... ça, ce serait utile !

Aux yeux de Jilly, ces minuscules machines « biologiques » commençaient à ressembler à du destin en solution injectable. Le destin n'avait donc pas besoin de la plonger dans le coma pour tirer les rênes de sa vie... il était déjà en elle, à mener son œuvre insidieuse, grâce au concours de Lincoln Merriweather Proctor.

— Proctor, poursuivait Dylan, prétend que les protons et les électrons peuvent être utilisés comme des relais positifs et négatifs, et que les neutrons offrent des millions de circuits possibles, de sorte qu'un unique atome dans une nano-machine peut jouer le rôle de microprocesseur.

— Pour ma part, répliqua Jilly, sitôt qu'ils sortent un four à micro-ondes portable qui peut faire aussi office de jolie boucle de ceinture, j'achète !

Les bras toujours croisés sur sa poitrine, les mains enfouies sous ses aisselles, Jilly avait toutes les peines du monde à écouter Dylan sans l'interrompre, car elle connaissait déjà la conclusion de son exposé, une conclusion terrifiante. Elle sentait déjà ses paumes devenir moites.

— Vous avez peur, constata-t-il.

— Ça va bien.

— Non, ça ne va pas.

— Mon dieu, c'est vrai ! Où avais-je la tête ? Comment pourrais-je déterminer si je vais bien ou pas ? Vous savez forcément mieux que moi ce genre de chose. Vous êtes un expert en ma personne, c'est bien connu !

— Lorsque vous avez peur, vos bons mots revêtent une tonalité tragique.

— Si vous aviez un tant soit peu de mémoire, monsieur Je-sais-tout, vous vous souviendriez que je n'ai guère apprécié, jusqu'à présent, vos tentatives de psychanalyse sauvage.

— Parce que je mettais dans le mille. Écoutez, vous avez les jetons, j'ai les jetons et Shep aussi, et c'est normal. Inutile de...

— Shep a faim ! lança le garçon.

Ils avaient oublié de petit-déjeuner. Et midi arrivait à grands pas.

— On va bientôt manger, le rassura Dylan.

— Des *Cheez-Its* [1], déclara Shep sans relever les yeux de ses mains ouvertes.

— On doit pouvoir trouver meilleur que des Cheez-Its, gamin.

— Shep aime les Cheez-Its.

— Je le sais bien – Dylan se tourna vers Jilly : Il sont de forme carrée.

— Et si vous lui donniez ces crackers en forme de poisson ? demanda-t-elle. Des Goldfish, je crois que ça s'appelle...

— Shep déteste les Goldfish ! intervint le garçon. Shep n'aime pas leur forme. Tout ronds, tout dodus. C'est dégoûtant. Pas de Goldfish ! Non. Ils sont trop ronds. Les Goldfish, c'est nul. Pas de Goldfish ! Pas de Goldfish !

— Vous avez touché un point sensible, expliqua Dylan.

— D'accord, pas de Goldfish, promit-elle à Shep.

— Les Goldfish, c'est nul.

— Tu as raison, chéri. Ils sont vraiment trop ronds, renchérit Jilly.

— C'est dégoûtant !

— Oui, chéri, ils sont totalement dégoûtants.

— Des Cheez-Its. Shep veut des Cheez-Its, insista Shep.

Jilly aurait bien passé la journée à parler de la forme

---

1. Sorte de crackers au fromage *(N.d.T.)*.

des crackers si cela avait pu empêcher Dylan de lui en dire davantage sur ces nano-machines qui grouillaient dans son corps... mais au moment où elle allait rebondir sur le cas des snack Wheat Thins, Dylan revint à son sujet honni.

— Au cours de cette interview, reprit Dylan, Proctor soutient même qu'un jour des millions de nano-machines psychotropes...

Jilly tressaillit.

— Psychotropes...

— ... pourront être injectées dans le corps humain...

— Injectées... Nous y voilà.

— ... et gagner le cerveau *via* le système sanguin...

— Des machines dans le cerveau...

— Et coloniser tout le cortex cérébral, jusqu'au cervelet.

— Coloniser le cortex...

— C'est dégoûtant, déclara Shep, quoiqu'il fît sans doute encore allusion aux Goldfish.

— Proctor envisage d'accroître artificiellement les capacités du cerveau, par l'entremise des nano-machines et des nano-ordinateurs.

— Pourquoi personne n'a-t-il occis ce dingue à sa naissance ?

— Il dit que ces nano-machines pourraient être programmées pour analyser la structure du cerveau, au niveau cellulaire, et refaire certains câblages afin de développer de nouvelles fonctionnalités.

— J'ignorais que Lincoln Proctor avait été élu Nouveau dieu de l'Olympe. Mais que faisait l'opposition ?

Elle sortit ses mains de ses aisselles et observa ses paumes. Une chance qu'elle ne connaisse rien à la chorologie !

— Ces colonies de nano-machines, reprit Dylan, seraient capables d'établir, entre les divers lobes du cerveau, de nouvelles connexions...

Elle brûlait de se frotter les tempes, tant ces révélations dépassaient son entendement, mais elle avait trop peur de sentir sous ses mains des vibrations étrangères, signe de l'activité fébrile d'ouvriers minuscules occupés à changer sa personnalité de l'intérieur.

— ... de nouveaux chemins neuronaux, de meilleures synapses. Les synapses sont les points de contact entre deux neurones, et apparemment, ces liaisons donnent des signes de faiblesse lorsque nous pensons trop ou que nous restons trop longtemps éveillés. Ce sont elles qui ralentissent les processus cognitifs.

Sans plus la moindre trace d'ironie, sans plus chercher à jouer la comique de service, Jilly lâcha :

— C'est sûr que toutes mes synapses sont en surchauffe en ce moment. Ça va bien trop vite pour moi.

— Ce n'est pas tout, déclara Dylan en désignant de nouveau l'écran. Il y a pas mal de passages où je n'ai rien compris, tout un laïus technique à propos de trucs appelés gyrus supramarginal, gyrus cingulaire, cellules de Purkinje... j'en passe, et des meilleures... rien que des noms à coucher dehors. Mais, en gros, ce que j'ai saisi, c'est que nous sommes dans la merde.

Jilly ne pouvait résister plus longtemps à l'envie de plaquer ses doigts sur ses tempes douloureuses. Par bonheur, pas de vibrations sourdes et inquiétantes.

— C'est une idée intolérable. Des millions de petites machines et de petits ordinateurs essaimés dans mon cerveau, se baladant sur mes neurones comme des abeilles sur les alvéoles d'une ruche, ou pis encore comme des myriades de fourmis... en train de tout remodeler à leur manière. Comment voulez-vous vivre avec ça ?

Le visage de Dylan avait viré au gris, signe que son optimisme d'airain en avait pris un coup.

— Il va bien falloir. Nous n'avons pas le choix. Nous devons supporter cette idée, et même ne penser qu'à ça. À moins de nous enfermer dans notre bulle comme Shep. Mais il n'y aura personne, je vous préviens, pour couper notre nourriture en carrés et en rectangles.

Jilly ne savait plus que penser... qu'est-ce qui la terrifiait le plus ? Parler de cette « contamination » aux germes de nanotechnologie ou faire comme si de rien n'était ?

Quelle option lui permettrait de résister le plus longtemps à la panique totale ? Car elle sentait déjà les ailes noires de la terreur se déployer en elle, ses plumes bruire fébrilement... si elle ne parvenait pas à maintenir cet oiseau de malheur sur son perchoir, si elle le laissait prendre son envol, elle ne pourrait plus le rattraper, et lorsque celui-ci aurait parcouru tous les recoins de son esprit, détruit chaque intime parcelle de son être de ses battements farouches, laissant dans sa traîne des espaces béants et désolés, sa santé mentale ne serait plus, à jamais, qu'un lointain souvenir.

— C'est comme si vous me disiez que j'avais attrapé la maladie de la vache folle ou qu'un parasite me rongeait le cerveau, bredouilla-t-elle.

— Sauf que c'est censé être un bienfait pour l'humanité...

— Un bienfait ? Je parie que dans son interview, ce malade parle de *race supérieure*, de *surhommes*...

— Vous ne croyez pas si bien dire ! Lorsque Proctor a, pour la première fois, imaginé employer la nanotechnologie pour améliorer les capacités cérébrales, il a indiqué que ses sujets d'expérimentation, ses cobayes humains, en d'autres termes, seraient appelés des Proctoriens.

Une décharge de colère embrasa Jilly. Une juste fureur... il n'y avait rien de mieux pour oublier momentanément la peur qui lui nouait le ventre !

— Quel malade ! Quel mégalo égocentrique !

— Cela le définit assez bien, reconnut Dylan.

Shepherd méditait toujours de la supériorité des crackers rectangulaires sur la rotondité ventrue des Goldfish :

— Des Cheez-Its.

— Hier soir, Proctor m'a dit que, s'il n'avait pas été aussi lâche, il se serait injecté le produit.

— S'il n'avait pas eu la bonne idée de sauter dans ma Cadillac, déclara Jilly, c'est moi qui lui aurais fait son injection ! Je lui aurais refilé toutes ces saloperies de nano-machines avec une seringue commaque, directement du cul au cerveau !

Dylan esquissa un pâle sourire.

— Vous êtes très en colère...

— Oui. Et ça fait un bien fou.

— Des Cheez-Its !

— Proctor m'a dit qu'il ferait le pire des sujets, reprit Dylan. Qu'il avait trop de fierté, trop d'ego. Et il s'est mis à énumérer la longue liste de ses défauts.

— Ah oui... le pauvre chéri... et cela devrait m'attendrir ?

— Je ne faisais que rapporter ses paroles.

Grisée par son courroux qui lui faisait oublier momentanément ces nano-machines tripotant sa matière grise, Jilly se leva d'un bond de son siège, ne pouvant plus tenir en place. Elle bouillait sur place, brûlait de partir faire un jogging ou de se lancer dans une série de cent pompes, ou mieux encore, de trouver un quidam qui méritait qu'on lui botte les fesses et d'accomplir cette tâche avec zèle à en avoir le pied en compote et la jambe tout ankylosée.

Le bond de Jilly fut si brusque que Dylan, par panurgisme, se leva également de sa chaise.

Shep, entre les deux, suivit le mouvement et se mit debout à son tour.

— Des Cheez-Its ! lança-t-il.

Il leva la main droite, saisit entre le pouce et l'index un coin de néant, le tordit, et en deux plis Jilly, Dylan et Shep avaient quitté la chambre du motel.

29.

Étant une jeune femme charmante, souvent drôle, et n'ayant aucun problème d'acné, Jillian Jackson avait souvent été invitée à déjeuner par des garçons, mais jamais on avait replié l'espace pour l'emmener au restaurant !

Elle n'eut pas, en fait, conscience que le monde se repliait sur elle, à l'instar de la pin-up du poster central de *Playboy*, et ne ressentit, durant le processus, aucun inconfort. Le décorum de la chambre, dans l'instant, se désintégra en fragments épars, qui disparurent de sa vue, comme happés par une bonde d'évier, tandis que, dans le même instant, des parcelles d'un autre lieu remontaient de la tuyauterie, la pénombre électrique de la chambre fut remplacée instantanément par un grand soleil. L'espace d'une fraction de seconde, elle eut l'impression de se retrouver au milieu d'un kaléidoscope titanesque, l'univers transformé en une double mosaïque colorée, passant d'un motif d'ombre à un autre de lumière.

Selon toute vraisemblance, le temps de transfert avait dû être réduit à zéro – un processus instantané. Mais dans sa chair, le voyage sembla durer trois ou quatre secondes. Ses pieds quittèrent la moquette élimée de la chambre pour découvrir le contact dur du ciment. Et elle se retrouva, en compagnie de Dylan et de Shep, devant les portes vitrées d'un restaurant.

Shepherd les avait ramenés au restaurant de Stafford,

où ils avaient dîné la veille. Une très mauvaise idée...
c'était là que Dylan avait présenté son cow-boy, Ben Tanner, à sa petite-fille, et plus grave encore, c'était là qu'il
avait rossé Lucas Crocker avant d'appeler la police pour la
prévenir que ledit Crocker séquestrait sa vieille mère dans
la cave. Même si, au restaurant, l'équipe du midi n'était
pas la même que celle du service du soir, quelqu'un pouvait reconnaître Dylan si un portrait-robot avait été dressé,
sans compter qu'un inspecteur allait sans doute revenir
aujourd'hui pour examiner les lieux de l'agression en plein
jour.

Mais Jilly se trompait. Ils n'étaient pas revenus à Safford. L'établissement ressemblait à celui de la veille –
même architecture minimaliste, typique des restaurants
de motel du Grand Ouest, même auvent pour protéger les
fenêtres de l'ardeur du soleil du désert, même parement
de pierre en saillie sous les fenêtres, mêmes jardinières
hérissées de plantes opiniâtres luttant contre la chaleur.

Il s'agissait, en fait, de la cafétéria du motel où ils
venaient de passer la nuit. Juste sur leur gauche, la réception, et derrière, une allée couverte desservant sa litanie
des chambres. La leur se trouvait tout au bout, en avant-
dernière position. Shepherd avait replié l'espace sur seulement une centaine de mètres !

— Shep a faim.

Jilly se retourna, s'attendant à trouver un portail en
lévitation miroitant derrière eux, comme celui qu'avait
rencontré Dylan au sommet de sa colline en Californie,
donnant non pas sur leur salle de bains, mais cette fois
sur leur chambre vide. Mais, de toute évidence, Shep avait
refermé le passage sitôt leur arrivée à destination. Devant
elle, le ventre noir du parking chauffé par le soleil au
zénith.

Dix mètres plus loin, un jeune homme en tenue de
cow-boy, coiffé d'un vieux Stetson, sortait d'un pick-up
équipé, sur la lunette arrière, d'un râtelier pour fusils. L'inconnu les regarda à deux reprises, l'air surpris, mais ne se
mit pas à hurler : « Des téléportés ! » ou « Sauve qui peut,

des Proctoriens ! ». Il était juste étonné de n'avoir pas remarqué leur présence un instant plus tôt...

Dans la rue, aucun conducteur n'avait perdu le contrôle de son véhicule ; pas de voiture folle montant sur le trottoir dans un hurlement de pneu et finissant sa course en décapitant une bouche d'incendie. Apparemment, personne n'avait vu que Jilly, Dylan et Shep avaient surgi du néant.

Pas de visage bouche bée non plus parmi les clients de la cafétéria. Aucun d'entre eux ne regardait vers la porte lorsque Jilly Dylan et Shep avaient troqué la moquette de leur chambre contre l'allée de ciment du perron.

Dylan jeta un regard circulaire, évaluant la situation. Finalement, il se tourna vers la jeune femme.

— Tout bien considéré, j'aurais préféré y aller à pied.

— Et moi, j'aurais préféré encore être traînée jusqu'ici par un cheval emballé.

— Eh, gamin, lança Dylan, je croyais qu'on avait passé un accord ?

— Des Cheez-Its !

Le jeune homme du pick-up souleva le coin de son chapeau en passant devant eux.

— Messieurs dames...

Puis entra dans la cafétéria.

— Gamin, il ne faut pas que cela devienne une habitude !

— Shep a faim.

— Je sais, c'est ma faute, j'aurais dû te faire déjeuner tout de suite après la douche. Mais tu ne peux pas te déplier sur un restaurant chaque fois que tu as les crocs. Ce n'est pas bien, Shep. Pas bien du tout. C'est même très vilain.

Avec ses épaules voûtées, sa tête baissée, son mutisme, Shep avait un air de chien battu. Les remontrances de son frère l'avaient vexé.

Jilly voulait le prendre dans ses bras pour le consoler. Mais elle craignait que d'un coup de pliage magique, il ne les envoie, tous les deux, dans un autre restaurant, laissant Dylan en plan – or, c'était lui qui avait le porte-monnaie.

Elle comprenait Dylan. Il avait raison. Vu leur situation délicate, s'amuser à replier l'espace en public les exposait à de grands dangers. Il fallait que Shepherd soit un peu moins dans la lune que de coutume.

Par conséquent, pour lui faire comprendre que le transport devant témoins par pliage spatio-temporel était tabou, Dylan avait choisi une voie simple et directe : replier l'espace pour voyager d'un point à un autre était une chose *honteuse*.

— Shep, poursuivit Dylan, tu ne ferais pas tes besoins en public, n'est-ce pas ?

Le garçon ne répondit pas.

— N'est-ce pas ? Tu ne ferais pas pipi dans la rue devant tout le monde ? Eh bien, vu ton comportement, je commence à en douter...

Le garçon ne pouvait manquer de réagir à cette accusation. Une goutte de sueur tomba du bout de son nez et macula le sol d'une tache noire.

— Dois-je comprendre, par ton silence, que la réponse est « oui » ? Que tu ferais ton affaire ici, sur le trottoir ? Que tu es ce genre de personne ? C'est ça, Shep ? C'est ce genre de personne que tu es ?

Connaissant la timidité maladive de Shep, et son obsession de l'hygiène, il savait que le gamin se serait plutôt roulé en boule par terre, sous le soleil de plomb du désert, jusqu'à déshydratation complète, plutôt que de se soulager en public.

— Shep, continua Dylan, sans pitié. Si tu ne peux pas me répondre, alors je dois en déduire que tu es prêt à faire pipi devant tout le monde, quel que soit l'endroit où tu te trouves, chaque fois que tu en auras envie...

Shep piaffait sur place, mal à l'aise. Une autre goutte de sueur tomba du bout de son nez. Peut-être était-ce dû à la chaleur, mais cela ressemblait davantage à de la nervosité.

— Une brave petite vieille passe par là, et tu arroses ses chaussures de pisse ? reprit Dylan. C'est cela que je dois craindre à présent ? Shep ? Je te parle.

Après seize heures d'association intense ave les frères O'Conner, Jilly comprenait pourquoi Dylan devait insister avec tant de constance sur le même sujet. Il lui fallait attirer l'attention de Shep, que ses paroles prennent corps en lui. Tout admirable que fût cette persévérance d'un aîné envers son cadet autiste, cela ressemblait un peu à du harcèlement, à de la torture mentale.

— Une gentille petite vieille et un prêtre viennent à passer, et avant que j'aie pu faire quoi que ce soit, tu leur fais pipi dessus. C'est ce genre de chose auquel je dois m'attendre maintenant ? Shep ? Réponds, Shep. Réponds. C'est ce que tu ferais ?

À en juger par le comportement de Dylan, cette harangue était aussi pénible à l'aîné qu'au cadet. À mesure que son ton se durcissait, se faisait de plus en plus pressant, ce n'était pas de la colère que l'on pouvait lire sur le visage du grand frère, mais de la souffrance. Le remords, peut-être même la pitié, voilait ses yeux.

— C'est ce que tu vas faire, Shep ? Tu as donc décidé de faire de vilaines choses, des choses sales ? C'est ça Shep ? C'est ça ? réponds, Shepherd.

— N-non, articula enfin le garçon.

— Qu'est-ce que tu as dit ? Tu as dit « non », Shep ?

— Non. Shep a dit non.

— Tu ne vas pas faire pipi sur les chaussures des vieilles dames ?

— Non.

— Tu ne vas pas faire des choses dégoûtantes en public ?

— Non.

— Je suis heureux de te l'entendre dire, Shep. Parce que j'ai toujours pensé que tu étais un bon garçon, le meilleur de tous. Je suis content que tu ne deviennes pas méchant. Cela me ferait beaucoup de peine. Tu vois, beaucoup de gens se sentiraient offensés si tu te mettais à replier l'espace devant eux. C'est comme si tu faisais pipi sur leurs chaussures.

— Vraiment ? demanda Shep.

— Oui. Vraiment. Ils seraient absolument outrés.

— Vraiment ?

— Oui.

— Pourquoi ?

— Pourquoi, toi, es-tu dégoûté par ces petits Goldfish au fromage ? répliqua Dylan.

Shep resta silencieux. Il regarda le sol en fronçant les sourcils, comme si cette soudaine allusion aux Goldfish le plongeait en pleine confusion.

Le ciel était trop chaud pour qu'un oiseau s'y aventure. Le soleil se mirait sur les vitres des voitures et éclaboussait les tôles peintes. Les véhicules paraissaient être des formes oblongues de mercure glissant dans un rêve. À l'autre bout de la rue, derrière les serpents de chaleur qui montaient du macadam, un autre motel et une station-service miroitaient comme un mirage dans l'air implacable.

Jilly venait de ressortir d'un origami spatio-temporel, ils se tenaient dans ce paysage surréaliste, avec devant eux un futur si bizarre qu'il aurait pu relever d'une hallucination délirante, et pourtant ils parlaient de crackers au fromage, sujet des plus anodins. Peut-être la composante de l'absurde était-elle la marque de fabrique de la réalité, la preuve mesurable que vous n'étiez ni dans votre lit en train de rêver, ni dans votre cercueil six pieds sous terre – parce que les rêves étaient emplis de mystères et de terreur, mais jamais d'absurdités à la Abbott et Costello, quant à l'Au-delà, il ne risquait pas d'être aussi chargé d'incongruités que le monde des vivants, puisqu'il fallait bien qu'il se différencie de notre monde pour avoir sa raison d'être.

— Alors, pourquoi es-tu si dégoûté par les Goldfish ? répéta Dylan. À cause de leurs formes ?

— Ils sont trop ronds, répondit Shepherd.

— Ils sont trop ronds, alors cela te dégoûte.

— Trop ronds.

— Et pourtant, des tas de gens aiment les Goldfish. Ils sont des milliers à en manger tous les jours.

Shep frissonna en songeant à ces aficionados impies.

— Tu ne voudrais pas que l'on te force à regarder des gens manger des Goldfish sous ton nez, n'est-ce pas ?

Jilly inclina la tête pour observer la réaction de Shep. Celui-ci fronçait les sourcils de dégoût.

Dylan poursuivit dans cette voie :

— Même si tu peux fermer les yeux pour ne pas voir ce spectacle, tu ne voudrais pas être assis entre deux personnes dévorant des Goldfish, et devoir supporter leurs bruits de mastication.

Écœuré, Shep hoqueta carrément.

— J'aime les Goldfish, Shep. Mais, parce que leur vue te révulse, je n'en mange pas. Je prends des Cheez-Its, à la place. Cela te plairait que je me mette à manger des Goldfish tout le temps, à les laisser traîner sous ton nez ? Comment réagirais-tu ? Tu serais content ou pas ?

Shep secoua la tête avec énergie.

— Cela paraîtrait-il un comportement convenable à ton égard ?

— Non.

— Certaines choses qui ne nous semblent pas choquantes le sont pour les autres. Nous devons donc veiller à ne pas heurter leur sensibilité, si nous voulons qu'eux, en retour, ne heurtent pas la nôtre.

— D'accord.

— À la bonne heure ! C'est pourquoi nous ne mangeons pas des Goldfish devant n'importe qui...

— Non, pas de Goldfish.

— ... et que nous ne faisons pas pipi devant tout le monde...

— Non, pas pipi.

— ... et que nous ne plions pas l'espace dans des lieux publics.

— Non, pas de pliage.

— Pas de Goldfish, pas de pipi, pas de pliage, résuma Dylan.

— Pas de Goldfish, pas de pipi, pas de pliage, répéta Shep.

Sans se départir de son masque de mécontentement, Dylan déclara d'une voix plus douce et chaleureuse :

— Je suis fier de toi, gamin.

— Pas de Goldfish, pas de pipi, pas de pliage.

— Je suis très fier de toi. Et je t'aime, Shep. Tu le sais ? Je t'aime très fort, petit frère.

La voix de Dylan se mit à vibrer ; il détourna la tête pour cacher son émotion. Il évita le regard de Jilly, peut-être de crainte de perdre ses moyens et étudia d'un air grave ses grosses mains, comme s'il avait fait quelque chose d'infamant. Il prit plusieurs longues inspirations, et dans le silence pesant, il répéta :

— Tu sais que je t'aime très fort, tu le sais ?

— D'accord, répondit Shep.

— Alors tout va bien.

Shepherd essuya son front en sueur du revers de la main et la frotta sur son jean.

— Tout va bien.

Quand Dylan releva enfin les yeux vers Jilly, la jeune femme vit à quel point ce sermon lui avait coûté. Ce fut à son tour d'avoir la voix vibrante.

— Et maintenant... que fait-on ? bredouilla-t-elle.

Dylan fouilla ses poches à la recherche de son porte-monnaie.

— Maintenant... à table.

— On a laissé l'ordinateur dans la chambre.

— Ce n'est pas grave. La porte est fermée à clé. Et il y a sur la poignée l'écriteau « Ne pas déranger ».

Les voitures passaient en un flot liquide de couleur. L'autre côté de la rue scintillait comme une illusion optique.

Jilly s'attendait à entendre des rires d'enfants, à sentir l'odeur de l'encens, à voir la femme coiffée de sa mantille au milieu du parking, à être soudain environnée d'une nuée blanche et tumultueuse de colombes.

Mais, sans relever la tête, Shepherd, contre toute attente, lui prit la main et le monde devint trop réel pour accepter des visions.

Ils pénétrèrent dans le restaurant. La jeune femme guida Shep afin qu'il puisse avancer tête baissée et ne pas avoir à affronter des regards étrangers.

Comparée à la chaleur extérieure, la salle semblait climatisée à l'air arctique. Jilly, toutefois, avait toujours aussi chaud.

* * *

Pour Dylan, l'idée de ces millions de nano-machines œuvrant dans son cerveau lui nouait tant l'estomac qu'il mangea avec une sorte de distance ironique, comme s'il était une machine devant faire le plein d'énergie, sans prendre le moindre plaisir.

Quant à Shep, il dévora son sandwich au fromage qui répondait au dogme culinaire : tranches de pain de mie rectangulaires grillées à point, sans lignes courbes, coupées en quatre carrés égaux, frites soigneusement étêtées et tomates, elles aussi divisées en carrés réguliers, rehaussées de cornichons émincés en petits bâtonnets.

Shep mangeait avec les doigts, non seulement son sandwich, mais aussi les frites, les tomates et les cornichons... Mais Dylan ne lui fit aucune remontrance. Ce n'était ni l'heure, ni le lieu, pour se lancer dans un sermon concernant l'usage de la fourchette. Ce qui comptait, ici et maintenant, c'était qu'ils étaient tous les trois en vie et qu'ils pouvaient partager ce repas.

Ils occupaient une alcôve près d'une fenêtre, même si Shep n'aimait pas que les gens « du dehors » puissent le voir. Par chance, les baies vitrées étaient si teintées pour filtrer le soleil du désert qu'elle assurait un anonymat quasi parfait.

De toute façon, ils n'avaient pas le choix ; toutes les alcôves du restaurant se situaient sous les fenêtres et, dans la salle, les tables étaient si proches les unes des autres que Shep n'aurait pu supporter une telle promiscuité. Les dossiers hauts des banquettes, par bonheur, offraient une certaine intimité, et après le sermon de Dylan, Shep était d'humeur conciliante...

Les empreintes psychiques sur le menu et les couverts frétillaient sous les doigts de Dylan, mais il parvenait de mieux en mieux à contrôler ces stimuli.

Dylan et Jilly bavardaient tranquillement, parlant de leurs films préférés, bien que l'usine à rêves d'Hollywood eût perdu tout intérêt à leurs yeux maintenant qu'ils avaient quitté leur condition de simples humains et que l'avenir leur réservait, en 3D réelle, nombre d'expériences dignes d'une superproduction de George Lucas.

Rapidement, parler de cinéma ne leur parut pas seulement insignifiant, mais décalé, artificiel. Jilly ramena la conversation à leur sujet de préoccupation premier.

— Vous avez été brillant tout à l'heure, déclara-t-elle, en faisant allusion au raisonnement méandreux avec lequel Dylan avait convaincu son petit frère que replier l'espace en public était aussi inconvenant que de faire pipi sur les chaussures des vieilles dames.

— Brillant ? (Il secoua la tête.) Méchant, vous voulez dire.

— Mais non... Arrêtez de vous fustiger.

— Si, c'était méchant. Je déteste faire ça, mais je suis assez doué pour ça quand je n'ai pas d'autres solutions.

— Il fallait rectifier le tir. Et vite.

— Ne me cherchez pas de circonstances atténuantes. J'ai trop envie, moi-même, de me trouver des excuses...

— La sinistrose ne vous sied pas, monsieur O'Conner. Je vous préfère quand vous êtes sur votre petit nuage d'optimisme.

Dylan sourit.

— Moi aussi, je préfère.

Jilly termina son sandwich club et fit passer le tout avec une lampée de Coors.

— Des nano-machines associées à des nano-ordinateurs, soupira-t-elle d'un air pensif... si vraiment toutes ces petites bêtes s'emploient à me rendre plus intelligente, pourquoi n'arrivé-je toujours pas à comprendre le concept dans son entier ?

— Elles ne cherchent pas forcément à augmenter notre Q.I. Juste à nous rendre différents. Et tous les changements ne sont pas bons à prendre. Justement, Proctor, lassé de devoir parler de « nano-machines pilotées par des nano-ordinateurs », a inventé un mot nouveau pour décrire son invention. Des *nanobots*. Une combinaison de *nano* et de *robots*.

— Ce joli petit nom ne rend pas la chose moins effrayante. (La jeune femme fronça les sourcils et se frotta la nuque comme pour chasser un frisson.) J'ai encore une impression de *déjà-vu* [1]. Des nanobots. Cela fait sonner en moi une drôle d'alarme. Et tout à l'heure, dans la chambre, vous sembliez surpris que cette histoire de nanotechnologie n'éveille pas quelques échos en moi. Pourquoi donc ?

— Le texte que je voulais que vous lisiez sur l'ordinateur, et que je vous ai résumé... c'était une transcription d'une interview d'une heure que Proctor a donnée pour votre émission de radio préférée.

— L'émission de Parish Lantern ?

— Proctor a été invité trois fois en cinq ans. Et lors de sa dernière intervention, il est resté deux heures à l'antenne. Vous auriez pu tomber sur lui un soir.

Jilly songea à cette éventualité et visiblement ne l'apprécia guère.

— Je préfère encore m'inquiéter de l'inversement du pôle magnétique ou de l'attaque des sangsues suçeuses de cerveaux, venant d'un monde parallèle...

Au-dehors, un véhicule s'engagea sur le parking et passa devant le restaurant à une allure si vive que Dylan tourna la tête, au rugissement du moteur. Une Suburban noire ! Et la barre des quatre projecteurs de toit, fixée au-dessus du pare-brise, n'était pas un accessoire de série.

Jilly vit l'engin également.

— Oh non... Comment nous ont-ils retrouvés ?

— Peut-être aurions-nous dû changer les plaques après l'incident à Safford.

La Chevrolet pila devant la réception, juste à côté de la cafétéria.

— C'est peut-être ce petit filou à la station-service... ce Skipper qui a suspecté quelque chose...

---

1. En français dans le texte *(N.d.T.)*.

— Ou mille autres choses...

Dylan, de sa place, pouvait voir le motel, mais Jilly lui tournait le dos – une partie de la scène lui échappait, mais une partie seulement... En pâlissant, elle pointa le doigt devant elle, plaquant son index sur la baie vitrée.

— Dylan, souffla-t-elle. De l'autre côté de la rue...

Derrière le verre fumé et les volutes chaudes montant du macadam, Dylan, en se retournant, aperçut une autre Suburban noire garée devant le motel en face du leur.

Shep termina son sandwich et déclara :

— Shep veut un gâteau !

De sa place, même en plaquant le nez contre la vitre, Dylan ne pouvait plus voir entièrement la Suburban qui s'était arrêtée devant la réception. Il n'en distinguait que la moitié gauche. Deux personnages sortirent du côté conducteur. Vêtus de vêtements légers, couleur pastel, parfaitement adaptés à la chaleur du désert, ils ressemblaient à des joueurs de golf s'apprêtant à passer l'après-midi sur les green – mais des golfeurs à la carrure de bûcherons. Des golfeurs ascendant gorille.

— Un gâteau, insista Shepherd. Shep veut un gâteau.

30.

Dylan, d'ordinaire, croisait rarement sur son chemin des gars plus costauds que lui, mais les deux malabars qui descendirent de la Suburban étaient réellement impressionnants – on aurait dit deux taureaux de rodéo venant de passer la matinée à réduire en charpie leur quota de cow-boys. Les montagnes de muscles contournèrent la voiture en direction de la réception et disparurent de sa vue.

— Filons ! lança-t-il en se levant de la banquette.

Jilly suivit le mouvement, mais Shep resta à sa place. Tête baissée, fixant des yeux son assiette vide.

— Gâteau !

S'il s'agissait d'une tarte circulaire, et non d'un cake de section carrée, il suffisait de trancher l'arc extérieur de la portion... Avec cet aménagement succinct, la part présenterait alors l'angularité *ad hoc*, sans rondeurs malvenues. Shep adorait les gâteaux.

— Oui, on va prendre un gâteau, mentit Dylan. Mais d'abord, on va aller aux toilettes, gamin.

— Pipi ?

— Oui, pipi, confirma tranquillement Dylan, déterminer à rester discret.

— Shep n'a pas envie de faire pipi.

À cause des normes de sécurité et d'hygiène, il existait forcément une porte de service donnant derrière le restaurant ; mais, selon toute vraisemblance, ils devraient traverser les cuisines pour l'atteindre, un chemin qui ne passerait pas inaperçu. Et il était trop dangereux de s'aventurer par la porte d'entrée ; les faux golfeurs pouvaient les reconnaître. Restait une seule autre issue.

— On risque de ne pas croiser de toilettes pendant un bon bout de temps, gamin. Il vaut mieux que tu y ailles maintenant, expliqua Dylan.

— Non. Pas pipi.

Leur serveuse arriva.

— Ce sera tout ? s'enquit-elle.

— Un gâteau, répondit Shep.

— Vous pouvez nous apporter la carte des desserts ? demanda Dylan.

— Un gâteau.

— Je pensais que vous partiez, lança la serveuse.

— Nous allons simplement aux toilettes, expliqua Jilly – voyant l'air surpris de la jeune femme, elle précisa : Eux chez les hommes, moi chez les dames.

— Un gâteau.

L'employée sortit son carnet de son tablier pour noter leur commande :

— Nous avons de très bons gâteaux. (Elle prit un stylo, coincé dans les arabesques savantes de ses cheveux auburn.) Gâteau à la noix de coco, forêt noire, tarte citron et tarte aux noix.

— Nous ne voulons pas de gâteau. Nous voulons la carte des desserts.

— Un gâteau, répéta Shepherd.

Lorsque la serveuse partit chercher les menus, Dylan lança :

— Allez, viens, Shep.

— Gâteau à la noix de coco...

— D'abord pipi.

— ... forêt noire...

Les golfeurs de la Suburban étaient désormais au bureau de la réception.

— ... tarte citron...

S'ils appartenaient à quelque force de l'ordre, ils étaient en train d'agiter leur plaque sous le nez de l'employé.

— ... et tarte aux noix.

Et s'ils n'étaient pas assermentés, ils se serviraient de l'intimidation pour obtenir les informations qu'ils désiraient.

— Pas de pipi, pas de gâteau, expliqua gentiment Dylan.

Se léchant les lèvres d'envie, Shep soupesa les forces en balance.

— Dylan, souffla Jilly en désignant la fenêtre qui donnait sur la rue. Regardez...

La deuxième Suburban avait quitté l'autre motel et était venue se garer derrière la première voiture, à deux pas de la cafétéria.

Dylan voulait à tout prix éviter de prendre Shep par le bras et de le tirer de force de la banquette. Le gamin se laisserait peut-être faire, quoique ce ne fût pas sûr à cent pour cent, mais s'il lui prenait l'envie de résister, il serait alors indéplaçable et s'agripperait à son siège comme une pieuvre obstinée.

La serveuse avait récupéré les menus et revenait vers leur table...

— Pas de pipi, pas de gâteau ? demanda Shepherd.

— Pas de pipi, pas de gâteau.

— D'abord pipi, après gâteau ?

— D'abord pipi, après gâteau, confirma Dylan.

Shepherd se leva enfin de table.

La serveuse déposa les menus sur la table au moment où ils s'en allaient.

— Vous prendrez des cafés ? s'enquit-elle.

Dylan vit la porte d'entrée s'ouvrir. Le soleil inondait l'ouverture et, de son angle de vue, il ne pouvait distinguer les silhouettes des nouveaux arrivants.

— Oui, s'il vous plaît, répondit Jilly. Deux cafés.

Un couple du troisième âge passa le seuil. Deux octogénaires. En bonne forme certes, ni boiteux, ni voûtés, mais en aucun cas des tueurs potentiels.

— Du lait, marmonna Shep.

— Deux cafés et un lait chaud, annonça Dylan à la serveuse.

Le verre dans lequel serait servi le lait serait de section circulaire... mais le lait, en soi, n'était pas rond. Ni mince, ni gros, il était sans forme, et Shepherd n'avait aucune exigence quant à la forme des contenants.

— Un gâteau, répéta Shepherd, tête baissée, en suivant son frère entre les tables. Un gâteau. Pipi, puis gâteau. Pipi, puis gâteau.

Les toilettes se trouvaient au bout d'un couloir au fond de la cafétéria.

Devant Dylan, un gros barbu, en Marcel, les bras, le cou et le crâne décorés de tatouages – un vrai personnage de foire – poussa la porte des toilettes hommes.

Dylan arrêta la petite troupe dans le couloir, toujours en vue des clients de la salle.

— Allez voir chez les dames, demanda-t-il à Jilly.

La jeune femme s'exécuta et ressortit de la pièce avant que la porte des toilettes n'ait eu le temps de se refermer :

— Personne, annonça-t-elle.

Dylan fit signe à Shep de suivre Jilly dans les toilettes des dames et ferma la marche.

Les portes des deux cabines étaient ouvertes. La porte extérieure ne pouvait être verrouillée. N'importe qui pouvait entrer.

La seule fenêtre semblait collée par la peinture ; de plus elle était bien trop petite pour offrir quelque échappatoire possible.

— Shep, mon petit, je vais avoir besoin que tu me rendes un service.

— Un gâteau.

— Je veux que tu nous nous fasses sortir d'ici et que tu nous ramènes dans notre chambre.

— Mais ils vont aller dans notre chambre, objecta Jilly.

— Ils n'y sont pas encore. Nous avons laissé l'ordinateur allumé, avec l'interview de Proctor à l'écran. Il ne faut pas qu'ils tombent là-dessus. J'ignore quelle sera notre prochaine destination, mais une chose est sûre, c'est qu'ils vont nous coller au train comme des chiens de meute s'ils découvrent qu'on en sait autant.

— Un gâteau à la noix de coco.

— En plus, il y a une enveloppe de liquide dans ma trousse de toilette, près de cinq cents dollars. Je n'ai quasiment rien sur moi. (Il passa la main sous le menton de Shep et lui souleva la tête.) Shep, il faut que tu fasses ça pour moi, tu veux bien ?

Le garçon ferma les yeux.

— Il ne faut pas faire pipi en public.

— Je ne te demande pas ça, Shep. Juste de plier l'espace, de nous ramener dans notre chambre. Maintenant. Tout de suite, Shep.

— Pas de Goldfish, pas de pipi, pas de pliage d'espace.

— Ici, c'est différent, Shep.

— Pas de Goldfish, pas de pipi, pas de pliage d'espace.

— L'interdiction ne s'applique pas dans cette situation. Nous ne sommes pas en public.

Shepherd ne parut pas convaincu. Après tout, il s'agissait de toilettes *publiques*.

— Pas de Goldfish, pas de pipi, pas de pliage d'espace.

— Écoute, gamin, tu as vu un tas de films... des méchants, tu sais ce que c'est.

— Ils font pipi en public.

— Pis encore. Ce sont des méchants avec des pistolets. Des tueurs comme au cinéma. Il y a des méchants comme ça qui sont à nos trousses, Shep.

— Des Hannibal Lecter ?

— Je ne sais pas. Peut-être sont-ils aussi méchants que ça... Si tu ne nous aides pas tout de suite, si tu ne nous ramènes pas dans la chambre, alors il va y avoir du sang. Cela va devenir gore.

Les pupilles du garçon s'agitèrent derrière les paupières.

— Shep n'aime pas le gore.

— Oui, le gore, c'est très mal. Et cela va devenir très

très gore, avec du sang partout, si tu ne nous ramènes pas dans la chambre, *tout de suite*.

— Shep a peur.

— Non, n'aie pas peur.

— Shep a peur.

Dylan s'efforça de rester calme ; il ne voulait pas s'emporter comme l'autre fois, sur la colline de Californie. Il ne devait plus jamais parler comme ça à son petit frère, quelle que soit l'urgence de la situation. Mais il ne lui restait plus que la supplication comme arme.

— Je t'en prie, gamin. S'il te plaît, fais-le...

— Shep a p-peur.

Lorsque Dylan consulta sa montre, la grande aiguille semblait devenue folle et tournait à toute allure.

Jilly s'approcha du garçon.

— Chéri, hier soir, dans la chambre, pendant que Dylan dormait et ronflait, tu te souviens de notre petite conversation, de ce que nous nous sommes dit ?

Dylan ignorait tout de cet épisode. Elle ne lui avait pas parlé de cet entretien nocturne avec Shep. Et d'abord, il ne ronflait jamais !

— Chéri, je me suis réveillée et je t'ai entendu murmurer quelque chose, tu te souviens ? Tu disais que tu avais peur. Et qu'est-ce que je t'ai dit, alors ?

Les yeux se figèrent soudain, la membrane des paupières closes... mais le garçon ne répondit pas.

— Tu t'en souviens, mon petit ? (Elle passa son bras autour de ses épaules et il ne grimaça pas à ce contact ; il ne sursauta même pas.) Tu t'en souviens, chéri, tu disais : « Shep a peur » et j'ai répondu « Shep est courageux ».

Dylan entendit des bruits dans le couloir, il tourna la tête vers la porte. Mais personne ne l'ouvrit. Il y avait, toutefois, de nombreux clients dans la salle et cette intimité ne durerait pas très longtemps.

— Et tu es un garçon courageux, poursuivit Jilly. Tu es l'une des personnes les plus courageuses que je connaisse. Le monde est un endroit terrifiant. Et je sais qu'il est encore plus effrayant pour toi que pour les autres. Il y a tant de bruits, tant de lumières, tant de couleurs, et tous ces gens, tous ces inconnus, qui sans cesse te parlent, te dérangent, et ces germes partout... tu voudrais tant que tout soit propre et net mais autour de toi, ce n'est qu'immondices, rondeurs, formes bouffies, que c'en est écœurant. Tu peux faire un puzzle très vite et tu peux lire *Les Grandes Espérances* vingt fois, cent fois, parce que, chaque fois, ce sera exactement comme tu l'attends, juste comme cela doit être. Mais tu ne peux assembler les événements de ta vie comme un puzzle, tu ne peux espérer que le motif sera pareil chaque fois – et pourtant, tu te lèves tous les matins. Tu essaies. Ça, c'est le courage. Le vrai courage ! Si j'étais à ta place, si j'étais comme toi, je n'aurais pas ta force, Shepherd. Je ne tiendrais pas le coup. Tous les jours à essayer, à tout recommencer de zéro. C'est de l'héroïsme pur. Aucun héros de cinéma n'aurait ce courage.

Charmé par les paroles de Jilly, Dylan cessa de surveiller la porte et de regarder sa montre ; la voix mélodieuse et le visage de cette femme étaient plus envoûtants que la présence de ces tueurs qui pouvaient fondre sur eux à tout moment.

— Chéri, tu vas être courageux encore parce que je sais que tu en es capable. Ne pense pas aux méchants, ne pense pas au sang. Fais juste ce qu'il faut faire, de la même manière que tu t'obliges à te lever chaque matin, à te doucher, et à rendre le monde un peu plus propre et un peu plus ordonné qu'il n'est. Vas-y, chéri. Sois courageux et ramène-nous dans la chambre.

— Shep est courageux ?

— Oui. Shep est courageux.

— Pas de Goldfish, pas de pipi, pas de pliage, déclara Shep, mais ses pupilles restèrent fixes sous les paupières, signe que l'idée de replier l'espace dans un lieu public lui paraissait moins taboue et inconvenante que quelques minutes auparavant.

— En fait, replier l'espace dans un lieu public n'est pas aussi mal que de faire pipi en public, chéri. C'est plutôt comme cracher en public. Cela est malpoli mais parfois on ne peut faire autrement. En quelque circonstance que ce soit, tu ne ferais jamais pipi devant des gens, mais il peut t'arriver, quand la situation l'impose, de cracher en public, comme lorsque tu as un moucheron dans la bouche, et ce n'est pas si grave. Ces méchants, dehors, sont des moucherons dans ta bouche. Nous éloigner d'eux en pliant l'espace, c'est comme si tu les recrachais, ce n'est pas si grave. Fais-le, chéri. Maintenant. Fais-le vite.

Shepherd leva le bras, pinça un coin invisible dans l'air, entre son pouce et l'index...

À côté de lui, la jeune femme posa sa main sur celle de Shep.

Le garçon ouvrit les yeux, tourna la tête pour chercher le regard de Jilly.

— Vous sentez comment ça marche ?

— Oui, chéri. Je le sens. Dépêche-toi. Vas-y.

Dylan s'approcha, de crainte d'être laissé en arrière. Il vit l'air se friper entre les doigts de Shep, puis des ondulations miraculeuses s'épanouir en corolle autour de sa main.

Shep tira le voile de la réalité. Les toilettes des dames se replièrent, et un nouvel endroit s'ouvrit devant eux.

31.

Tandis qu'il quittait les toilettes pour dames ou plutôt qu'elles se repliaient autour de lui, ce qui correspondait mieux à la réalité, Dylan fut pris d'une bouffée de panique, persuadé que Shep allait les envoyer en un tout autre endroit que leur chambre de motel ; ils allaient peut-être se retrouver dans la chambre d'un autre motel où ils avaient séjourné, il y avait deux jours, trois jours ou davantage, ou alors se déplier en plein ciel, à dix mille pieds d'altitude, et faire un piqué mortel vers la terre ferme, ou encore émerger dans les profondeurs abyssales du Pacifique, où la pression titanesque allait les écraser instantanément comme des cocottes en papier, sans même leur laisser le temps de périr noyés ! Le Shepherd qu'il connaissait depuis vingt ans et dont il s'occupait à temps plein depuis dix années, était comme un enfant – il avait peut-être toutes ses facultés mentales, mais restait incapable de les employer avec efficacité dans le monde réel... Même s'ils avaient atterri indemnes sur la colline de Californie et devant les portes de la cafétéria, Dylan ne pouvait pas plus se fier au Shepherd O'Conner nouvelle génération, devenu, en l'espace d'une nuit, un petit génie de la mécanique quantique ou de la quatrième dimension – ou de Dieu sait quoi encore. Il était peut-être désormais un grand sorcier devant l'Éternel, mais il raisonnait toujours comme un petit enfant ; d'accord, il pouvait manipuler l'espace et le temps, mais il ne supportait toujours pas la nourriture « ronde », parlait encore de lui à la troisième personne et fuyait toujours comme la peste tout contact visuel direct... Jamais Dylan n'aurait confié à l'ancien Shepherd, comme au nouveau, un pistolet chargé... une folie qui ne pouvait déboucher que sur une sinistre tragédie. Or le pouvoir de mort du pliage de l'icilà était plus grand encore que celui d'une mitrailleuse lourde. Le temps du voyage, pourtant quasi nul, Dylan fut assailli par pléthore de visions cauchemardesques, toutes plus gore et sanglantes – de quoi réjouir les amateurs de films d'horreur pendant au moins une décennie, puis l'instant de vérité sonna... la dernière portion des toilettes pour dames disparut de sa vue et un nouveau lieu sortit du néant...

Le syndrome du « pistolet chargé » n'avait pas eu lieu. Ils étaient bel et bien revenus dans leur chambre de motel – les rideaux tirés, une unique lampe allumée, sur le bureau, l'ordinateur ronronnant.

Derrière eux, Shep avait aussitôt refermé le passage vers les toilettes. Parfait. Un trajet retour était de toute façon trop risqué et ils ne pouvaient se permettre qu'un visiteur, découvrant les stigmates de leur dernier origami, ameute tout le quartier.

Ils étaient en sécurité. Du moins, pour l'instant.

Pour être rigoureux, ils étaient physiquement et mentalement sains et saufs, mais sûrement pas en sécurité. Au moment même de leur arrivée, avant que l'un d'entre eux n'ait eu le temps d'avaler la moindre goulée d'air, Dylan entendit la serrure de la porte cliqueter, puis le pêne du verrou se retirer de son logement avec une lenteur et une discrétion suspectes.

Les barbares étaient aux portes du château, et pas moyen de leur jeter des chaudrons d'huile bouillante pour les faire reculer !

Sous la serrure se trouvait un simple verrou qui ne résisterait pas longtemps au passe-partout des intrus. La chaînette était tirée, mais un coup de pied, appliqué au bon endroit, la ferait sauter au premier essai.

Dylan saisit l'une des chaises devant le bureau et coinça le dossier sous le bouton de porte. Déjà, quelqu'un commençait à titiller le canon du second verrou.

Récupérer l'argent était trop important... pas le temps de vérifier si la chaise était bien arrimée pour opposer une résistance efficace... il lui fallait s'en remettre à sa bonne étoile, comme il avait dû le faire pour le dernier pliage de Shep. À toutes jambes, il courut dans la salle de bains récupérer son enveloppe de billets dans la trousse de toilette et la fourra dans la poche de son pantalon.

En revenant dans la chambre, Dylan vit que la porte était bien bloquée, la chaise parfaitement placée. La poignée tournait, le bois craquait sous la pression.

L'espace de quelques précieuses secondes, les hommes dans le couloir croiraient avoir affaire à un simple problème de serrure. Certes, ils n'étaient pas stupides, et encore moins naïfs... Et à en juger par leur nervosité au volant de leurs Suburban, leur patience serait de courte durée.

Déjà, Jilly avait débranché l'ordinateur et l'avait rangé dans son sac à main. Elle se tourna vers Dylan et désigna le plafond du doigt. Elle ressemblait à Mary Poppins, mais une Mary Poppins hâlée par le soleil d'Arizona. Son message était clair : *On décolle et on met les voiles !*

Le bois du battant cessa de craquer ; un nouveau cliquetis du passe-partout dans la serrure.... Les golfeurs bodybuildés, pour l'instant, étaient encore bernés...

Shep se tenait dans sa pose favorite : la créature soumise devant l'univers sans pitié ; il n'avait rien d'un Merlin l'Enchanteur en pleine possession de son art !

— OK, gamin, murmura Dylan. Recommence ton pliage et transporte-nous loin d'ici.

Les bras le long du corps, Shepherd resta immobile, apparemment guère décidé à les emmener à l'abri.

— Vas-y, gamin. Fais-le. Tout de suite.

— Ce n'est pas plus grave que de cracher en public, lui rappela Jilly.

Un nouveau *clic-clic* de la clé. Le grincement des vis

maintenant les gonds au chambranle, le craquement sourd de la chaise sous la pression grandissante...

— Pas de pliage, pas de gâteau ! souffla Dylan avec insistance.

Les gâteaux et les dessins animés de Bi-bip et Vile Coyote étaient à Shepherd ce que les rêves de gloire et de fortune étaient aux autres mortels – rien ne pouvait avoir plus d'attrait.

À l'allusion au gâteau, Jilly hoqueta et dit :

— Ne nous ramène pas à la cafétéria, Shep ! Ne fais pas ça ! Pas là-bas !

Cette intervention éclaira dans l'instant les hésitations de Shepherd.

— Où ? demanda-t-il.

Dans le couloir, les tueurs perdaient patience ; leur besoin atavique de sang et de violence revenait à grands pas. Une épaule, ou un talon, heurta violemment la porte. Le bois gémit, la chaise grinça de toute sa structure, mais tint bon.

Durant le voyage depuis les toilettes, Dylan avait imaginé toutes les destinations possibles, plus terribles les unes que les autres, et à présent il ne parvenait pas à penser à un seul endroit susceptible de leur offrir un abri sûr.

L'impact d'un corps contre le battant se fit de nouveau entendre, et ce corps-là grognait – ni de douleur ni de chagrin, bien sûr, mais d'un plaisir rageur.

Juste après le grognement, un autre impact, mais cette fois ce fut un tintement de verre cassé. Le rideau d'une des fenêtres se souleva sous le brusque appel d'air.

— À la maison, bredouilla Dylan. Ramène-nous à la maison, Shep. À la maison. Vite !

— À la maison, répéta Shepherd, semblant perplexe, comme s'il se demandait à quel lieu exact se référait ce mot.

L'intrus qui avait brisé la fenêtre achevait de faire tomber les éclats encore en place dans le cadre, pour pouvoir entrer sans se blesser...

— Notre maison de Californie ! précisa Dylan. La

Californie... Quatre cent mille kilomètres carrés et des poussières...

Shep leva la main droite comme s'il jurait allégeance au trente et unième État d'Amérique.

— ... un peu plus de trente millions d'habitants...

Dans le couloir, le cousin génétique du taureau chargea de nouveau la porte. La chaise craqua, le bois se fendit.

Toujours perplexe, Shep saisit un coin d'air entre son pouce et l'index.

— ... arbre emblème, poursuivit Dylan – mais il eut soudain un trou.

— Le séquoia ! lança Jilly.

Le rideau s'incurva sous la masse du tueur qui grimpait sur la fenêtre.

— Fleur nationale : le pavot doré, reprit Dylan.

La persévérance était toujours récompensée. À la cinquième tentative, la chaise tomba au sol et la porte fut libérée.

Le premier à passer le seuil, projetant d'un coup de pied montants cassés et assise de paille, portait un pantalon couleur sable, un polo rose et jaune. Il avait une expression mauvaise au visage et, à la main, un pistolet, qu'il tenait levé, avec visiblement l'intention de tirer sitôt entré.

— Eurêka, déclara Shep en soulevant son coin d'air.

Dieu soit loué, Dylan n'entendit aucun coup de feu au moment où la chambre du motel se replia, mais il entendit son nom – O'Conner ! – crié par le tueur.

Cette fois, durant le voyage kaléidoscopique, la terreur de Dylan était d'une tout autre nature : cette brute en tenue de golf était si proche d'eux au moment où ils avaient quitté la chambre du motel, qu'il avait peut-être fait le voyage en leur compagnie jusqu'en Californie...

32.

Des flaques d'ombres, parsemées d'éclats de lumière, apparurent à la place de la chambre du motel... une fraction de seconde avant de reconnaître l'endroit, Dylan sentit l'odeur du gâteau à la cannelle et aux raisins-noix de pécan préparé selon la fameuse recette de sa mère – un arôme immanquable.

Shep, Jilly et Dylan arrivèrent entiers – et, par bonheur, le tueur en polo Lacoste n'avait pas eu droit au voyage. Pas même l'écho de son *O'Conner !* ne les avait suivis en Californie.

Malgré l'odeur rassurante et l'absence du vilain emboutisseur de porte, Dylan n'éprouva aucun soulagement. Quelque chose clochait. Il ne pouvait cerner l'origine de son malaise, mais l'impression était trop tangible pour être un effet de sa seule imagination.

La pénombre qui régnait dans la cuisine de leur maison de Californie était à peine atténuée par le halo de lumière filtrant par la porte ouverte de la salle à manger, quant à la lueur du cadran de l'horloge du cochon en céramique, posé sur l'étagère au-dessus de l'évier, son effet était négligeable. Sur le plan de travail, sous l'horloge, un moule à gâteau, renfermant son trésor fumant de cannelle-raisins-noix de pécan.

Vonetta Beesley – qui venait une fois par semaine en Harley Davidson faire le ménage à la maison – leur préparait parfois un gâteau, en suivant scrupuleusement le livre de recettes maternelles. Mais Dylan et Shep étaient censés revenir de leur tournée des expositions d'art seulement fin octobre. Vonetta avait donc dû le faire cuire pour elle.

Passé ce premier moment de confusion, lié au repli de l'espace, Dylan comprit d'où provenait cette impression d'étrangeté. Ils avaient quitté l'Arizona, situé sur le fuseau horaire des Rocheuses, un peu avant treize heures le samedi. En Californie, calée à l'heure du Pacifique, ils auraient dû arriver avec un déficit d'une heure. Départ d'Holbrook à treize heures, arrivée sur la côte Pacifique à midi. Mais voilà ; derrière les fenêtres de la cuisine, c'était la nuit.

La nuit à midi ?

— Où sommes-nous ? murmura Jilly.

— À la maison, répondit Dylan.

Il consulta les aiguilles lumineuses de sa montre, qu'il avait réglée sur le fuseau horaire des Rocheuses quelques jours plus tôt, en prévision du festival d'art de Tucson. La montre indiquait 12 h 56 ; ce qui correspondait à ses estimations.

Ici, sur la terre des pavots dorés et des séquoias, il aurait dû être midi moins quatre, sûrement pas *minuit* moins quatre.

— Pourquoi fait-il nuit ? s'enquit Jilly.

Dans le ventre du cochon de céramique, le cadran indiquait 21 h 26.

Au cours des précédents voyages par origami, il n'y avait eu aucun déficit ou bénéfice de temps – ou alors quelques secondes. Dylan n'avait perçu aucun décalage lors du processus.

S'il était réellement neuf heures et demie du soir, Vonetta aurait dû être rentrée chez elle depuis des heures. Elle travaillait de neuf heures du matin à dix-sept heures. Et si elle était partie, pourquoi n'avait-elle pas emporté le gâteau ?

De la même manière, elle n'aurait pas oublié d'éteindre la lumière de la salle à manger. En ce domaine, Vonetta Beesley était aussi fiable que l'horloge atomique de Greenwich, qui servait de référence temporelle à toutes les nations de la planète.

La maison avait des allures de temple funéraire, drapé d'un voile de silence et d'immobilité.

Le caractère étrange de la scène n'était pas uniquement dû à l'obscurité derrière les fenêtres ; cela avait trait à la maison elle-même, à quelque chose *dans* la maison. Dylan ne percevait aucune haleine chargée de soufre, aucun démon tapi dans l'ombre, mais il avait l'impression que *rien* n'était tout à fait normal.

Jilly devait avoir la même sensation. Elle se tenait exactement à l'endroit où elle avait émergé du pliage, comme si elle craignait de bouger ; son inquiétude se lisait sur son visage, malgré la pénombre ambiante.

La qualité de la lumière provenant de la salle à manger était différente de celle dont il se souvenait. Le lustre au-dessus de la table, que Dylan ne pouvait voir de sa position, était commandé par un variateur mural, mais même à ce niveau bas de brillance, les couleurs étaient trop chaudes pour être émises par un assemblage de cuivre et de cristal. En outre, la lumière ne tombait pas du plafond. Les hauteurs de la pièce restaient plongées dans la pénombre ; la lueur semblait naître d'un point assez proche de la table.

— Shep, gamin, que se passe-t-il ici ? demanda Dylan à mi-voix.

Fort de la promesse de Dylan, Shep, d'ordinaire, aurait marché tout droit vers le moule au trésor de cannelle, car il était de nature obsessionnelle en toute chose, en particulier avec les gâteaux tout chauds sortant du four. Et pourtant, ce ne fut pas vers la pâtisserie qu'il s'avança, mais vers la porte de la salle à manger. Il n'avait pas fait un pas dans cette direction qu'il s'arrêta net et déclara d'une voix chevrotante de terreur :

— Shep est courageux.

Dylan ne voulait pas s'aventurer plus loin dans la maison avant d'en savoir davantage sur la situation. Il lui fallait trouver une arme... le tiroir du buffet renfermait une jolie collection de couteaux ; mais, depuis les événements de la veille, les armes blanches lui sortaient par les yeux. Une bonne batte de base-ball, voilà ce qui aurait été bien.

— Shep est courageux, répéta Shep avec un trémolo encore plus prononcé, sa confiance fondant comme neige au soleil.

Toutefois, il gardait la tête droite, face à la porte de la salle à manger, et non orientée vers ses pieds ; puis, comme s'il défiait les ordres d'une voix intérieure lui intimant de battre en retraite, il recommença à avancer.

Dylan s'approcha de son frère et posa la main sur le haut de son bras, dans l'intention de le retenir, mais Shep la repoussa d'un coup d'épaule et continua à marcher d'un air résolu vers la salle à manger.

Jilly interrogea Dylan du regard. Dans ses yeux sombres, brillait le reflet du cadran lumineux de l'horloge.

Shep, parfois, pouvait se montrer plus têtu qu'une mule des Andes ; Dylan connaissait ces phases d'obstination absolue chez son frère – inutile de s'y opposer. Rien ne pourrait arrêter Shep. Non, du moins, dans le calme et le silence. Dylan n'avait pas d'autre choix que de lui emboîter le pas et prier pour que tout aille bien.

Il jeta encore un regard circulaire dans la cuisine enténébrée à la recherche d'une arme, mais ne repéra rien d'utile.

Sur le seuil, dans le halo ambre, Shepherd hésita à nouveau, mais un court instant, avant de quitter la cuisine. Il pivota sur sa gauche et s'immobilisa devant la table de la salle à manger.

Quand Jilly et Dylan le rejoignirent, ils découvrirent un petit garçon assis à la table. Il avait environ dix ans.

Le garçon ne releva pas la tête vers eux, toute son attention accaparée par la reconstitution d'un panier d'osier où s'ébattaient de petits chiots golden-retriever. Le panier était quasiment complet, mais il manquait aux chiots des parties du corps et de la tête. Les mains du garçon voletaient au-dessus de la boîte du puzzle pour combler les vides du motif.

Jilly n'avait peut-être pas reconnu le petit amateur de puzzle, mais Dylan ne le connaissait que trop bien. C'était Shepherd O'Conner.

33.

Dylan se souvenait de ce puzzle ; il avait une signification si particulière qu'il aurait pu le peindre de mémoire
avec une grande précision. Il savait, à présent, d'où provenait cette lumière ambre : d'une lampe d'apothicaire qui
d'ordinaire trônait sur le bureau. L'abat-jour était
composé de morceaux de verre ocre.

À la maison, l'autisme de Shepherd se manifestait parfois par une hypersensibilité aux lumières vives ; il ne pouvait faire un puzzle à la lueur du lustre atténuée par le
variateur, car, bien qu'inaudible pour le commun des mortels, le faible bourdonnement du passage électrique dans
le rhéostat lui vrillait les tympans comme une roulette de
dentiste. Si bien que le garçon allait chercher la lampe de
bureau avec son abat-jour fortement teinté, où l'ampoule
classique de quarante watts avait été remplacée par une
de quinze watts.

Shepherd n'avait plus fait un puzzle dans la salle à
manger depuis les dix dernières années ; il avait élu domicile dans la cuisine. Ce panier de petits chiots avait été le
dernier qu'il avait achevé dans cette pièce de la maison.

— Shep est courageux, articula Shepherd senior.

Shepherd junior, assis à la table, ne releva pas les
yeux.

Aucune situation, jusqu'à présent, n'avait empli Dylan
d'une telle frayeur ; son cœur semblait écrasé dans un

étau. Cette fois, ce qui l'attendait dans les minutes à venir n'était pas l'inconnu, comme lors des événements précédents, mais strictement l'inverse – le connu, l'inéluctable... Et Dylan était emporté vers cette horreur comme un homme dans une barque, au sommet des chutes du Niagara. Un mouvement inexorable.

— Dylan ! s'écria Jilly.

Elle désignait quelque chose au sol.

Sous eux, un tapis d'inspiration persane. Autour de chacun de leurs pieds, les motifs étaient cachés par une chose noire et luisante, comme s'ils se tenaient au milieu d'une flaque d'encre. La « flaque » ondulait légèrement, mais d'un mouvement perpétuel, sans amortissement. Lorsque Dylan bougea un pied, l'encre se déplaça avec lui, et la portion de tapis, qui paraissait tachée, réapparut intacte.

Une chaise se trouvait à côté de Dylan ; en posant la main sur le dossier, il vit une autre tache d'encre s'épanouir en corolle sous sa paume et gagner le capitonnage, en reproduisant, grossie, l'empreinte de ses doigts. Il glissa la main de droite à gauche ; la tache suivit le mouvement, laissant le tissu immaculé.

Dylan sentait la chaise sous sa paume, mais quand il tenta de la saisir plus fermement, le capitonnage ne s'enfonça pas sous ses doigts. Rassemblant ses forces, il voulut éloigner la chaise de la table, et sa main passa au travers du bois – une illusion !

Ou alors il était devenu un fantôme, un ectoplasme sans substance.

Voyant l'effroi de Jilly, Dylan posa la main sur son bras, pour lui montrer que le phénomène de la flaque ne se produisait pas entre eux, mais uniquement avec le décor environnant.

— Le garçon à la table, expliqua Dylan, c'est Shepherd quand il était petit.

Elle avait dû le comprendre depuis un certain temps, car elle ne montra aucune surprise à ces mots.

— Ce n'est pas une simple vision que Shep nous fait partager, bredouilla-t-elle. Un simple mirage...

— Non.

La révélation lui vint. Ce fut davantage une sinistre conclusion qu'un étonnement, comme si elle avait commencé à assembler les pièces du puzzle avant que Dylan lui apprenne l'identité du jeune garçon.

— Nous ne nous sommes pas simplement déplacés en Californie, nous sommes remontés quelque part dans le temps.

— Pas n'importe où, précisa Dylan en sentant son cœur cesser de battre.

Ce n'était pas la peur qui refermait sa main glacée... il était quasiment certain que rien ne pouvait leur arriver ici, pas plus qu'il ne pourrait influer sur les événements qui allaient se produire... c'était le chagrin qui noyait son cœur, qui le submergeait, un puits sans fond de regrets.

— Pas n'importe où, répéta-t-il. Mais une nuit particulière. Une nuit de cauchemar.

Davantage pour rassurer Jilly que pour chercher à confirmer ses doutes, Dylan s'approcha de la table et balaya du bras la surface du plateau, comme s'il voulait projeter le puzzle à travers la pièce. Pas une pièce du motif ne bougea.

Le Shepherd de dix ans, dans son cocon d'autisme, tout abîmé qu'il était dans son puzzle, aurait pu rester sourd à leurs voix, même s'il les avait entendues. Mais il aurait sursauté, ou tout au moins tressailli, si un bras avait surgi dans son champ de vision, avec l'intention de ruiner ses efforts. Or, le petit garçon n'eut aucune réaction.

— Nous sommes invisibles, déclara Dylan. Nous pouvons voir, mais non être vus. Nous pouvons entendre les sons, mais non être entendus. Nous pouvons sentir l'odeur du gâteau, la chaleur irradiant du four, la texture des objets, mais nous ne pouvons avoir aucun effet sur eux.

— Vous n'allez pas me faire croire que Shep l'a fait exprès ?

Shepherd continuait à observer son double junior s'employant à trouver les pattes des chiots cul-de-jatte et les têtes des décapités.

— Sachant de quelle nuit il s'agit, répondit Dylan, c'est la dernière chose que Shep voudrait revoir. Il ne maîtrise pas les règles du jeu. C'est la Nature qui dirige.

Apparemment, Shepherd pouvait les renvoyer dans le passé, mais seulement pour une promenade, comme on visite un musée – interdit de toucher !

— Le passé est écrit. On ne peut le défaire, déclara Dylan, tout en souhaitant ardemment se tromper...

— Hier soir, lui rappela Jilly, Shepherd s'est mis à énumérer une longue liste de synonymes autour de la défécation... mais c'était longtemps après que je vous ai demandé de châtier votre langage, parce que vous étiez aussi mal embouché que mon paternel.

— Vous n'avez pas dit que je vous rappelais votre père.

— Eh bien, c'est pour ça que je ne n'aime pas les gros mots. Il était un vrai moulin à insanités. Bref, vous m'avez expliqué alors que Shep avait une perception du temps différente des nôtres.

— Il ne perçoit quasiment rien comme nous.

— Passé, présent, futur ne sont pas des notions aussi clairement définies que pour nous autres.

— Voilà pourquoi nous sommes là, annonça Dylan. Février 1992, il y a plus de dix ans.

Dans le salon mitoyen, par la porte ouverte, filtraient des voix – une dispute, mais sans cris.

Dylan et Jilly se tournèrent vers l'ouverture ; la pièce, là-bas, était plus éclairée que la salle à manger. Le jeune Shepherd continuait à combler les trous de ses chiots sous le regard tendu de Shepherd senior.

Dans la guerre entre le cœur et la raison, une question émergea, emplissant Dylan de terreur. Devait-il ou non assister à *ça* ? Si l'horreur prévue n'était pas au rendez-vous, il se féliciterait d'avoir joué les voyeurs. S'il existait la moindre chance de pouvoir influer sur l'issue de cette nuit, il pourrait surmonter sa peur et participer au drame. Mais s'il ne pouvait rien y faire – et ce serait le cas – alors à quoi bon être le témoin impuissant d'une horreur à laquelle il avait échappé dix ans plus tôt ?

Les voix dans le salon montèrent d'un cran en volume et en colère.

— Gamin, pressa Dylan à l'intention de Shepherd senior. Sors-nous d'ici. Ramène-nous à la maison, mais à notre époque. Tu as compris, Shep ? Sors-nous du passé. Tout de suite !

Shepherd junior ne pouvait entendre Dylan, Jilly et son double aîné. Mais l'autre Shep, qui avait pourtant perçu chaque mot prononcé par son frère, resta de marbre comme si lui aussi appartenait à ce temps jadis et était sourd à tous les stimuli extérieurs. À en juger par l'intensité avec laquelle il regardait son double benjamin, Shep senior n'avait nulle intention de les arracher à cette époque. Et personne ne pouvait le contraindre à user de sa magie.

Entendant que la dispute dans le salon montait crescendo, le petit Shep de dix ans posa les mains à plat sur la table, une pièce dans chacune d'elles, et tourna la tête vers la porte ouverte.

— Oh, non, articula Dylan, lorsque dans un frisson glacé il prit conscience de ce qui allait se passer. Oh, non gamin. Non, non.

— Quoi, s'inquiéta Jilly. Qu'est-ce qui se passe ?

Shep junior posa ses pièces et se leva de la chaise.

— Le pauvre petit. Il a tout vu, murmura Dylan d'une voix blanche. On ne savait pas qu'il avait vu.

— Vu quoi ?

Ce soir funeste du 12 février 1992, le petit Shepherd O'Conner, âgé de dix ans, contourna la table de la salle à manger et se dirigea de son pas traînant vers la porte ouverte du salon.

Le Shepherd de vingt ans s'avança, tendit les bras pour arrêter son jeune double. Mais ses mains passèrent au travers du corps de l'enfant, en ce soir lointain de février, comme à travers un spectre.

En fixant des yeux ses mains impuissantes, Shep senior déclara d'une voix tremblotante :

— Shep est courageux. Shep est courageux.

Cela s'adressait moins à son petit double, qu'à lui-même, pour se donner le cran de supporter ce qui allait suivre.

— Replie-nous loin d'ici, insista Dylan.

Shepherd accepta le contact visuel direct ; même si c'était son frère qu'il regardait dans les yeux, et non un inconnu, cette intimité lui demandait toujours beaucoup d'efforts. Ce soir, en ces circonstances, le coût était particulièrement élevé. Dans son regard une fragilité infinie, une hypersensibilité qu'il ne pouvait protéger par les armes du commun des mortels – à savoir l'ego, l'estime de soi, l'instinct de survie.

— Viens. Viens voir, articula-t-il.

— Non.

— Viens voir. Il faut que tu voies.

Le jeune Shepherd franchit le seuil du salon.

Rompant le contact visuel avec Dylan, Shepherd senior répéta : « Shep est courageux, courageux », et suivit son double – l'adulte qui n'a pas grandi dans le sillage de son double enfant, les flaques d'encre sous ses pieds se déplaçant avec lui tandis qu'il traversait le tapis oriental pour rejoindre le parquet blond.

Dylan lui emboîta le pas, Jilly aussi. Direction le salon, ce soir du 12 février 1992.

Shepherd junior s'arrêta deux pas après le seuil, mais Shepherd senior passa devant lui et avança encore.

La vue de sa mère, Blair, pas encore morte, et donc d'une vitalité miraculeuse, ébranla Dylan plus violemment qu'il ne s'y attendait. Les fils de fer barbelés du chagrin étranglèrent son cœur, le comprimèrent à le faire imploser.

Blair O'Conner avait alors quarante-quatre ans. Elle était si jeune...

Il se souvenait de sa douceur, de sa gentillesse, de sa patience, avec une beauté d'âme égale à son joli minois.

Mais ici, elle montrait sa face cachée : ses yeux verts étincelant de rage, le souffle court, les traits rendus anguleux par la tension des muscles, tournant en rond dans la pièce, comme une lionne dans une cage, prête à mordre à tout instant.

Sa mère ne se mettait jamais en colère sans une très bonne raison, et jamais Dylan ne l'avait vue dans un tel état de fureur.

L'homme qui avait déclenché les foudres de ce courroux se tenait derrière l'une des fenêtres du salon, et tournait le dos à Blair O'Conner comme aux visiteurs du futur.

Blair ne pouvait distinguer son public fantomatique, mais n'avait pas plus remarqué Shep junior, bien réel pourtant, qui se tenait à côté de la porte...

— Je vous répète qu'il n'y a pas de disquettes ! disait-elle. Et quand bien même il y en aurait, ce n'est pas à vous que je les confierais. Certainement pas !

— Et peut-on savoir à qui vous voudriez les confier ? demanda l'homme à la fenêtre, en se retournant pour lui faire face.

En 1992, il était certes plus mince qu'en 2002 ; il avait plus de cheveux aussi... mais Lincoln Merryweather Proctor, alias (leur) Dr. Frankenstein, restait parfaitement reconnaissable.

34.

Jilly avait parlé de son sourire « démoniaque » et la description, aujourd'hui, parut à Dylan parfaitement appropriée. Les yeux pâles de l'homme lui avaient semblé, lors de leur dernière rencontre, deux lucarnes falotes donnant sur une âme résignée, mais cette fois, il vit deux grandes baies de glace s'ouvrant sur un royaume de froidure.

Sa mère avait connu Proctor ! Proctor était venu dans leur maison !

Cette découverte ébranla tellement Dylan que, l'espace d'un instant, il oublia sur quelle sinistre conclusion allait se terminer cet entretien. Il restait cloué sur place, dans un état extatique.

— Nom de Dieu, je vous dis qu'il n'y a pas de disquettes ! déclarait sa mère. Jack n'a jamais laissé entendre qu'il détenait ce genre de chose. Point final.

Jack – le père de Dylan, mort depuis quinze ans, cinq années avant cette soirée de février.

— Il les a reçues le jour de sa mort, répondit Proctor. Vous devez être au courant.

— Si jamais c'est le cas, ce dont je doute fortement, elles ont disparu avec Jack.

— Mais si vous les retrouviez, insista Proctor, les donneriez-vous aux investisseurs qui ont, par manque de chance, perdu de l'argent ?

— *Par manque de chance* ? N'enjolivez pas la réalité ! Vous les avez arnaqués, escroqués. Des gens qui avaient confiance en Jack et en vous... et vous les avez dépouillés jusqu'au dernier sou. Vous avez monté des sociétés pour des projets de recherches que vous n'aviez aucune intention de mener, et avez investi tous leurs capitaux sur vos petits robots à la noix...

— Des nanobots. Et c'était très sérieux. Je ne suis pas fier d'escroquer les gens, vous savez. J'en ai même honte. Mais la recherche sur les nano-machines nécessite tellement d'argent. Il me fallait trouver de nouveaux fonds. Ils étaient...

Revêche, la mère de Dylan lança :

— Si j'avais ces disquettes, je les aurais données depuis longtemps à la police. C'est la preuve qu'elles ne sont jamais arrivées ici. Si Jack avait eu entre les mains ces preuves, il ne se serait jamais donné la mort. Il aurait vu poindre une lueur d'espoir. Il serait allé trouver les autorités, aurait intenté un procès et se serait battu pour que les investisseurs soient dédommagés.

Proctor hocha la tête en souriant.

— C'est vrai que Jack n'était pas le genre à avaler un tube de cachets ni à se mettre un tuyau d'échappement dans la bouche...

La colère de Blair reflua, envahie par une vague de chagrin.

— Il était déprimé. Pas seulement pour ses propres pertes. Il avait l'impression d'avoir trahi de braves gens qui lui avaient fait confiance. Amis, famille. Il était totalement effondré...

Soudain, elle perçut un sens plus sinistre aux paroles de Proctor. Ses yeux s'écarquillèrent d'horreur.

— Comment ça « pas du genre » ? Qu'est-ce que vous sous-entendez, au juste ?

De la doublure de son manteau, Proctor sortit un pistolet.

Jilly agrippa le bras de Dylan.

— Qu'est-ce que c'est que ça ?

Groggy, Dylan articula :

— Nous pensions que c'était un inconnu qui avait tué maman... un cambrioleur, un psychopathe passant dans le coin. On n'a jamais retrouvé le coupable.

La mère de Dylan et Proctor se regardèrent en silence, pendant que la vérité se faisait jour en elle.

Puis Proctor reprit la parole :

— Jack était de ma taille. Je suis un intellectuel, pas un combattant. Je me reconnais une certaine lâcheté en ce domaine. Mais je pensais pouvoir l'emporter avec l'effet de surprise et du chloroforme. Et c'est ce que j'ai fait.

À la mention du chloroforme, les mains de Jilly se crispèrent sur le bras de Dylan.

— Pendant qu'il était dans les pommes, il me fut facile de l'intuber. Tout ce qu'il me fallait, c'était un laryngoscope pour être sûr que le tube était bien dans l'œsophage et non dans la trachée. J'ai fait descendre des capsules de Nembutal avec de l'eau, directement dans son estomac. J'ai alors retiré le tube, et l'ai gardé sous chloroforme, jusqu'à ce que le Nembutal l'emporte.

Chez Dylan, l'effarement laissa place à la colère. Pas une colère purement personnelle dirigée contre ce monstre qui avait détruit sa famille, mais contre le mal en général, contre sa simple existence en ce monde. L'humanité entière avait peut-être perdu le jardin d'Éden, mais trop d'individus s'empressaient de rejoindre les ténèbres, de semer la désolation et de se repaître de la misère des autres, tombant toujours plus bas, de plus en plus profond, enivrés par leur propre déchéance.

— Je peux vous assurer, poursuivit Proctor, que votre mari n'a pas souffert. Bien qu'il fût inconscient, j'ai pris grand soin de l'intuber en douceur.

Dylan avait déjà ressenti ça lorsqu'il avait découvert Travis enchaîné au lit dans la maison d'Eucalyptus Avenue : une empathie pour toutes les victimes. Le jeune homme était le siège d'émotions intenses, à l'image de ces personnages d'opéra ; un phénomène qui le surprenait autant que la découverte de son sixième sens ou du pliage de l'espace-temps.

— Je ne suis pas un saint, expliqua Proctor, versant de nouveau dans l'auto-dépréciation dont il avait fait usage la veille, au moment de faire la piqûre à Dylan. Je n'ai aucune bonté, selon les standards connus. Je connais mes défauts, et ils sont légion. Mais pour mauvais que je sois, je reste incapable d'infliger de la souffrance à autrui, du moins quand cela n'est pas absolument nécessaire.

Comme si Jilly éprouvait la même compassion douloureuse que Dylan pour toutes les victimes de la terre, elle s'approcha de Shepherd senior – le Shepherd réel – passa son bras autour de ses épaules et l'entraîna doucement loin de Proctor Lincoln, loin de sa mère, pour qu'il ne revive pas le drame auquel il avait déjà assisté dix ans plus tôt.

— Lorsque j'ai fixé le tuyau de l'échappement, continuait Proctor, Jack était si profondément endormi qu'il ne s'est pas vu quitter ce monde. Il n'a ressenti aucune sensation d'étouffement, aucune peur. Je regrette ce que j'ai fait, j'y pense tout le temps, même si je n'avais pas d'autres choix possibles. Bref, je suis content d'avoir eu l'occasion de vous dire que votre mari ne vous a pas abandonnés, vous et les enfants. Je regrette de vous avoir laissé croire cela aussi longtemps...

Comprenant que sa mort était imminente, Blair O'Conner ne se priva pas pour faire connaître à Proctor le fond de sa pensée.

— Vous êtes un parasite. Un ver à merde puant.

Proctor s'approcha d'elle en hochant la tête.

— Je suis tout ça et plus encore. Je n'ai aucun scrupule, aucun sens moral. Une seule chose m'intéresse, une seule : mon travail, mon œuvre, ma vision. Je suis un homme méprisable, mais je suis investi d'une mission, et je la mènerai à son terme.

Même si le passé était sans doute gravé dans le marbre, aussi dur et impénétrable que le cœur des fous, Dylan marcha vers sa mère et Proctor, avec l'espoir irrationnel que les dieux du temps oublieraient leurs lois d'airain et lui permettraient d'empêcher la balle fatale d'atteindre sa mère.

— Quand j'ai récupéré les disquettes sur la dépouille de Jack, expliqua Proctor, j'ignorais qu'on lui avait remis deux jeux. Je pensais avoir effacé toutes les preuves. Ce n'est que tout récemment que j'ai découvert le pot aux roses. Le jeu que je lui ai repris... il comptait le remettre aux autorités. L'autre jeu doit être encore ici. Car si on les avait trouvées, je serais déjà en prison, n'est-ce pas ?

— Je ne les ai pas, insista Blair.

Dos à sa mère, Dylan fit face à Proctor et au canon de l'arme.

Proctor regardait au travers de lui, ignorant qu'un visiteur venu du futur se tenait devant lui.

— Cinq années, c'est long. Mais, pour l'administration fiscale, ce n'est rien.

Tremblant d'émotion, Dylan fit un pas vers Proctor. Il tendit le bras et posa la main sur le pistolet.

— Le délai de prescription pour les droits du fisc, poursuivit Proctor, est de sept ans.

Dylan sentait le galbe du canon, le froid de l'acier.

Visiblement, Proctor ne percevait pas la pression de la main de Dylan sur l'arme.

— Connaissant Jack, je suis sûr qu'il devait garder toutes ses pièces comptables au moins durant cette période. Si jamais quelqu'un met la main dessus, je suis fini.

Lorsque Dylan voulut refermer la main sur le pistolet, afin de l'arracher à Proctor, ses doigts passèrent au travers de l'acier et attrapèrent du vide.

— Vous n'êtes pas idiote, madame O'Conner. Vous êtes au courant de cette période de sept ans. Vous avez forcément gardé les dossiers de Jack. Je suis certain que les disquettes sont là. Vous l'ignoriez peut-être. Mais maintenant que vous connaissez leur existence... vous allez les chercher et, sitôt que vous aurez mis la main dessus, foncer au poste de police le plus proche. J'aurais préféré éviter cette situation... fâcheuse.

Dans un accès de rage, Dylan lança son poing au visage de Proctor. Il passa au travers de son crâne, dans une traîne noire digne d'une comète d'antimatière. Ce salaud de Proctor ne sourcilla même pas.

— J'aurais préféré avoir votre coopération, mais je peux fouiller la maison moi-même. J'aurais dû vous tuer de toute façon. C'est moche, c'est une chose terrible que je fais là, et s'il existe un enfer, je mérite la damnation éternelle, les affres infinies des flammes.

— Ne touchez pas à mon fils, répondit Blair O'Conner avec froideur, refusant de supplier son meurtrier.

Il était inutile de se mettre à genoux devant Proctor dans l'espoir de l'apitoyer. Mieux valait user d'arguments logiques.

— Il est autiste, expliqua-t-elle. Il ne sait pas qui vous êtes. Il ne pourrait pas témoigner contre vous, même s'il connaissait votre nom. Il est quasiment coupé du monde extérieur.

Terrifié, Dylan recula vers sa mère, convaincu, dans un fol espoir, qu'il pourrait mieux dévier la trajectoire de la balle s'il se tenait tout près d'elle.

— Je connais l'état de Shepherd. Quel fardeau pour vous depuis toutes ces années. Je sais ce que vous avez enduré.

— Il n'a jamais été un fardeau, répliqua Blair O'Conner d'une voix tranchante comme l'acier. Et vous ne savez rien du tout !

— Je suis sans scrupule, brutal même quand la situation l'exige, mais jamais cruel. (Proctor jeta un regard oblique vers le petit Shep.) Le gamin ne représente pas une menace pour moi.

— Oh ! Seigneur, bredouilla la mère de Dylan. (Se tenant dos à la porte, elle n'avait pas vu que le garçon avait délaissé son puzzle et qu'il se tenait sur le seuil.) Non. Ne faites pas ça devant mon garçon. Ne lui faites pas voir... ça.

— Cela ne lui fera ni chaud ni froid, madame O'Conner. Cela passera au travers lui, comme le reste.

— Non. Tout le touche, tout l'affecte. À l'inverse de vous.

— Allons, il a les capacités émotionnelles de quoi –
d'un crapaud ? répliqua Proctor, infirmant ses propos précédents et prouvant, de fait, qu'il pouvait se montrer cruel
gratuitement.

— C'est un gentil garçon, insista Blair. Si doux. Si
gentil. (Ces paroles n'étaient pas destinées à Proctor.
C'était un adieu à son garçon.) À sa façon, c'est un génie.

— Un génie des marais, répondit Proctor d'un air
faussement affligé. Mais je vous promets ceci : quand j'aurai terminé mon grand œuvre – et je suis sûr que j'y par-
viendrai, un jour –, quand j'aurai le prix Nobel et que je
dînerai avec les grands de ce monde, je n'oublierai pas
votre enfant malade. Mes machines pourront transformer
le crapaud en prince charmant.

— Vous n'êtes qu'un connard pompeux, lâcha Blair.
Vous n'êtes pas un scientifique, vous êtes un monstre. La
science éclaire les ténèbres. Mais vous, vous êtes les
ténèbres. Un monstre de la nuit. Vous accomplissez votre
œuvre au clair de lune.

Dylan se vit tendre le bras devant lui, paume ouverte,
espérant arrêter non seulement la balle véloce, mais le
cours du temps.

La déflagration fut plus puissante qu'il ne s'y attendait, comme si les cieux se déchiraient au jour du Jugement dernier.

35.

Peut-être la fulgurance de la balle traversant son corps n'avait-elle été que le pur produit de son imagination, mais lorsqu'il se retourna vers sa mère, l'horreur au ventre, il aurait pu décrire dans le détail la forme, la texture, le poids et la chaleur de la bille de plomb qui l'avait tuée. Il se sentit lui-même transpercé, déchiré, non pas quand le projectile était passé à travers lui, mais lorsqu'il vit sa mère s'effondrer, son visage figé de terreur et de douleur.

Dylan s'agenouilla devant elle, mourant d'envie de la prendre dans ses bras, de la réconforter pour son dernier souffle, mais ici, à son époque, il avait moins de substance que le rejeton d'un fantôme.

De l'endroit où elle gisait, elle regardait, à travers Dylan, vers le petit Shep. À trois mètres de là, le garçon se tenait les épaules voûtées, la tête à demi baissée. Bien qu'il restât figé sur place, il regardait sa mère, droit dans les yeux.

À en juger par son expression, soit le gamin ne savait comment interpréter ce qu'il venait de voir, soit il avait parfaitement compris et était en état de choc. Il demeurait immobile. Pas un mot. Pas une larme.

Derrière le fauteuil favori de Blair, Jilly serra dans ses bras le grand Shep ; celui-ci se laissa faire, contrairement à son habitude. Tout en empêchant Shep senior de voir sa mère mourante, la jeune femme regardait Dylan avec une affliction qui prouvait qu'en l'espace de vingt-quatre heures elle était devenue un membre à part entière de la famille.

— Tout ira bien, mon cœur, articula leur mère à l'intention de Shep junior. Tu n'es pas tout seul. Tu ne le seras jamais. Dylan prendra toujours soin de toi.

La Mort plaça un point final sur le livre de sa vie et Blair O'Conner rejoignit l'Autre monde.

— Je t'aime, souffla Dylan à sa mère morte-deux-fois, parlant par-delà la rivière du temps et par-delà une autre rivière plus large encore, celle du chagrin.

Bien qu'ébranlé jusqu'au tréfonds d'avoir été témoin de son trépas, Dylan était tout aussi ému par les dernières paroles de sa mère :

Tu n'es pas tout seul. Tu ne le seras jamais. Dylan prendra toujours soin de toi.

Elle avait une telle confiance en lui, en tant que frère aîné et en tant qu'individu.

Et pourtant, il frémit au souvenir de ces futures nuits où il ne parviendrait pas à trouver le sommeil, trop épuisé nerveusement après une journée difficile avec Shepherd, tout entier rongé par l'auto-apitoiement. Le découragement – voire l'abattement total – ne durerait jamais très longtemps ; mais dans ces sinistres moments, la tentation serait grande de placer Shep dans une institution spécialisée, de le confier « aux bons soins des professionnels de la santé » comme on disait pudiquement.

Il n'y aurait pas eu de honte à placer Shep dans un établissement de premier ordre... se dévouer corps et âme à son frère avait un coût, un coût d'ordre affectif qui grevait considérablement ses propres chances au bonheur – les psys auraient vu dans cette dévotion fraternelle le signe d'un profond désordre émotionnel. En vérité, il ne se passait pas un jour où Dylan ne regrettait cette vie de sacerdoce, et il supposait, qu'avec le temps, le regret laisserait place à l'aigreur au regard de toutes ces années perdues.

Et pourtant son existence n'était pas sans satisfaction – celle, et non des moindres, de découvrir aujourd'hui qu'il s'était montré à la hauteur de la confiance que sa mère avait placée en lui. Sa persévérance avec Shepherd, toutes ces années durant, revêtit soudain une dimension quasi mystique, comme s'il avait entendu, d'une façon mystérieuse et subliminale, les dernières volontés de sa mère. Elle était peut-être venue lui parler dans ses rêves, des rêves dont il n'avait nul souvenir, lui chuchoter pendant son sommeil tout son amour et sa confiance indéfectible en son sens du devoir.

Depuis dix ans, si ce n'était davantage, Dylan croyait avoir une idée relativement précise des frustrations que devait endurer Shepherd, de l'intensité de son sentiment d'impuissance face aux stimuli du monde extérieur qui empoisonnaient la vie d'un autiste. Mais aujourd'hui, il s'apercevait qu'il était très loin de la vérité... Il avait fallu qu'il tente en vain de protéger sa mère d'un coup de feu, qu'il la regarde s'effondrer, touchée à mort, qu'il ne puisse pas la prendre dans ses bras pour ses derniers instants, en sachant que tous ses « je t'aime » ne seraient jamais entendus, pour avoir enfin un petit aperçu de la torture que vivait son frère à chaque instant de son existence. À genoux, devant sa mère, le regard rivé dans ses yeux vitreux, Dylan hoqueta de honte, de peur et d'une rage qu'il ne pourrait jamais libérer – sur quoi, sur qui ? – fureur contre sa propre faiblesse, fureur contre l'ordre immuable des choses... Un cri de colère monta en lui, mais il ne le laissa pas sortir... parce que dans sa bulle hors du temps personne ne l'entendrait, et surtout parce que ce cri, une fois libéré, risquait de ne plus avoir de fin.

Il n'y avait pas beaucoup de sang. Dieu merci.

Elle était partie vite. Sans trop souffrir.

C'est alors qu'il prit conscience de ce qui allait suivre.

— Non !

* * *

Serrant Shepherd dans ses bras, Jilly regarda Lincoln Proctor avec une haine inconnue... jamais, elle n'avait détesté autant quelqu'un, hormis peut-être son père dans ses pires moments. Peu lui importait que dix ans plus tard, Proctor ne serait plus qu'une carcasse fumante dans les débris de sa De Ville : *ici et maintenant*, elle honnissait cet homme par tous les pores de sa peau.

Une fois le coup tiré, Proctor rengaina l'arme dans son étui d'épaule, sous sa veste de cuir. Il avait l'assurance d'un tueur à gages...

De la poche de son manteau, il sortit une paire de gants en latex et les enfila méthodiquement.

Jilly, qui désormais savait déchiffrer les expressions subtiles de Shep, ne put lire de l'émotion sur le visage lisse du garçonnet. Il paraissait totalement insensible à la mort de sa mère. Ce qui ne pouvait être le cas, puisque dix ans plus tard, c'était en ce lieu et à cet instant précis qu'il les avait ramenés et que Shepherd senior en se retrouvant sur la scène du drame avait été pris d'une terreur palpable et s'était mis à psalmodier *Shep est courageux*.

Le jeune garçon, l'air impassible – lèvres molles et inertes, yeux parfaitement secs –, tourna le dos au cadavre de sa mère, se dirigea vers le coin de la pièce le plus proche et fixa du regard la ligne de jonction des parois.

Submergé par cette expérience traumatique, il réduisait son monde à la plus petite portion possible, là où il se sentirait le plus en sécurité. C'était sa façon à lui de gérer son chagrin...

Les mains gantées, Proctor s'approcha du garçon et se planta derrière lui.

Shepherd se balançait lentement d'avant en arrière, en murmurant une série de mots que Jilly ne pouvait entendre.

Dylan était toujours agenouillé auprès de sa mère, la tête baissée comme un pénitent en prière. Il n'avait pas la force de l'abandonner.

Jugeant que l'encoignure serait pour Shep une geôle idoine, Proctor quitta le salon, traversa le hall d'entrée, et disparut dans une autre pièce.

S'ils restaient encore un peu sur place, ils pourraient suivre Proctor...

Jilly serra une dernière fois Shep dans ses bras et murmura :

— Allons voir ce que ce salaud fabrique. Tu veux venir avec moi, chéri ?

Laisser Shep seul n'était pas envisageable. Toujours effrayé et plein de chagrin, il avait besoin d'une présence. En outre, même si Jilly doutait qu'il s'enfuie, sans elle et sans Dylan, dans un repli du temps, elle ne voulait courir aucun risque.

— Tu veux bien venir avec moi, Shepherd ? insista-t-elle.

— Rat, Taupe, Crapaud.

— Cela signifie quoi, Shep ? Que veux-tu dire ?

— Rat, Taupe, Crapaud. Rat, Taupe, Crapaud.

À la troisième occurrence, il était parvenu à synchroniser les mouvements de sa bouche sur ceux de Shepherd junior dans son coin, et la résonance révéla ce que murmurait le petit garçon en se balançant. « Rat, Taupe, Crapaud. »

Jilly ignorait la signification de ce mantra, et elle n'avait pas le temps de se perdre dans une conversation labyrinthique avec Shepherd.

— Rat, Taupe, Crapaud... D'accord. Nous parlerons de tout ça plus tard. Pour l'instant, viens avec moi, s'il te plaît. Suis-moi.

À la surprise de Jilly, Shep, sans la moindre hésitation, lui emboîta le pas.

Lorsque la jeune femme et le garçon pénétrèrent dans le bureau, Proctor défonçait le moniteur de l'ordinateur à coups de clavier. Il souleva l'unité centrale de la table de travail et la projeta au sol. Il n'y avait aucune excitation dans son regard, mais, au contraire, une sorte de gêne en voyant le chaos qu'il laissait derrière lui.

Tiroir après tiroir, il fouilla le classeur à la recherche des précieuses disquettes. Il en trouva quelques-unes, les mit de côté et vida le reste du meuble au sol, à l'évidence pour donner l'illusion qu'un cambrioleur ou un vandale était passé par là – coupable tout désigné de la mort de Mrs. Blair O'Conner.

Les meubles sous le bureau ne renfermaient que des dossiers papier. Il les délaissa aussitôt.

Au-dessus du classeur, des boîtes de rangement pour disquettes : trois unités, pouvant chacune contenir une centaine de disquettes.

Proctor attrapa les disques, les jeta par poignées en regardant à peine les étiquettes. Dans la troisième boîte, il en dénicha quatre autres, de facture fort différente et protégées dans des étuis cartonnés jaune canari.

— Bingo ! lâcha Proctor, en récupérant ce trésor.

Sans lâcher la main de Shep, Jilly s'approcha de Proctor, s'attendant à le voir hurler de terreur comme s'il tombait nez à nez avec un fantôme. Son haleine sentait la cacahuète.

Sur chaque pochette, un autocollant rouge : *AVERTISSEMENT !* – suivi d'un laïus, rédigé en caractères noirs, indiquant que ces disquettes renfermaient des dossiers clients confidentiels, qu'elles étaient la propriété exclusive d'une certain cabinet juridique, cité ci-dessous, et que toute personne surprise en possession de ces disquettes s'exposait à de graves poursuites judiciaires.

Proctor en sortit une pour lire l'étiquette. Avec une mine satisfaite, il la remit en place et glissa les quatre disquettes dans la poche intérieure de sa veste.

Maintenant qu'il avait récupéré ces précieuses pièces, Proctor put jouer à satiété au vandale, renversant les livres sur les rayonnages ou les lançant aux quatre coins de la pièce. Les ouvrages, les feuilles battant dans l'air, traversaient Jilly et Shep dans un bruissement de papier et retombaient au sol comme des oiseaux abattus en plein vol par des chasseurs.

* * *

En entendant l'ordinateur se fracasser par terre, Dylan se souvint du bazar dans lequel il avait retrouvé la maison cette lointaine nuit de février. Jusqu'à présent, il était resté auprès de sa mère dans le fol espoir de lui épargner une ultime humiliation ; il voulait s'accrocher à cette chimère, ne pas songer à cette balle, un instant plus tôt, qu'il n'avait pu détourner... Mais le brouhaha qui retentissait dans le bureau lui prouvait que son impuissance, ce soir, serait aussi vaste que celle de son frère.

Sa mère était morte, dix ans avaient passé, et tous les événements qui avaient suivi ce drame étaient gravés dans le marbre. Aucune biffure n'était possible. Dylan devait se soucier des vivants.

Il n'avait nul besoin de voir ce que faisait Proctor. Il savait quel serait le résultat de cette sinistre mise en scène.

Il préféra s'approcher du petit garçon qui se balançait dans son coin, en psalmodiant sa trinité : « Rat, Taupe, Crapaud. »

Dylan ne s'attendait certes pas à entendre une telle litanie en ces circonstances douloureuses, mais cela ne l'étonna pas outre mesure.

Après les œuvres complètes du Dr. Seuss et autres pédopsychiatres, la première vraie histoire que leur mère avait lue à Shep, quand il fut plus âgé, ce fut *Le Vent dans les saules* de Kenneth Grahame. Shep adorait entendre les aventures de Rat, Taupe, Crapaud, Blaireau, et des autres personnages hauts en couleur du Bois sauvage ; Shep, petit, voulait qu'elle lui en fasse la lecture encore et encore, durant toute une année. Plus tard, à dix ans, il avait dû lire et relire cette histoire plus de vingt fois...

Shep voulait la compagnie de Rat, Taupe et Crapaud, cette histoire d'amitié et d'espoir, cette vie de rêve dans de chauds terriers, dans des garennes denses, des clairières moussues et inaccessibles ; il voulait être certain qu'après cette horreur, qu'après ce chaos, il aurait toujours son cercle d'amis, réunis autour d'un feu dans la cheminée, les soirées paisibles, la douceur d'un monde réduit à une seule et même famille où tous les cœurs battent à l'unisson.

Dylan ne pouvait lui offrir ça. Si une telle vie existait en ce bas monde, c'était uniquement dans les livres.

Dans le hall, le miroir devant la porte d'entrée vola en éclats. S'il avait bonne mémoire, Proctor venait de le briser avec le vase de la desserte.

Jilly appela Dylan.

— Il monte à l'étage !

— Qu'il y aille. Je sais ce qu'il va y faire. Mettre à sac la chambre des parents et voler les bijoux de maman... Il tente de faire croire à un cambriolage. Son porte-monnaie est là-haut. Il va le vider, prendre l'argent...

Jilly et Shepherd revinrent dans le salon et tout le monde se regroupa derrière le petit Shep de dix ans réfugié dans son encoignure.

Ce n'était pas à cet endroit qu'on l'avait retrouvé cette nuit du 12 février 1992. Dylan ne voulait pas quitter cette époque avant d'être sûr que son petit frère n'avait pas assisté à ce qui allait suivre.

Là-haut, le tintamarre de tiroirs chutant au sol ou jetés contre les murs...

— Rat, Taupe, Crapaud, marmonnait Shepherd junior.

— Shep est courageux, articula Shep senior.

Une conjuration destinée tout autant à lui qu'à son double de dix printemps.

Une minute plus tard, les bruits de destruction cessèrent à l'étage. Proctor avait sans doute trouvé le porte-monnaie. Ou alors il enfournait dans ses poches les bijoux maternels – qui n'avaient pas grande valeur.

Tête baissée dans sa posture de pénitent, le jeune Shepherd abandonna son coin de mur et se dirigea vers la porte de la salle à manger. Son double adulte le suivit – une procession de moines, perdus dans leurs prières.

Dylan était soulagé de voir les deux Shepherd quitter la pièce. En entendant les pas de Proctor retentir dans l'escalier, assourdissants comme les sabots d'un cheval, il prit Jilly par le bras et s'empressa de sortir du salon.

Shep junior fit le tour de la table et revint s'asseoir à sa chaise. Il contempla son puzzle.

Les chiots golden-retriever dans leur panier étaient une oasis de douceur et de paix dans ce monde en furie – sans doute un aperçu de la vie rêvée dans un terrier du Bois sauvage.

Shepherd se tenait de l'autre côté de la table, face à sa petite réplique, flanqué de Jilly et de Dylan.

Dans le salon, Proctor se mit à renverser les meubles à déchirer les toiles accrochées aux murs, à fracasser les bibelots, poursuivant sa mise en scène macabre. La police devait croire qu'il s'agissait de l'œuvre d'un petit cambrioleur ou d'un junkie complètement défoncé.

Shep junior choisit une pièce dans la boîte du puzzle. Il observa l'image incomplète, puis tenta de placer la pièce. Mais il se trompa de trou. Nouvel essai, encore un échec. Enfin, à la troisième tentative, il trouva le bon emplacement. Pour la pièce suivante, il repéra son logement du premier coup. Pour la troisième aussi, avec encore moins d'hésitations. En quelques secondes, il avait retrouvé sa vélocité légendaire.

Après un fracas de tous les diables, le silence retomba dans le salon.

Dylan tenta de se concentrer sur la dextérité miraculeuse avec laquelle Shep faisait naître du chaos des petits chiens dans leur panier. Il espérait chasser de son esprit les images du dernier acte que jouait Proctor pour la police.

Mais, évidemment, c'était un doux rêve.

Pour laisser croire que les intentions du meurtrier étaient tout autant le viol que le vol, Proctor allait déchirer le chemisier de Blair O'Conner, arracher tous les boutons du cou à la ceinture. Afin que la police en déduise que la victime s'était débattue et qu'elle avait été tuée accidentellement pendant la lutte ou que l'assaillant, enragé de la voir résister, l'avait abattue, Proctor allait devoir faire sauter le soutien-gorge de sa mère, retirer une bretelle, faire jaillir les seins des bonnets.

Après ce traitement avilissant pour la défunte, il revint dans la salle à manger, tout honteux de ses exactions.

Si Dylan pouvait être capable de meurtre, c'était bien à cet instant. Il en avait la volonté, le juste courroux, mais pas les moyens physiques. Ses poings étaient plus intangibles que de la fumée pour Proctor. Même s'il avait eu un revolver entre les mains, la balle aurait traversé Proctor sans trancher une fibre de sa chair.

Immobile sur le seuil, le tueur observa le garçonnet de dix ans, insensible à sa présence. Il s'épongea le front avec son mouchoir.

— Nom de dieu, qu'est-ce que je pue ! Tu sens ça ?

Les doigts picorant dans la boîte de jeu, les mains continuant à voleter au-dessus des chiots, Shep ne répondit pas à la question.

— Ça sent encore plus fort que la sueur, non ? C'est l'odeur de la perfidie. C'est ce que j'empeste depuis cinq ans.

Cette manie de l'auto-apitoiement et de l'auto-flagellation chez Proctor rendit Dylan fou de rage, tout comme la veille, dans la chambre du motel. Il n'y avait pas une once de sincérité dans ses propos ; c'était juste un moyen pour cette ordure de se déculpabiliser et de se donner une illusion de vertu morale.

— Et il a fallu que cela recommence. (Il observa en silence le jeune joueur.) Quelle misérable petite vie ! Un jour, je serai ton sauveur, et toi, peut-être, le mien.

Proctor quitta la pièce, sortit de la maison et disparut dans l'épaisseur de cette nuit du 12 février 1992, pour commencer son voyage vers la rédemption promise et les flammes féroces d'une De Ville une décennie plus tard.

Dans les yeux de Shepherd junior, des larmes silencieuses et discrètes comme des perles de rosée.

— Allons-nous-en, lâcha Jilly.

— Shep ? appela Dylan.

Shep senior, tremblant d'émotion, regardait son jeune double. Il ne réagit pas immédiatement, mais au deuxième appel de son frère, il répondit :

— Attends. Pas de gore à la David Cronenberg. Il faut attendre.

Même s'il ne s'agissait pas de téléportation, et que le principe même du transport lui échappât encore, Dylan pouvait imaginer pléthore d'erreurs de procédure susceptibles de provoquer des erreurs d'aiguillage aussi désastreuses que dans *La Mouche*. Se déplier au milieu d'une autoroute, face à un poids lourd lancé à plein régime, risquait d'être très déplaisant.

Il se tourna vers Jilly.

— Attendons que Shep se sente prêt.

Ici, un morceau de fourrure dorée, là la pointe d'une truffe, là encore un œil rond. Malgré le temps qui semblait ralentir, les mains de junior voletaient vers l'achèvement final.

Au bout d'une minute, Shepherd senior déclara :

— D'accord.

— C'est vrai ? tu es prêt à partir ? demanda Dylan, visiblement soulagé.

— D'accord. Shep est prêt, mais on ne peut pas.

— Comment ça, *on ne peut pas* ? demanda Dylan, incrédule.

— Il manque quelque chose, précisa Shep.

Jilly fut la première à comprendre :

— On ne peut pas partir en laissant quelque chose derrière nous. Si nous ne prenons pas tout ce avec quoi nous sommes venus, il ne peut replier l'espace pour nous ramener au présent. J'ai laissé mon sac à main et l'ordinateur dans la cuisine.

Ils sortirent du salon, abandonnant le jeune Shepherd à son chagrin et à son puzzle.

Même s'il pouvait toucher l'interrupteur, Dylan ne pouvait pas plus allumer le plafonnier qu'arrêter une balle d'un pistolet. Dans la pénombre de la cuisine, il ne pouvait voir si le sac et l'ordinateur, posés sur la table, flottaient au milieu d'une flaque d'encre, à l'instar de celles qui suivaient tous leurs déplacements et qui maculaient tous les objets qu'ils touchaient... mais ce devait être le cas.

Jilly passa son sac sur l'épaule et récupéra l'ordinateur portable.

— C'est bon, je les ai. Allons-nous-en.

La porte de derrière s'ouvrit. Jilly se retourna d'un bond, certaine que l'armée de golfeurs bodybuildés débarquaient à leur tour d'Arizona dans ce coin de Californie du passé, d'un coup de repli de l'espace-temps.

Dylan ne fut pas surpris de voir une réplique plus jeune de lui-même passer le seuil.

Ce soir du 12 février 1992, il avait un cours le soir à l'université de Santa Barbara. Un camarade de classe venait de le déposer en voiture, au bout de l'allée, deux minutes plus tôt.

Ce qui l'étonna, en revanche, ce fut de découvrir qu'il était arrivé si tôt sur le lieu du crime. Il consulta sa montre, puis l'horloge dans le ventre du cochon de céramique. Si ce soir-là, il était arrivé cinq minutes plus tôt, il aurait croisé Proctor au moment où il quittait la maison. Dix minutes plus tôt encore, et il se faisait peut-être tuer, mais il aurait sauvé sa mère...

Quinze petites minutes...

Non, ne pas penser à ce qui aurait pu être possible. Surtout ne pas y penser.

Le Dylan O'Conner de dix-neuf ans referma la porte derrière lui, sans prendre la peine d'allumer la lumière, et passa au travers de Jilly Jackson. Il posa ses deux livres sur la table de la cuisine et se rendit dans la salle à manger.

— Fais-nous partir d'ici, Shep, bredouilla Dylan.

Dans la salle à manger, le jeune Dylan disait bonjour au jeune Shepherd :

— Salut, gamin. À l'odeur, j'ai l'impression que nous avons droit à un gâteau ce soir.

— Fais-nous rentrer à la maison, Shep. À notre époque. Vite !

Dans la pièce adjacente, on entendit Dylan demander :

— Hé, petit frère, tu pleures ? Pourquoi ? Dis-moi ce qui se passe ?

Dylan ne voulait pas réentendre son vagissement d'horreur lorsqu'il avait découvert sa mère dans le salon.

— Shep, fais-nous sortir d'ici, je t'en prie. Tout de suite, pour l'amour du ciel !

La cuisine enténébrée se replia. Un endroit baigné de lumière se déplia autour d'eux. Peut-être les capacités de Shepherd ne se limitaient-elles pas seulement au temps et à l'espace ? Peut-être pouvait-il atteindre des territoires inconnus des vivants. Peut-être avait-ce été une erreur d'avoir invoqué le « ciel » devant lui, juste avant de quitter l'année 1992...

36.

Le kaléidoscope se rétracta. Autour de Jilly, une cuisine, éclairée de soleil, se surimposa à sa réplique nocturne et se matérialisa jusque dans ses moindres détails.

Pas de délicieuse odeur de gâteau. Pas de flaque noire à leurs pieds.

Le cochon en céramique avec son horloge ventrale indiquait 13 h 20 – soit, en comptant le décalage horaire, vingt-quatre minutes après leur départ d'Arizona. Le temps exact qu'ils avaient passé en 1992.

Aucun portail miroitant derrière eux, donnant une vue de la cuisine enténébrée, pas de tunnel lumineux. Jilly avait l'impression que le tunnel était un artifice technique dont Shep n'avait plus besoin ; un procédé archaïque comparé à la méthode actuelle, grâce à laquelle ils pouvaient voyager d'un point à un autre sans garder de cordon ombilical avec leur lieu de départ.

Impressionnée par son propre aplomb, comme si elle sortait d'un simple ascenseur, Jilly avança d'un pas et posa l'ordinateur sur la table.

— Cela n'a pas beaucoup changé, déclara-t-elle. C'est quasiment resté tel quel.

Dylan lui fit signe de se taire et tendit l'oreille.

Une chape de silence planait dans la maison, rompu seulement par le déclenchement du réfrigérateur.

— Que se passe-t-il ? demanda-t-elle.

— Je vais devoir fournir une explication à Vonetta, notre femme de ménage. C'est sa Harley qui est garée devant le garage.

En regardant par la fenêtre, Jilly aperçut effectivement le garage, mais point de motocyclette.

— Quelle Harley ?

— Là. (Dylan se retourna et pointa le doigt vers l'endroit où aurait dû se trouver l'engin.) Heu... Elle a dû partir faire des courses. Peut-être aurons-nous fini nos affaires avant son retour.

Shepherd ouvrit le réfrigérateur. En quête du gâteau promis.

La présence éventuelle de la femme de ménage était pour Jilly le cadet de ses soucis ; elle était bien plus préoccupée par les implications de la scène à laquelle ils venaient d'assister dans le passé.

— Tout en tentant d'échapper à ses ennemis, quels qu'ils soient, Proctor était à vos trousses, à vous et à Shep.

— Hier, quand j'étais attaché à ma chaise, il disait qu'il était tellement rongé de remords qu'il avait l'impression d'être une coque vide, de ne plus avoir de cœur... mais sur le coup, je n'ai pas compris ce qu'il voulait dire.

— Cette ordure n'a jamais eu de cœur, déclara Jilly. Depuis le berceau !

— C'était encore une façon de se pardonner. Ses remords, il peut se les mettre au cul. Je suis désolé, Jilly.

— Pas de problème. Après ce que nous venons d'endurer, vous avez bien droit à quelque écart de langage ; vous pouvez oublier pour ce soir « anus » et « rectum ».

Elle faillit lui arracher un sourire, mais la nuit du 12 février 1992 était encore trop présente dans son esprit.

— Non, je veux dire. Je suis désolé de vous avoir embringuée là-dedans. Tout ça, c'est à cause de moi et de Shep.

— Proctor avait une dose en rab. Il avait besoin d'un cobaye, et je suis passée par là, parce que je n'avais plus de racinette.

Debout devant le réfrigérateur ouvert, Shep déclara :

— Froid.

— Il n'empêche que Proctor n'aurait pas croisé votre route, si nous n'avions pas été dans le secteur.

— Oui, et moi, je ne me serais jamais trouvée dans le « secteur » si je n'avais pas passé ma courte et prétendue existence d'adulte à faire la comique en me disant que monter sur scène était non seulement toute ma vie, mais la seule vie qui vaille la peine d'être vécue. Alors ne commencez pas vous aussi avec vos remords à la noix. C'est arrivé, un point c'est tout. Même si une armada de nanobots s'active à construire la Nouvelle Jérusalem dans nos têtes, nous sommes ici et vivants et cela vaut mieux – pour l'instant du moins – que d'être morts. La seule question qui m'intéresse c'est : que fait-on maintenant ?

— Maintenant, on prend des affaires, et on file. Des vêtements pour Shep et moi, de l'argent que j'ai dans un coffre à l'étage et un pistolet.

— Vous avez un pistolet ?

— Je l'ai acheté après la mort de ma mère. Ils n'avaient jamais attrapé le meurtrier. Je craignais qu'il ne lui prenne l'idée de revenir.

— Vous savez vous en servir ?

— Je ne suis pas Buffalo Bill, mais je crois pouvoir tenir droit ce machin et appuyer sur la détente.

Elle paraissait sceptique.

— Peut-être une batte de base-ball serait-elle plus indiquée ?

— Froid, répéta Shepherd.

— Des vêtements, de l'argent, un pistolet... et on prend la route.

— Vous pensez que nos poursuivants d'Holbrook pourraient rappliquer ici ?

Il hocha la tête.

— S'ils ont le soutien des autorités, leur réseau couvre tout le territoire. Oui, ils vont venir.

— On ne peut pas continuer à replier l'espace chaque fois que l'on veut se déplacer. C'est trop étrange... il y a trop d'inconnues, et cela pourrait fatiguer Shep à la longue ; on risque de se retrouver coincés quelque part – ou pis encore...

— J'ai une Chevrolet dans le garage.

— Froid.

Jilly secoua la tête.

— Ils sont forcément au courant de l'existence de cette voiture. Lorsqu'ils vont s'apercevoir qu'elle a disparu, ils partiront à nos trousses.

— Froid.

— Peut-être peut-on trafiquer les plaques ? avança Dylan. Voler un jeu sur une autre voiture ?

— Parce que vous voilà à présent expert ès cavale ?

— Mieux vaut tard que jamais.

Fixant les entrailles du réfrigérateur, Shep répéta :

— Froid.

Dylan s'approcha de son frère.

— Qu'est-ce que tu cherches, gamin ?

— Gâteau.

— Il n'y a pas de gâteau.

— Gâteau.

— Il n'y a pas le moindre gâteau ici.

— Pas de gâteau ?

— Pas de gâteau.

— Froid.

Dylan referma la porte du réfrigérateur.

— Toujours froid ? s'enquit Dylan.

— Moins, répondit Shep.

— J'ai un mauvais pressentiment, annonça Jilly, sans pouvoir être plus précise.

— Comment ça ? demanda Dylan.

— Je ne sais pas au juste.

Le cochon en céramique semblait lui lancer un sourire narquois.

— Une simple impression, déclara-t-elle.

— Allons déjà chercher cet argent. Ce n'est pas avec le liquide que j'ai récupéré au motel que nous pourrons aller très loin.

— Restons groupés, conseilla Jilly. Tout près les uns des autres.

— Froid. (Shepherd avait rouvert le réfrigérateur.)
Froid.

— Gamin, il n'y a pas de gâteau.

Luisant et acéré, un morceau de verre, de la taille
d'une main, passa à côté du visage de Jilly, avec une lenteur majestueuse, tel un iceberg improbable et miniature
en suspension dans l'air, dérivant dans un silence surnaturel – pas le moindre fracas de verre brisé, pas le moindre
bruit d'impact.

— Froid.

— On t'achètera un gâteau tout à l'heure, gamin.

Puis elle aperçut quelque chose se déplaçant à
quelques centimètres devant le morceau de verre, défiant
lui aussi les lois de la pesanteur, un objet beaucoup plus
petit, et plus sombre : une balle ! Elle fendait l'air mollement, traversait la cuisine en tournant sur elle-même.

— Ferme le frigo, Shep, il n'y a pas de gâteau.

Si la balle avançait lentement, l'éclat de verre, lui,
migrait au grand ralenti.

Une traîne d'éclats plus petits suivait le morceau de
verre, miroitant doucement dans l'air.

— Froids, répéta Shep. Toi et moi, froids.

Elle s'aperçut que le verre et la balle n'étaient pas plus
réels que les cierges au milieu du désert ou que les nuées
d'oiseaux blancs. Ce n'était pas un fait contemporain, mais
la vision d'un désastre à venir.

— Tu as froid, mais pas moi, précisa Dylan.

Elle sentit que cette image prémonitoire n'avait pas
de lien direct avec ses autres mirages. Ce verre ne provenait pas d'un vitrail d'église. On avait tiré cette balle ailleurs que dans une église.

— Tous froids, insista Shep.

Lorsque Jilly tourna la tête vers les deux frères, elle
distingua d'autres éclats de verre – des éclats provenant
d'une fenêtre, sans doute – une galaxie de fragments scintillants et d'astéroïdes tournoyants.

— Tous froids.

Derrière ce puzzle de verre en lévitation, Jilly vit

Shepherd s'écarter pour permettre à Dylan de refermer la porte du réfrigérateur. Les deux garçons se déplaçaient à vitesse normale.

Les battements réguliers de son propre cœur lui indiquaient qu'elle, non plus, n'était pas en phase avec les débris en mouvement. Elle voulut attraper un éclat, mais il n'avait pas de substance. Le morceau passa avec lenteur au travers de ses doigts, sans la couper.

Sa tentative d'interaction sembla rompre le charme – les éclats scintillants s'évanouirent dans le néant telle une flottille de vaisseaux fantômes, paraissant un instant réels toutes voiles bordées, et pourtant se dissolvant, l'instant suivant, dans les brumes.

Les fenêtres, donnant sur l'arrière de la maison, bien sûr, étaient toutes intactes.

Dylan s'aperçut que Jilly était victime d'une nouvelle vision...

— Hé, tout va bien ? s'enquit-il d'une voix blanche.

Selon toute vraisemblance, il ne devait pas s'agir de ces fenêtres. Elle avait vu un bain de sang dans une église la veille, et cet événement n'était toujours pas survenu. Elle n'avait donc aucune raison de croire que cet autre événement violent allait se produire ici et dans un futur proche.

Dylan s'approcha d'elle.

— Que se passe-t-il ?

— Je n'en sais trop rien.

Elle regarda l'horloge, le cochon grimaçant.

Elle savait que le sourire porcin n'avait pas bougé. Ses babines étaient figées dans leur gangue de céramique. Le sourire restait aussi innocent que lorsqu'elle l'avait vu la première fois le 12 février 1992 – une demi-heure plus tôt en temps absolu et dix ans plus tôt en temps relatif. Cependant, une énergie malveillante semblait irradier du cochon, de l'horloge tout entière.

— Jilly ?

En fait, ce n'était pas seulement l'horloge, mais la cuisine, dans sa totalité, qui semblait habitée d'une présence maléfique, comme si un esprit démoniaque, ne parvenant pas à se manifester sous sa forme ectoplasmique, avait élu résidence dans le mobilier et les murs de la pièce. Chaque angle, chaque surface semblait luire d'une aura sinistre.

Shepherd ouvrit de nouveau le réfrigérateur et contempla ses entrailles.

— Froids. Tous froids.

La porte du four était devenue l'œil noir d'un cyclope.

Les bouteilles de vin, dans leur casier, semblaient des cocktails Molotov en puissance.

Elle eut la chair de poule, ses poils se hérissèrent dans sa nuque, lorsqu'elle crut apercevoir des crocs d'acier dans la gueule du broyeur d'ordures.

Non. Absurde. Aucun esprit ne hantait cette pièce. Elle n'avait nul besoin d'un exorciste.

Son angoisse – une sorte de pressentiment de mort – était si intense, grandissait si vite, qu'il lui fallait à tout prix en trouver l'origine. Les vieilles superstitions refaisaient surface ; elles cristallisaient sa peur sur des objets parfaitement inanimés – le cochon-horloge, la porte du four, le broyeur d'ordures – alors que la véritable menace était ailleurs.

— Tous froids, lança Shep à l'intention du réfrigérateur ouvert.

Cette fois, ces deux mots sonnèrent de façon différente aux oreilles de Jilly. Elle se souvint des talents de Shep pour les synonymes ; cela pouvait avoir le même sens que *tous morts*. Le froid de la mort. Le froid de la tombe. Froid et mort, synonymes.

— Allons nous-en d'ici. Vite ! lança Jilly.

— Je dois aller chercher l'argent dans le coffre, répondit Dylan.

— Pas le temps ! Une seconde de perdue et c'est notre mort à tous.

— C'est ce que vous avez vu ?

— Je le sais, c'est tout.

— Alors d'accord.

— Plions, plions ! Vite !

— Tous *froids* – tous, déclara Shep.

37.

Tic-tac, tic-tac. Deux petits yeux luisants dans les replis de peau rose. Un regard méchant...

Oublie ce cochon ! Cette horloge n'est pas une menace. Reprends-toi.

Dylan revint à côté de son frère, referma la porte du réfrigérateur pour la troisième fois et entraîna Shep vers Jilly.

— Allez, gamin, il faut s'en aller.

— Où trouve-t-on de la glace ? demanda Shep. (Jamais Jilly ne l'avait vu aussi abîmé dans ses obsessions.) Où est la glace ?

— Quelle glace ? demanda Dylan.

Ce don de double vue, de prémonition, était encore tout neuf pour la jeune femme, et aussi effrayant qu'à sa première manifestation... elle avait un mal fou à le canaliser.

— Où est la glace ? persista Shep.

— Nous n'avons pas besoin de glace, expliqua Dylan. Écoute, gamin, tu commences à me fiche les jetons.

— Où trouve-t-on de la glace ?

— Shep, sois avec moi. Écoute-moi. Reste avec moi.

À trop vouloir identifier la cause de son inquiétude, à laisser ses soupçons s'arrêter ainsi sur chaque objet de la pièce, Jilly étouffait son intuition, l'empêchait de jouer efficacement son rôle. Il fallait qu'elle se détende, qu'elle fasse confiance à cette prescience et la laisse lui montrer d'où allait arriver le danger.

— Il faut de la glace.

— Oublie la glace. On n'a pas besoin de glace. On a besoin de sortir d'ici, d'accord ?

— De la glace. Beaucoup de glace.

Inévitablement, le regard de Jilly était attiré vers les fenêtres, et le jardin qui s'étendait derrière, l'herbe verte, le garage, la prairie dorée au-delà...

— Rien que de la glace.

— Il est bloqué là-dessus, déclara Dylan.

— Débloquez-le.

— Où trouve-t-on de la glace ? insista Shepherd. Rien que de la glace ?

— Vous connaissez Shep, à présent. Il n'y a pas moyen de le faire arrêter, tant qu'il ne l'aura pas décidé. Ce truc l'obsède... tourne en boucle dans sa tête. Et cela paraît pire encore que d'habitude.

— Chéri, articula la jeune femme, le regard toujours rivé sur les fenêtres. Nous devons nous en aller. Tu trouveras de la glace après.

— Où trouve-t-on de la glace ?

Dylan passa une main sous le menton de Shep, lui releva la tête.

— Shep, c'est vraiment vital. Tu comprends ça *vital* ? Je sais que tu comprends. Il est vital que tu nous fasses sortir d'ici.

— Où trouve-t-on de la glace ?

Visiblement, Shep refusait de communiquer avec son frère. Derrière ses paupières closes, ses yeux ne cessaient de s'agiter.

Quand Jilly regarda de nouveau vers les fenêtres, elle aperçut un homme, tapi derrière l'angle nord-ouest du garage, un genou au sol. Il se tenait caché dans l'ombre. Elle faillit ne pas l'apercevoir, mais elle était certaine qu'il ne s'y trouvait pas quelques instants plus tôt.

Un autre homme sortit des herbes de la prairie et se dirigea discrètement vers l'angle sud-ouest du garage.

— Ils sont ici, annonça-t-elle à Dylan.

Aucun de ces deux hommes ne portait des tenues de golfeurs d'Arizona, mais ils étaient du même acabit. Grands, déterminés. Sûrement pas des témoins de Jéhovah venant prêcher la bonne parole.

— Où trouve-t-on de la glace ?

Aux yeux de Jilly, le plus effrayant chez ces individus, c'était de les voir équipés de casques H.F. – des écouteurs munis d'un bras articulé supportant un minuscule micro. Ce besoin de coordination laissait présager que les forces d'assaut ne se réduisaient pas seulement à ces deux-là ; ce n'étaient pas des brutes lambda venant exécuter un contrat, c'était des brutes *dotées d'un sens aigu de l'organisation* !

— Où trouve-t-on de la glace ?

Le deuxième homme atteignit l'angle du garage et se dissimula derrière un buisson.

La jeune femme s'attendait à ce qu'ils soient armés jusqu'aux dents ; aussi, la vue de leurs fusils l'emplit moins de terreur que leur système de communication H.F. Il s'agissait pourtant de grosses armes. Avec un design futuriste. Sans doute des fusils d'assaut. Jilly n'était pas experte en armes à feu, (à quoi ça sert quand on est comédienne ? – même devant un public braillard et indiscipliné !), mais elle supputait que ces engins pouvaient cracher un milliard de balles à la minute.

— Où trouve-t-on de la glace ?

Ils devaient gagner du temps... jusqu'à ce que Shep admette qu'il n'y avait ni gâteau *ni* glace ici et que le seul moyen d'obtenir l'un et l'autre, c'était de les envoyer, tous les trois, autre part...

— Écartez-vous des fenêtres ! ordonna Jilly, en reculant d'un pas.

— Toutes les pièces ont des fenêtres, s'inquiéta Dylan. Il y en a partout.

— Et la cave ?

— Nous sommes en Californie. Il n'y a pas de sous-sol.

— Où trouve-t-on de la glace ? demanda Shep.

— Ils savent que nous sommes là, annonça Jilly.

— Comment est-ce possible ? Nous sommes arrivés de l'intérieur.

— Il y a peut-être des mouchards cachés dans la maison, suggéra-t-elle. Où alors ils nous ont repérés, à la jumelle, derrière les fenêtres.

— Ils ont renvoyé Vonetta chez elle..., lâcha Dylan, comprenant soudain les raisons de son absence.

— J'espère qu'ils se sont limités à ça.

— Il faut de la glace...

Dylan pâlit à l'idée qu'ils aient pu faire du mal à leur femme de ménage. Cela semblait le préoccuper bien davantage que le danger actuel.

— Mais nous sommes partis d'Holbrook, il y a à peine une demi-heure.

— Et alors ?

— Le type, dans la chambre, qui nous a vus disparaître, a dû être surpris.

— Et même mouiller sa culotte, reconnut-elle.

— Comment donc auraient-ils pu deviner ce qu'est un repli de l'espace-temps, et encore moins alerter leurs collègues de Californie.

— Ces gars-là n'ont pas été prévenus, il y a une demi-heure. Ils ont piégé cette maison quand ils ignoraient où nous étions, bien avant que les affreux d'Arizona nous retrouvent à Holbrook et débarquent à notre motel.

— Ils ont fait sacrément vite le rapprochement entre votre De Ville et ma Ford, répondit Dylan. Nous n'avions donc que quelques heures d'avance sur eux...

— Ils ne savaient pas si nous reviendrions ici un jour ou jamais. Ils attendaient, au cas où.

— Personne ne surveillait la maison ce matin, quand Shep nous a dépliés sur le sommet de la colline.

— Ils ont dû arriver peu après.

— De la glace, dit Shep. De la glace. De la glace.

Le type à genoux dans l'ombre, l'autre caché derrière son buisson, parlaient dans leurs casques H.F., sans doute

pas uniquement entre eux, mais avec l'armada de collègues cernant la maison, pour échanger des tuyaux sur la
maintenance des armes, des nouvelles techniques d'étran-
glement, et des recettes pour poisons, tout en synchroni-
sant leurs montres pour l'assaut final.

Jilly se sentait sans défense, toute nue – entre les
mains du destin. Dans ses veines, Shep aurait trouvé toute
la glace qu'il souhaitait.

En pensée, elle revit les éclats de verre dérivant lentement, la balle traversant l'air, en sustentation.

— Mais, à présent, ces types-là sont entrés en contact
avec ceux d'Arizona, déclara-t-elle. Ils savent que nous
pouvons leur faire le coup de l'icilà.

Les idées se bousculaient dans la tête de Dylan.

— Peut-être un ancien cobaye de Proctor a-t-il développé le même don ? Auquel cas, ils savent ce qu'est un
pliage de l'espace-temps.

— Et l'idée que des gens gavés de nano-machin et
dotés de super-pouvoirs puissent se balader en liberté les
rend hystériques.

— On ne saurait le leur reprocher. Cela me fiche bien
une peur bleue à moi aussi, répliqua Dylan. Alors que les
super-héros, c'est nous.

— De la glace, de la glace, de la glace.

— Quand ils vont attaquer, renchérit Jilly, ils ne vont
pas faire de quartier. Ils vont débouler dans la maison
comme des taureaux, en tirant tous azimuts, dans l'espoir
de nous occire avant que nous ayons le temps de nous
faire la belle.

— C'est une simple supposition, ou c'est ce que vous
voyez ?

Elle le savait, le sentait, le voyait.

— Ils vont utiliser des balles perforantes ; ça traverse
tout, les portes, les cloisons, les murs, jusqu'au blindage
des tanks !

— De la glace, de la glace, de la glace.

— Et ce n'est pas tout, poursuivit-elle. Il y a bien
pire... ils vont tirer des balles explosives qui vont projeter
dans toute la maison du shrapnel enduit de cyanure.

Elle n'avait jamais rien lu sur ces armes hideuses, ignorait, un instant plus tôt, jusqu'à leur simple existence, mais grâce à son cerveau gonflé aux nanobots, elle prévoyait leur utilisation imminente. Elle entendait des voix fantomatiques dans sa tête, des voix d'hommes parlant du détail de l'attaque après coup, peut-être des policiers fouillant les décombres de la maison plus tard dans la journée ou le lendemain matin, peut-être les tueurs eux-mêmes, évoquant avec nostalgie leur exploit sanglant mené de main de maître.

— Du shrapnel au cyanure, et dieu sait quoi encore, continua la jeune femme en réprimant un frisson. Lorsqu'ils en auront fini avec nous, ce qu'a fait Janet Reno à la secte des Davidiens passera pour une peccadille.

— De la glace, de la glace, de la glace.

Avec impatience, Dylan se tourna vers Shep.

— Ouvre les yeux, gamin, sors de ton trou et de cette histoire de glace !

Shepherd gardait les yeux fermés.

— Si tu veux avoir du gâteau encore une fois dans ta vie, ouvre les yeux.

— De la glace, de la glace, de la glace.

— Il n'est pas près de refaire surface, annonça-t-il à Jilly. Il est parti trop loin.

— Il faut monter à l'étage ! lança-t-elle. Cela ne va pas être une partie de plaisir là-haut, mais on n'a pas le choix. Dans deux minutes, le rez-de-chaussée va être mis en charpie.

Le type, derrière le coin du garage, se leva en pleine lumière, l'autre, derrière son fourré, l'imita et tous deux marchèrent vers la maison. Le commando passait à l'action.

38.

« A l'étage ! » répéta Jilly. « Allons-y ! » lança Dylan. « De la glace, de la glace », scanda Shep.

Le temps d'une connexion neuronale hasardeuse, Dylan se souvint de ce vieux tube de danse « Hot, Hot, Hot » de Buster Poindexter. Une association d'idées qui aurait pu l'amuser en d'autres circonstances... mais « Hot, Hot, Hot » se mua soudain en un hymne funèbre qui lui fit froid dans le dos.

Il leur fallait rejoindre l'escalier qui se trouvait côté façade. De la cuisine, deux chemins étaient possibles : par la porte à droite, *via* la salle à manger, par la porte de gauche, *via* le couloir du fond. Le deuxième itinéraire était moins risqué, car moins exposé aux fenêtres.

Mais Jilly ignorait l'existence d'une option « couloir » parce que la porte de gauche était restée fermée jusqu'à présent. Elle pensait sans doute qu'une buanderie se trouvait derrière. Elle se précipita donc dans la salle à manger, avant que Dylan ait eu le temps de l'en empêcher.

Dylan ne voulut pas prendre l'option couloir, pourtant plus sûre. Jilly, ne les voyant pas derrière elle, risquait de rebrousser chemin, ou de les attendre... Sur une seconde, pouvait se jouer la vie ou la mort.

Poussant son petit frère, le houspillant, prêt à le soulever de terre au besoin, Dylan entraîna Shep dans le sillage de Jilly. Le garçon, bien entendu, avançait en traînant les pieds, mais plus rapidement que d'habitude, en psalmo-diant son « de la glace », par groupe de trois, d'un ton plus chagrin à chaque pas, pas content du tout d'être mené de-ci de-là comme du vulgaire bétail.

Jilly était déjà dans le salon lorsque Dylan et Shep franchirent le seuil de la cuisine. Shepherd s'accrocha un peu au chambranle, mais accepta de se laisser guider.

En arrivant dans la salle à manger, Dylan s'attendait presque à voir Shep junior occupé à son puzzle. Il aurait encore préféré revenir à cet épisode douloureux du passé, que de vivre cet instant présent, augure d'une nouvelle tra-gédie sanglante.

Shep protestait de toutes ses forces – « de la glace, non, de la glace, non, de la glace, non ». Passé la salle à manger, il s'agrippa des deux mains à la porte du salon.

Avant que Shepherd ait eu le loisir d'assurer sa prise, d'écarter les jambes et de coincer ses pieds contre les mon-tants, Dylan, d'une poussée, le propulsa dans le salon. Le garçon trébucha et tomba à quatre pattes au sol ; une perte d'équilibre heureuse, car, au même instant, les méchants ouvrirent le feu.

Les *ra-ta-ta-ta* des mitraillettes, encore plus assourdis-sants qu'au cinéma – puissants comme des coups de mar-teaux piqueurs défonçant une dalle de ciment – déchirèrent le silence, faisant voler en éclats les fenêtres de la cuisine et de la salle à manger. Il y avait plus de deux assaillants – au moins trois ou quatre ! Derrière ce staccato, des déflagrations plus graves, plus caverneuses, moins frénétiques, comme celle d'une arme de gros calibre, dont le recul devait mettre le tireur les quatre fers en l'air à chaque pression du doigt sur la détente.

À la première rafale, Dylan plongea au sol. Il attrapa les bras de Shepherd et le plaqua au sol, contre les lattes du parquet.

— Où trouve-t-on de la glace ? demanda Shepherd, comme insensible à la fusillade.

Juste après le tintement du verre brisé, des gerbes d'éclats de bois et de plâtre zébrèrent l'air, accompagnées par le *tchac-tchac-tchac* des ogives de plomb s'enfonçant dans l'épaisseur des murs.

Le cœur de Dylan battait plus vite que celui d'un lapin ; il avait un aperçu de ce que pouvait ressentir un petit animal quand les garennes se transformaient en champ de tir au jour d'ouverture de la chasse.

Les coups de feu semblaient provenir uniquement de deux directions, de l'est, vers l'arrière de la maison, et du côté sud.

Si les tueurs avaient encerclé la maison – ce qui devait être le cas – pour le moment, ceux à l'ouest et au nord, restaient à couvert. Ils étaient trop expérimentés pour se risquer dans un tir croisé.

— Rampe avec moi, Shep ! cria-t-il pour se faire entendre au milieu de la cacophonie. Fais comme moi. Rampe. Tirons-nous d'ici !

Shepherd se figea à plat ventre, la tête tournée vers Dylan, mais les yeux toujours fermés.

— De la glace.

Le salon était percé de deux fenêtres côté sud, et de quatre autres orientées à l'ouest. Les vitres des ouvertures sud avaient été pulvérisées dès les premières rafales, mais celles de l'ouest étaient intactes – même les ricochets ne les avaient pas touchées.

— Rampe comme un serpent, insista Dylan.

Mais Shep restait immobile.

— De la glace, de la glace, de la glace.

Des salves incessantes martelaient le mur sud, traversaient le salon, déchiquetaient le mobilier, brisant vases et lampes. Des lignes pointillées de trou crevaient le capitonnage des fauteuils, chaque impact émettant un bruit mou qui vrillait l'estomac de Dylan – peut-être était-ce ce bruit-là que l'on entendait quand une balle vous déchirait les chairs ?

Bien qu'il ne fût qu'à quelques centimètres de Shep, Dylan hurlait, certes pour se faire entendre et dans l'espoir d'inciter son frère à obéir, mais surtout parce qu'il était en colère. C'était cette même rage, ce juste courroux qu'il

avait déjà ressentis dans la maison d'Eucalyptus Avenue ;
une fureur ardente contre les salauds de tout acabit qui,
encore et toujours, avaient recours à la force et qui ne
s'abreuvaient qu'au puits de la violence et non à celui de
la sagesse.

— Nom de dieu, Shep, tu ne vas pas les laisser nous
tuer comme ils ont tué maman ! Les laisser nous tailler en
pièces et nous laisser pourrir sur place ! Tu veux vraiment
qu'ils recommencent ? C'est ça que tu veux, Shep ? Revivre
cette horreur ?

Lincoln Proctor avait assassiné leur mère, et ces
tireurs étaient les ennemis de Proctor et de ses travaux,
mais aux yeux de Dylan, Proctor et ces brutes habitaient
dans le même camp. Juste deux unités différentes de la
même armée sinistre.

Ébranlé peut-être par la fureur de Dylan ou par la soudaine prise de conscience que la maison était assaillie,
Shep cessa ses litanies sur la glace et ouvrit les yeux. La
terreur avait enfin trouvé son chemin.

Le cœur de Dylan s'arrêta quelques instants, puis se
mit à battre la chamade... Shep n'allait-il pas replier l'espace, ici et maintenant, sans emmener Jilly, qui avait déjà
atteint le hall d'entrée ?

Mais Shep décida d'imiter le serpent. Ventre à terre,
telle une lustreuse humaine, il traversa la salle à manger
pour rejoindre le pied de l'escalier dans le hall.

Perché sur ses coudes et ses orteils, le garçon véloce
eut tôt fait de distancer son frère aîné.

Une pluie de bois et de plâtre tombait sur eux. La
masse des meubles absorbait ou détournait les tirs les plus
bas tandis que le reste des projectiles passait trop haut.

Les balles sifflaient au-dessus de leur tête – le son du
destin respirant entre ses dents... mais Dylan n'entendit
aucune détonation libérant son shrapnel empoisonné.

Une fine brume de plâtre nimbait la pièce de blanc, et
des plumes de coussin flottaient dans l'air, aussi nombreuses que dans un poulailler après le passage d'un
renard.

Shep rejoignit le couloir en rampant et aurait continué jusqu'au bureau s'il n'avait pas trouvé Jilly sur son chemin, étendue au bas de l'escalier. Reculant sur un mètre, elle lui bloqua le passage, l'attrapa par le fond de son jean et corrigea sa trajectoire pour le diriger vers les marches.

Lorsque les balles n'étaient pas arrêtées ou déviées par les meubles de la salle à manger, elles jaillissaient dans le hall d'entrée par la porte ouverte du salon. Elles criblaient également le mur de séparation entre le couloir et le salon, côté sud. Ce rempart de bois et de plâtre stoppait quelques projectiles, mais la plupart le traversaient de part et part et fusaient de l'autre côté, encore véloces et pleins de pouvoir de mort.

Dylan haletait comme s'il avait couru un cent mètres et grimaçait dans la poussière âcre en suspension. Il observa les trous dans la cloison. Certains n'étaient pas plus larges qu'une pièce de monnaie, mais d'autres dépassaient la taille du poing.

Les balles déchiquetaient la rambarde de l'escalier, la grignotaient petit à petit.

Plusieurs balustres étaient entaillés. Deux avaient éclaté en morceaux.

Les projectiles qui étaient parvenus à traverser la cloison, et avaient trouvé un passage entre les barreaux de la rampe d'escalier, terminaient leur course dans la paroi nord du couloir, qui fermait sur la gauche l'escalier. Le plâtre était criblé de petits cratères comme le mur d'un peloton d'exécution.

Même si Jilly et les frères O'Conner, comme une famille d'orvets, se lançaient à l'ascension des marches en rasant le sol au plus bas, jamais ils ne parviendraient tous indemnes au palier. Peut-être l'un d'eux arriverait-il sain et sauf ? Peut-être deux, à la rigueur, si leurs anges gardiens étaient vraiment des pointures. Mais trois... cela relevait du miracle et le temps des miracles était révolu ; ils étaient de retour dans la vie réelle ! Jilly, Shep ou Dylan serait tué, ou gravement blessé. Ils étaient donc piégés, face contre terre, à hoqueter dans la poussière de plâtre, les poumons en feu avec aucune option, aucun espoir de s'en sortir.

C'est alors que les tirs se mirent à s'espacer. Deux ou trois secondes encore... et tout s'arrêta.

La première phase de l'assaut n'avait pas dépassé deux minutes, les tueurs de l'est et du sud se mettaient de nouveau à couvert, pour éviter d'être touchés par des balles perdues.

Simultanément, sur le côté ouest et nord de la maison, d'autres tireurs fondaient sur eux. Phase deux.

La porte d'entrée, sur le mur ouest, se trouvait derrière Dylan, flanquée de vitraux. Le bureau se situait sur leur gauche, juste après l'escalier, et la pièce avait trois fenêtres...

Le couloir promettait d'être submergé par un déluge de feu, songea Dylan. Comparé à ce deuxième opus, le premier n'avait mis en scène que d'innocents enfants jouant aux gendarmes et aux voleurs avec des pistolets à bouchon.

Dame la Mort ne leur laissait qu'une petite poignée de secondes pour sauver leur peau, et sa main squelettique s'ouvrait déjà toute grande pour accélérer l'écoulement du temps...

Jilly avait dû faire la même analyse de la situation ; alors que les échos de la fusillade résonnaient encore dans la maison, elle bondit sur ses pieds, de concert avec Dylan. Sans prendre le temps d'échanger un mot, même de nature stratégique, ils attrapèrent Shep par la ceinture.

Avec une force décuplée par l'adrénaline, de celle qui permet à des mères de soulever des voitures pour libérer leurs bébés coincés sous les tôles, ils arrachèrent Shep du sol et l'emportèrent dans l'escalier. Les pieds du garçon frottaient et tapaient contre le nez des marches, rencontrant rarement un appui.

— Où trouve-t-on de la glace ? demanda Shep.

— Là-haut, hoqueta Jilly.

— Où trouve-t-on de la glace ?

— Nom de dieu, arrête ça !

— On y est presque, les encouragea Jilly.

— Où trouve-t-on de la glace ?

Le premier palier était à portée de main...

Le pied de Shep se coinça sous une marche.

Jilly et Dylan redoublèrent d'efforts et dégagèrent le pied. Monter. Coûte que coûte...

— Où trouve-t-on de la glace ?

Les vitraux des impostes de la porte d'entrée explosèrent dans un tonnerre de feu. Une myriade de coups retentit contre le battant, comme si des démons revêches, brandissant leur permis de tuer, exigeaient leur droit d'entrée. La porte, dans une pluie de bois, fut transformée en passoire et l'escalier se mit à vibrer à mesure que les balles déchiquetaient les marches une à une dans le sillage des trois fugitifs.

39.

Une fois sur le palier, ils s'élancèrent dans la seconde volée de marches. Dylan se crut sorti d'affaire, mais l'illusion fut de courte durée. Une balle transperça le sol trois marches au-dessus d'eux et alla s'écraser au plafond.

Cette partie de l'escalier faisait face à la porte d'entrée ! Sous leurs pieds, le mur d'arrêt d'un stand de tir !

Avancer était périlleux, battre en retraite était absurde, et rester planté sur le palier signifiait une mort certaine à plus ou moins brève échéance. Ils empoignèrent plus fermement Shep par la ceinture, Jilly à deux mains, Dylan à une seule, et l'emportèrent, telle une malle, dans la seconde ascension, accompagnés d'une litanie affolée de « où trouve-t-on de la glace ».

Dylan s'attendait à tout moment à recevoir une balle dans le pied, dans un bras, sous le menton ou plus haut encore. Lorsqu'ils atteignirent l'étage, tous indemnes et non pas transformés en passoire, Dylan lâcha son frère et se soutint au balustre pour reprendre son souffle.

À l'évidence, Vonetta Beesley, leur femme de ménage, avait posé récemment sa main au même endroit, car Dylan ressentit des traces psychiques – son image jaillit dans son esprit et dans l'instant, il eut l'envie irrépressible d'aller la retrouver.

Si cela s'était produit la veille, alors qu'il n'avait pas appris à maîtriser ces stimuli, Dylan aurait descendu l'escalier quatre à quatre, malgré la fusillade au rez-de-chaussée, comme il avait foncé à tombeau ouvert vers la maison d'Eucalyptus Avenue. Mais il retira sa main du pommeau et se ferma à ces appels.

Déjà, Jilly avait entraîné Shep dans le couloir, loin du palier. Élevant la voix pour se faire entendre malgré le vacarme, elle le suppliait de replier l'espace pour les faire sortir de là.

Dylan les rejoignit et vit que Shep restait de marbre. Il était toujours obnubilé par sa glace et sourd à tout appel.

Impossible de savoir quand Shep sortirait de sa bulle... mais Dylan n'aurait pas misé un *cent* sur un retour rapide. Il valait mieux compter une heure que deux minutes.

S'enfermer dans une obsession, répéter en boucle la même question, était une façon, pour le garçon, de s'isoler du raz de marée de stimuli extérieurs. Au milieu de la mitraille, il ne pouvait trouver un coin de mur où se réfugier, mais il pouvait en inventer un virtuel, dans un repli de son esprit, une encoignure à motif unique : de la glace, de la glace, de la glace.

— Où trouve-t-on de la glace ?

— Quand ils en auront fini en bas, ce sera quoi la suite ? demanda Jilly.

— Ils vont attaquer l'étage. Peut-être grimper sur le toit de l'auvent.

— Et entrer...

— De la glace, de la glace, de la glace.

— Il faut lui faire oublier cette histoire de glace, s'inquiéta Jilly.

— Pour cela, il lui faut du temps et du calme.

— Alors, on est fichus.

— Non.

— Si, on est fichus.

— Non, on ne l'est pas.

— Ah oui ! Vous avez un plan ?

Le seul plan de Dylan, suggéré en fait par Jilly, avait été de se placer au-dessus des tirs. Mais, à présent, il s'apercevait que les balles les suivraient où qu'ils aillent, sans parler des tireurs eux-mêmes.

Les crépitements au rez-de-chaussée, la possibilité qu'une balle perdue se fraye un chemin dans l'escalier jusqu'à eux, ou traverse le plancher sous leurs pieds, tout cela rendait la concentration difficile. Dylan n'aurait pas été moins à l'aise s'il avait eu la corde au cou, debout sur un tabouret branlant, les mains ficelées dans le dos. Une fois de plus, les événements lui donnaient un aperçu du calvaire qu'endurait son frère quand la vie, bruyante et tumultueuse, l'assaillait de toutes parts – et, dans le cas de Shep, c'était un supplice quasiment perpétuel.

D'accord, oublions l'argent dans le coffre. Les Beatles avaient raison : l'argent ne peut acheter l'amour[1]. Ni arrêter la mitraille.

Adieu aussi le.9mm acheté après le meurtre de sa mère. Contre l'artillerie lourde de ces assaillants, un pistolet faisait figure de jouet pour enfants.

— De la glace, de la glace, de la glace.

Jilly tenta de cajoler Shepherd pour lui faire oublier son obsession et le convaincre de les arracher à cet enfer, mais avec ses paupières closes et son cerveau phagocyté par cette envie de glace, il restait insensible aux douces paroles de la jeune femme.

— De la glace, de la glace, de la glace.

Du temps et du calme. Du temps, ils n'en avaient guère, mais chaque minute gagnée pouvait être celle qui verrait Shep sortir de sa bulle... quant au silence, cela demeurait un Graal illusoire ; toutefois, une relative réduction du niveau sonore pouvait l'aider à oublier son cornet de glace.

Dylan traversa le couloir et ouvrit la porte de la chambre d'amis.

— Par là !

Jilly parvint à faire avancer Shep à une vitesse honorable.

---

1. *Money can't buy me love (N. d. T.).*

Le tir de barrage faisait trembler tous les murs de la maison. Les fenêtres du premier étage vibraient dans leurs châssis.

Devançant Jilly et Shep, Dylan fonça vers un réduit encastré dans la paroi. Il alluma la lumière.

Une corde pendait d'une trappe au plafond. Il la tira et abaissa le panneau.

Au rez-de-chaussée, les déflagrations assourdissantes, dignes pourtant du siège de Stalingrad dont il avait eu un aperçu sur la chaîne Histoire, montèrent encore d'un cran.

Combien de projectiles pouvaient encaisser les murs avant de crouler ? Dans combien de temps un angle de la maison allait-il s'effondrer ?

— De la glace, de la glace, de la glace.

Arrivée devant la porte du débarras, Jilly, tenant Shep par la main, lança, en allusion au tintamarre sous leurs pieds :

— C'est l'Apocalypse en bas !

— Doublée du Déluge.

Une échelle en trois parties était fixée sur la face interne de la trappe. Dylan la déplia.

— Certains cobayes de Proctor ont dû développer des talents encore plus effrayants que les nôtres...

— Que voulez-vous dire ?

— Ces types ignorent ce que l'on peut faire et cela leur fiche une peur bleue ; c'est pour ça qu'ils veulent nous occire vite et par tous les moyens.

Dylan n'avait pas songé à cet aspect des choses. Cette idée lui fit froid dans le dos. Avant eux, les nanobots de Proctor avaient donc engendré des monstres... Et, aux yeux de leurs poursuivants, Jilly, Shep et lui, étaient, eux aussi, des abominations à éliminer.

— Ne me dites pas que vous voulez que l'on monte là-haut ? s'exclama Jilly, incrédule.

— Tout juste.

— C'est du suicide.

— C'est le grenier.

— Le grenier, c'est la mort assurée.

— Où que l'on aille, c'est la mort assurée. C'est la seule façon de gagner un peu de temps pour Shep.

— Ils vont forcément visiter le grenier.

— Mais pas tout de suite.

— Je n'aime pas ça, déclara-t-elle.

— Je ne saute pas de joie non plus.

— De la glace, de la glace, de la glace.

— Passez la première, ordonna Dylan.

— Pourquoi moi ?

— Vous pourrez rassurer Shep de là-haut, pendant que je le pousserai d'en bas.

La fusillade cessa, mais les échos résonnaient encore dans les tympans de Dylan.

— Ils arrivent.

— Merde, lâcha Jilly.

— Allez-y.

— On est foutus, là-haut.

— Montez !

— Vraiment, je ne le sens pas.

— Jilly ! *Montez !*

40.

Le grenier limiterait drastiquement leur degré de liberté ; ils seraient coincés comme des rats en cage, avec pour seuls compagnons la pénombre, la poussière et les araignées ! Mais Jilly obtempéra et grimpa à l'échelle parce qu'ils n'avaient nul autre endroit où aller.

Pendant qu'elle gravissait les échelons, son sac à main cognait contre sa hanche ; un instant il se coinça dans la glissière où l'échelle repliée trouvait son logement. Elle avait perdu sa De Ville, toutes ses affaires, son ordinateur portable, sa carrière de comique, et même son alter ego vert – le gentil Fred – mais, elle n'abandonnerait pas son sac à main, quelles que soient les circonstances ! Il ne contenait que quelques dollars, des pastilles de menthe, des Kleenex, du rouge à lèvres, une boîte de fond de teint, une brosse à cheveux, rien qui risquât de bouleverser sa vie en cas de perte, mais si, par miracle, elle devait survivre à cette funeste visite à la *casa* O'Conner, son rouge à lèvres et sa brosse lui seraient plus précieux que tout l'or du monde. Quand on avait côtoyé l'Enfer, pouvoir se refaire une beauté, ça c'était le vrai luxe ! ça valait toutes les limousines, toutes les suites royales et toutes les louches de caviar de la terre !

En outre, si elle devait mourir prématurément avec des nano-machines dans le cerveau, ou plutôt *à cause* de ces nano-machines, autant faire le grand saut en étant la plus jolie possible – à condition qu'une balle ne transforme pas son visage en œuvre cubiste.

Jackson la Négative, la tornade de pessimisme, atteignit enfin le sommet de l'échelle et découvrit que le grenier était suffisamment haut pour tenir debout. À travers les chatières du toit, quelques rayons du soleil parvenaient à traverser cette redoute en hauteur, mais l'ombre restait maîtresse des lieux. Un entrelacs de chevrons des murs de planches à clins, un plancher de contreplaqué... une collection de cartons, trois vieux coffres, quelques objets hétéroclites, et beaucoup d'espaces vides.

L'air chaud et sec sentait le vieux bitume et la poussière. Çà et là, quelques cocons s'accrochaient à la pente du toit, des petits artefacts du règne animal, légèrement phosphorescents dans la pénombre. Plus près, juste au-dessus de sa tête, une savante toile d'araignée reliait deux poutres en un pont suspendu improbable ; même si son bâtisseur à huit pattes avait péri ou déménagé depuis longtemps, le piège était festonné de quatre papillons, leurs ailes grises étendues, figées dans un battement arrêté, leurs carcasses chitineuses vidées de leur chair par l'arachnide.

— Nous sommes maudits, murmura la jeune femme en regardant dans l'ouverture béante de la trappe.

Shep se tenait sur le premier barreau. Il agrippait le dernier échelon de ses deux mains, tête baissée, comme un adorateur d'échelle en prière. Mais son culte semblait lui interdire de grimper sur l'objet sacré.

Derrière le garçon, Dylan, par la porte ouverte du réduit, surveillait les fenêtres, craignant sans doute de voir des silhouettes progresser sur le toit de l'auvent.

— De la glace, déclara Shep.

Dylan releva la tête vers Jilly.

— Parlez-lui un peu.

— Et s'il y avait le feu ?

— Drôle de façon de le rassurer !

— De la glace.

— C'est une vraie poudrière ici. Cela ne demande qu'à s'embraser. Alors je répète : s'il y avait le feu ?

— Et si le pôle magnétique s'inversait ? répliqua Dylan, sarcastique.

— Vu notre situation, ce serait un moindre mal. Vous pouvez pas le pousser ?

— Je peux l'inciter à grimper, mais personne ne peut faire monter de force quelqu'un sur une échelle.

— Je ne vois pas pourquoi. Il n'y a pas une loi physique contre ça.

— Qu'est-ce que vous en savez ? Vous êtes diplômée du M.I.T ?

— De la glace.

— J'ai des sacs et des sacs de glace ici, chéri, mentit-elle. Allez-y, Dylan, poussez-le.

— C'est ce que je fais !

— De la glace.

— J'ai plein de glace ici, Shep. Viens voir ça. Viens avec moi.

Shep ne voulait pas bouger d'un iota. Il restait cramponné à son barreau.

Jilly ne pouvait voir le visage du garçon, juste le haut de son crâne.

Dylan souleva le pied droit de son petit frère et le posa sur l'échelon suivant.

— De la glace.

L'esprit hanté par l'image des papillons morts englués dans la toile, Jilly sentait la panique la gagner à grands pas. Inutile d'espérer convaincre Shep de la rejoindre dans le grenier ; elle décida alors d'adopter une nouvelle approche : transformer son monologue sur la glace en semblant de dialogue.

— De la glace, répéta-t-il.

— Eau gelée.

Dylan souleva le pied gauche de Step et le plaça sur l'échelon supérieur, un cran au-dessus du pied droit, mais le garçon refusait toujours de suivre le mouvement avec les mains.

— Glace.

— Verglas.

En contrebas, au rez-de-chaussée, quelqu'un enfonça une porte d'un coup de pied. Sachant que le tir de barrage avait réduit celle de l'entrée à l'état de confetti, les seules portes tenant encore debout se trouvaient à l'intérieur de la maison. La fouille avait commencé !

— Glace.

— Grêle.

— Glace.

— Banquise, répliqua Jilly.

Il y eut un autre coup au rez-de-chaussée. L'impact se répandit dans toute la maison, faisant vibrer le sol sous les pieds de la jeune femme.

Au bas de l'échelle, Dylan referma la porte du débarras. Cette fois, ils étaient dans un vrai piège à rat.

— Glace.

— Iceberg.

Au moment où elle sentait Shep sur le point de se prêter au jeu, Jilly fut à court de synonymes. Elle modifia vite les règles et choisit d'énumérer tous les ustensiles ou objets comportant le mot « glace », comme pour préciser la pensée de Shep.

— Glace.

— Glaçon.

— Glace.

— Bac à glace.

Tout cet échange de glace rendait l'atmosphère du grenier de plus en plus chaude et suffocante. De la poussière partout, sur les poutres, le sol, ou flottant en nappes alanguies dans l'air immobile.

— Glace.

— Glacier.

— Glace.

— Patins à glace.

— Glace.

— Hockey sur glace. Tu n'as pas honte, chéri, de donner toujours le même mot et de me laisser faire tout le boulot ?

Shepherd avait relevé la tête et regardait la portion d'échelon libre entre ses deux mains.

En bas, d'autres bruits, d'autres coups, une rafale agacée de mitraillette.

— Glace.

— Glace à l'eau. Je ne comprends pas le plaisir que tu peux avoir à faire un puzzle où il n'y aurait qu'une seule pièce ?

— Glace.

— Pic à glace.

— Glace.

— Pince à glace.

À mesure que de nouvelles images pénétraient son esprit, l'emprise du mot « glace » diminuait en lui. Il y eut un changement subtil d'expression sur son visage, une sorte de relâchement. Jilly était certaine que ce n'était pas le fruit de son imagination. Certaine !

— Glace.

— Seau à glace.

— Glace.

— Âge de glace... bien que ce soit moi qui fasse la partie la plus dure du travail, c'est quand même beaucoup plus amusant que d'énumérer tous les synonymes de « caca ». Tu ne trouves pas ?

Un faible sourire retroussa les lèvres du garçon, mais il le chassa aussitôt d'un souffle tremblant.

— Glace.

— Cristaux de glace.

Shepherd souleva sa main droite et attrapa le barreau supérieur. La main gauche suivit le mouvement.

— Glace.

— Glacière.

Shepherd déplaça son pied vers l'échelon suivant sans l'aide de Dylan.

En bas, la sonnette retentit. Apparemment, même dans une escouade de tueurs, il y avait de petits plaisantins !

— Glace.

— Pain de glace.

Et Shepherd se mit à grimper...

— Glace.

— Tempête de glace.

— Glace

— Mer de glace.

— Glace.

— Thé glacé, sucre glace, brise-glace, glaciation, énuméra Jilly, en hissant Shep au sommet de l'échelle.

Elle l'aida à se relever et l'entraîna à l'écart, loin du trou de la trappe. Elle le serra dans ses bras, en disant qu'il était un super garçon ; Shep se laissa faire, quoiqu'en répétant : Où trouve-t-on de la glace ?

En bas, dans le débarras, Dylan éteignit la lumière et, dans l'obscurité, grimpa rapidement à l'échelle.

— Beau boulot, Jackson.

— *De nada*, O'Conner.

À genoux dans la pénombre, Dylan replia l'échelle en accordéon et l'arrima le plus silencieusement possible à la trappe avant de la refermer.

— Ils vont monter à l'étage d'un instant à l'autre, chuchota-t-il. Emmenez Shep là-bas, dans le coin, derrière ces cartons.

— Où trouve-t-on de la glace ? demanda encore Shep d'une voix bien trop audible.

Jilly guida le garçon parmi les ombres du grenier. Bien qu'il ne risquât pas de se cogner aux chevrons, Shep préférait marcher courbé.

Deux étages plus bas, les intrus mettaient à sac une autre pièce.

Un homme cria quelque chose. Un autre répondit à son appel par un juron, un autre encore éclata de rire.

À entendre ces voix, sommaires et désincarnées, ce n'était plus à des hommes qu'ils avaient affaire, songea Jilly, mais à des créatures de cauchemars hybrides, qui les pourchassaient tantôt sur deux jambes, tantôt à quatre pattes, vociférant parfois comme des brutes, rugissant parfois comme des fauves.

Quand donc les flics allaient-ils se décider à rappliquer ? Si tant est qu'ils vinssent un jour. Dylan avait dit que la ville la plus proche se trouvait à plusieurs kilomètres, le premier voisin à près d'un kilomètre d'ici. Personne n'avait entendu les coups de feu.

Certes, l'assaut avait commencé depuis seulement cinq minutes, voire six, et aucun poste de police locale ne pouvait répondre à un appel en moins de dix minutes.

— Où trouve-t-on de la glace ? demanda Shepherd d'une voix toujours aussi forte.

Au lieu de continuer à l'entraîner vers le coin, Jilly répondit d'une voix douce espérant qu'il imiterait son chuchotement.

— Dans le réfrigérateur, chéri. C'est là qu'on trouve de la glace.

Une fois derrière les piles de cartons, Jilly incita Shep à s'asseoir sur le sol poussiéreux.

Dans une flaque de lumière tombant d'une chatière, gisait un cadavre d'oiseau – un moineau, apparemment – réduit par le temps à un squelette. Sous les os, s'accrochaient quelques plumes que les courants d'air n'avaient pu essaimer aux quatre coins du grenier.

L'animal avait dû se réfugier là un jour de grand froid et n'avait pas su retrouver la sortie. Peut-être s'était-il brisé une aile à force de se cogner aux chevrons, ou simplement était-il mort d'épuisement. Et il avait péri dans cette flaque de lumière, à regarder ce carré de ciel inaccessible au-dessus de lui.

— Où trouve-t-on de la glace ? demanda Shepherd, cette fois dans un murmure.

Voyant que Shep n'était pas totalement sorti de son obsession de glace, ou bien qu'il y revenait inexorablement, Jilly initia un nouveau jeu, cherchant à renouer un semblant de dialogue.

— Il y a de la glace dans la Margarita, pas vrai, chéri ? Une bonne Margarita, bien fraîche et bien relevée. Dieu que j'en voudrais une en ce moment !

— Où trouve-t-on de la glace ?

— Dans une glacière de pique-nique.

— Où trouve-t-on de la glace ?

— À Noël, en Nouvelle Angleterre, il y aura de la glace. Et de la neige aussi.

Se déplaçant avec une grâce étonnante pour un homme de son gabarit, Dylan émergea de la zone d'ombre qui enténébrait le centre du grenier, pour s'approcher du suaire lumineux qui recouvrait l'oiseau et éclairait chichement le recoin où Jilly et Shep avaient trouvé refuge.

— Toujours son obsession de glace ? s'enquit-il en s'asseyant à côté d'eux.

— Nous allons bientôt partir, lui assura Jilly avec une confiance toute feinte.

— Où trouve-t-on de la glace ? murmura Shep.

— Dans une patinoire, il y a beaucoup de glace...

— Où trouve-t-on de la glace ?

— Chez le marchand de glace, évidemment.

Des bruits de pas retentirent à l'étage en dessous. Dans les pièces, des meubles que l'on renverse, des bibelots qui se brisent...

D'une voix encore plus basse, Shep demanda de nouveau :

— Où trouve-t-on de la glace ?

— Au pôle Nord, y a beaucoup de glace.

— Ahhh... lâcha Shep avant de rester silencieux.

Le fracas des fouilles cessa. Des voix sourdes résonnèrent sous leurs pieds, incompréhensibles. Jilly avait l'impression d'entendre un bataillon de momies belliqueuses, au tréfonds d'une pyramide, marmonner dans leurs bandelettes funéraires.

— Le pôle Nord..., souffla Shep.

— Il faut partir, gamin, dit Dylan. Il est grand temps de faire un pliage.

Sous leurs pieds, la maison se fit brusquement silencieuse. Au bout de trente secondes, le silence se transforma en un bruit blanc, augure d'un désastre imminent.

— Gamin..., articula Dylan, sans le supplier davantage, sachant que Shep serait plus sensible à ce silence, à cette immobilité surnaturelle qu'à ces paroles pressantes.

En pensée, Jilly vit l'horloge de la cuisine, le cochon

au sourire grimaçant tandis que la grande aiguille égrenait les secondes sur son ventre rond.

Même en souvenir, ce rictus porcin la dérangeait... mais en chassant cette image de son esprit, une autre lui succéda, celle du minuteur que Dylan avait placé dans la salle de bains pendant que Shep se douchait. Le choc émotionnel fut encore plus puissant, car l'appareil ressemblait à la minuterie d'une bombe à retardement...

C'est alors que les tireurs ouvrirent le feu à travers le plafond et des geysers de balles fusèrent du plancher.

41.

Progressant les uns vers les autres à partir des deux extrémités de la maison, les assaillants pilonnaient le plafond du couloir avec balles de gros calibre. Les projectiles perforaient le plancher du grenier, projetant des éclats de bois dans l'air et formaient un chemin de mort de deux mètres de large hérissé de rais de lumière provenant de l'étage en dessous. Des ogives martelaient la charpente, d'autres traversaient le toit et dessinaient dans les tuiles des étoiles de ciel bleu.

Jilly comprit pourquoi Dylan avait insisté pour qu'ils se placent dans un coin, dos au mur extérieur. La structure entre eux et l'étage inférieur était plus dense dans cette zone, et donc, plus difficile à traverser pour les balles.

Elle replia les jambes sous son menton, pour offrir la plus petite surface possible aux tireurs, mais malgré ses efforts, celle-ci restait bien trop grande à son goût.

Les salauds, en dessous, changeaient de chargeurs à tour de rôle, si bien que les tirs ne cessaient pas. Le staccato assourdissant phagocytait l'esprit des trois jeunes gens, les emplissait de terreur. Leurs seules pensées possibles étaient des pensées de mort.

Munitions infinies pour cette opération commando. Aucune considération morale quant à un triple meurtre perpétré de sang-froid. La simple exécution d'un plan, avec la sauvagerie nécessaire et intrinsèque à ce genre d'action.

Dans le clair-obscur tombant des chatières, Jilly vit que le visage de Shep était traversé de tics nerveux, et pourtant, derrière les paupières closes, ses pupilles étaient d'une fixité nouvelle. Le tonnerre des tirs le dérangeait, mais il semblait moins apeuré que concentré à l'extrême sur quelque réflexion impérieuse.

Les tirs cessèrent.

La maison était hantée de sinistres craquements résiduels.

Sachant que le cessez-le-feu serait de courte durée, Dylan voulut motiver Shepherd en lui annonçant ce qui allait suivre :

— Il va y avoir du gore, gamin. Du gore et du sang partout, si tu ne te dépêches pas...

Les assaillants quittèrent le couloir et s'essaimèrent dans les pièces de part et d'autre. Les tirs reprirent aussitôt.

Par chance les tireurs n'avaient pas encore atteint la pièce située juste sous leur coin de grenier. Mais ils allaient y entrer d'une minute à l'autre.

Même si la fusillade s'effectuait sur deux zones distinctes, tout le sol du grenier vibrait sous l'impact des ogives de plomb.

Le bois craquait, gémissait, les balles ricochaient sur les clous et la tuyauterie encastrée dans les murs, dans un concert de tintements métalliques.

Un nuage de poussière tombait de la charpente.

Sur le sol, les os de l'oiseau mort tressautaient comme si la vie revenait en lui.

Libérée, l'une des plumes s'éleva en spirale dans l'air embrumé.

Jilly voulait hurler, mais n'osait pas, ne le pouvait pas : sa gorge était serrée comme un poing, l'air pris en étau dans ses poumons.

Les tirs en rafales crépitaient devant eux, se rapprochaient... Ils voyaient les faisceaux de balles déchirer les boîtes de rangement et les cartons, entraînant dans leur sillage une pluie de débris.

Shep ouvrit les yeux ; il se leva et se tint droit comme un « i », dos collé au mur du pignon.

Dans un sursaut nerveux, Jilly bondit sur ses pieds, Dylan aussi. La maison semblait sur le point de décoller du sol, d'être emportée par le cyclone de bruit et de fureur, si le déluge de feu et de fer ne la faisait pas crouler avant.

Cinquante centimètres devant eux, le plancher éclata, se hérissa de cratères.

Quelque chose cingla le front de Jilly. Quand elle voulut lever la main pour tâter sa blessure, elle ressentit une vive douleur à la paume. La jeune femme poussa un cri.

Malgré l'épais brouillard de poussière, elle vit des gouttes de sang dégouliner à l'extrémité de ses doigts, des taches pourpres maculer les cartons de motifs funestes.

Sur son front, suivant la ligne de la tempe, un autre filet de sang...

Et cela continuait... d'autres balles éventrèrent le sol, plus près encore que la salve précédente.

Shepherd saisit la main indemne de Jilly.

Elle ne le vit pas pincer l'air comme de coutume, ni tirer un voile invisible, pourtant le grenier se replia et une nouvelle clarté apparut.

Les chevrons se fondirent dans un ciel azur. Une herbe jaune, affleurant les genoux, remplaça le plancher.

Une prairie d'été, crissante, fourmillante de sauterelles affolées sautant en tout sens.

Jilly se tenait au sommet d'une colline, aux côtés de Shep et de Dylan. Loin vers l'ouest, l'océan semblait couvert d'écailles de dragon, vert émeraude et piquetées de reflets dorés.

La jeune femme entendait les rafales de mitraillette, mais assourdies par la distance et les murs de la bâtisse. C'était la première fois qu'elle voyait la maison de l'extérieur ; de loin, elle paraissait quasiment intacte.

— Shep, cela ne suffit pas, on n'est pas assez loin, s'inquiéta Dylan.

Shepherd lâcha la main de Jilly et regarda fixement le sang qui dégouttait au bout des doigts de la jeune femme.

Longue de cinq centimètres, large d'un demi-centimètre, une écharde de bois s'était plantée dans les chairs tendres de la paume.

D'ordinaire, la vue du sang ne l'effrayait pas outre mesure. Si la jeune femme tremblait de tous ses membres, c'était peut-être davantage parce qu'elle réalisait que sa blessure aurait pu – *aurait dû* – être bien pire.

Dylan passa une main sous son bras pour la soutenir et examina son front.

— C'est juste une égratignure, sans doute une autre écharde, mais elle n'a fait qu'effleurer la peau... Plus de sang que de mal !

Au bas de la colline, au bout de la prairie, trois hommes armés surveillaient les abords de la maison, pour s'assurer que leurs proies n'essayaient pas d'échapper aux tirs de barrage de leurs collègues. Aucune de ces sentinelles ne regardait vers la colline, mais la chance ne sourirait pas aux trois jeunes gens indéfiniment.

Profitant d'un moment d'inattention de Jilly, Dylan arracha l'écharde d'un grand coup. La jeune femme poussa une plainte étouffée.

— On nettoiera la plaie plus tard.

— Plus tard ? Où ça ? Si vous ne donnez pas très vite à Shep une destination, il risque de nous envoyer Dieu sait où ! Par exemple dans la chambre du motel d'Holbrook, où vous pouvez être sûr qu'on nous attend de pied ferme – ou pis encore, dans cette maison !

— Mais où pouvons-nous être en sécurité ? répondit Dylan, à court d'idées.

Peut-être était-ce la vue du sang sur sa main et sur sa tempe qui déclencha le processus, une sorte de réminiscence de sa vision dans le désert où elle avait été submergée par la nuée d'ailes blanches... Toujours est-il que le sinistre augure revint s'immiscer, au pire moment, dans la réalité de ce jour où tout allait de travers.

Une odeur d'encens monta des herbes dorées.

Dans la maison, le vacarme des tirs s'estompa, pour être remplacé, ici, sur le sommet de la colline, par des rires cristallins d'enfants.

Dylan comprit ce qui arrivait à Jilly, qu'elle était emportée sur une nouvelle vague de perceptions paranormales.

— Que se passe-t-il ? demanda-t-il. Que voyez-vous ?

En se tournant vers l'origine des voix, la jeune femme ne vit pas les auteurs de ces rires, mais un bassin de marbre typique des bénitiers d'églises catholiques, abandonné ici, au milieu des herbes de la colline, à la manière d'une pierre tombale d'un vieux cimetière.

Un mouvement derrière Shep attira l'attention de Jilly : une petite fille blonde aux yeux bleus, âgée peut-être de cinq ou six ans ; elle portait une robe blanche en dentelle, des rubans blancs noués dans ses cheveux, et avait à la main un panier de pétales de roses. Elle avait un air très solennel. Lorsque les enfants invisibles rirent de nouveau, la fillette se retourna comme si elle les cherchait du regard ; au moment où la petite achevait sa rotation, elle disparut...

— Jilly ?

... pour être remplacée, exactement au même endroit, par une femme d'une cinquantaine d'années, vêtue d'une robe jaune et portant des gants assortis et un chapeau à fleurs. Ses yeux se révulsèrent si loin en arrière, que Jilly ne vit plus que le blanc de l'œil. Sur son torse, trois trous rouges, dont l'un entre les seins. Quoique morte, la femme marcha vers Jilly – une apparition qui semblait encore plus réelle sous le plein soleil qu'un fantôme sous la pleine lune. La femme tendit le bras devant elle, comme si elle réclamait de l'aide.

Incapable de bouger, comme si ses pieds avaient pris racine dans le sol, Jilly se recroquevilla et leva sa main ensanglantée pour empêcher le spectre d'avancer ; mais lorsque les doigts de la femme touchèrent sa main – un contact, à la fois froid et palpable – l'apparition s'évanouit dans l'instant.

— C'est pour aujourd'hui, déclara Jilly d'une voix misérable.

— De quoi parlez-vous ? Que va-t-il se passer *aujourd'hui* ? demanda Dylan.

Au loin, un homme cria quelque chose. Un autre lui répondit.

— Ils nous ont vus ! annonça Dylan.

La grande volière du ciel n'abritait qu'un seul et unique oiseau, un faucon qui décrivait des cercles sur les courants ascendants ; aucun volatile dans les herbes... et, pourtant, Jilly entendait des bruissements d'ailes, une rumeur s'amplifiant.

— Ils arrivent, lança Dylan, faisant référence non pas aux oiseaux, mais aux tueurs.

— Des ailes, bredouilla Jilly tandis qu'une nouvelle agitation gagnait la nuée de colombes invisibles. Des ailes.

— Des ailes, répéta Shepherd, en touchant la main blessée avec laquelle la jeune femme avait tenté de repousser la femme spectre.

Le tac-tac-tac des mitraillettes d'ici et maintenant faisait écho à des détonations puissantes de fusils que seule Jilly pouvait entendre, des coups de feu tirés en un autre lieu, un autre temps... dans un avenir de plus en plus proche.

— Jilly, articula Shepherd.

La jeune femme sursauta. C'était la première fois que le garçon l'appelait par son prénom. Elle rencontra ses yeux vert lotus, qui n'étaient ni vagues ni rêveurs, mais vifs et alertes, brillant d'inquiétude.

— L'église ? dit Shepherd.

— L'église, confirma-t-elle.

— Shep ! s'écria Dylan alors que les premières salves soulevaient des nuages d'herbes et de poussières à quelques mètres d'eux.

Shepherd O'Conner plia l'ici sur le là, démontant le soleil, les herbes dorées, les balles rageuses, pour reconstituer une salle aux voûtes de pierre, flanquée de vitraux, comme un puzzle grandeur nature.

42.

La nef de cette église baroque d'inspiration hispanique était une vaste salle au charme rococo, constituée d'une grande voûte en berceau flanquée de deux séries d'arches d'arêtes. Quelques travaux de restauration y étaient en cours. La travée centrale se trouvait bordée de colonnes massives de dix mètres de hauteur, reposant sur des socles finement sculptés.

La foule dans l'église, environ trois cents personnes, semblait écrasée par le gigantisme de l'édifice. Même les beaux habits du dimanche faisaient pâle figure devant les cascades de couleurs qui filtraient des vitraux frappés par le soleil couchant.

Les échafaudages, qui recouvraient les trois murs de la nef, afin de pouvoir atteindre les frises peintes, n'arrêtaient qu'une infime partie des rayons issus des vitraux. Le soleil traversait des morceaux de verre saphir, rubis, émeraude et améthyste, essaimant des gemmes de lumières tout le long de l'allée centrale.

L'espace de dix battements de cœur, Dylan embrassa du regard l'église monumentale, notant mille détails ornementaux. Mais ces détails ne lui révélaient rien sur l'ensemble ; il était, face à ce mausolée de l'art baroque, aussi ignorant que l'égyptologue devant une nouvelle pyramide, dont il ne pouvait examiner que le chapeau supérieur, affleurant au-dessus du sable du désert.

Il reporta alors son attention sur la petite fille aux nattes ; elle était âgée de neuf ans et se promenait dans le coin sombre de la nef, au moment où Shep les y avait matérialisés. Elle hoqueta, battit des paupières, et s'enfuit en courant rejoindre ses parents sur leur banc – s'apprêtant à leur dire que des saints ou des démons venaient de débarquer dans l'église.

L'odeur d'encens était bien là, comme dans la vision de Jilly. Mais nul écho de musique, ni battement d'ailes affolés. L'assistance parlait à voix basse et les murmures flottaient dans l'air aussi doucement que les fumées parfumées.

La plupart des gens étaient assis face à l'autel... Quelques-uns, sans doute, bavardaient avec leur voisin derrière eux, mais, apparemment, aucun n'avait remarqué leur arrivée inopinée au fond de la nef. Pas de regards surpris, pas de cris d'alerte.

Plus près d'eux, des jeunes gens en smoking escortaient des retardataires dans l'allée centrale pour les conduire à leurs bancs. Les placeurs étaient trop occupés, et les invités trop focalisés sur la cérémonie à venir pour remarquer l'étrange matérialisation qui venait de se produire dans un recoin sombre de l'église.

— C'est un mariage, murmura Jilly.

— C'est ici ?

— Nous sommes à Los Angeles. C'est mon église, dit-elle d'une voix blanche.

— Votre église ?

— C'est là où je chantais avec ma chorale.

— Quand cela va-t-il se produire ?

— Bientôt.

— Et ce sera quoi ?

— Des coups de feu.

— Encore...

— Soixante-sept coups de feu... et quarante morts.

— Soixante-sept ? répéta-t-il. Il y aura donc plusieurs tireurs.

— Oui, chuchota-t-elle. Plusieurs.

— Combien ?

Le regard de Jilly parcourut les voûtes à la recherche de la réponse, puis descendit les colonnes de marbre pour s'arrêter sur les sculptures des Saints, grandeur nature, qui décoraient leurs bases.

— Au moins deux, répondit-elle. Peut-être trois.

— Shep a peur.

— On a tous peur, gamin, répliqua Dylan, ne trouvant pas d'autres paroles pour le rassurer.

Jilly observait un à un les amis et la famille des futurs époux, comme si elle espérait, par un sixième sens, déterminer, au simple examen de leur nuque, lequel d'entre eux était venu avec des intentions meurtrières.

— Cela m'étonnerait que les tireurs fassent partie des convives, annonça Dylan.

— Non, probablement pas...

Elle s'avança vers les bancs, reportant son attention sur l'autel, tout au bout de la nef.

Une voûte transversale séparait le sanctuaire de la travée centrale. Derrière les piliers, le chœur et l'autel proprement dit, avec le ciboire, le tabernacle et la grande croix.

Dylan s'approcha de Jilly.

— Ils vont peut-être arriver pendant la cérémonie... débarquer dans l'église par surprise et tirer sur tout ce qui bouge ?

— Non. Ils sont déjà ici.

Son ton sans appel donna à Dylan le frisson. La jeune femme tourna lentement sur elle-même, l'œil aux aguets.

L'organiste commença les premières notes de la marche nuptiale.

À l'évidence, les ouvriers, qui restauraient les frises, avaient souvent laissé les portes et les fenêtre ouvertes, car de nouveaux locataires avaient élu domicile dans les hauteurs de l'édifice. Effrayées par le bruit, des colombes s'envolèrent des corniches ouvragées et des chapiteaux, et se mirent à voleter dans la nef. C'était loin d'être la nuée attendue. Juste huit ou dix spécimens, douze tout au plus, convergeant des quatre coins de l'église pour voler en petit groupe.

Un murmure d'émerveillement parcourut l'assistance, comme s'il s'agissait d'un intermède prévu au programme des noces. Quelques rires d'enfants retentirent.

— Ça y est. C'est maintenant, annonça Jilly, d'une voix chevrotante.

Le groupe de colombes voletait dans la nef passant au-dessus de la famille de la mariée, puis au-dessus de celle du marié, et ainsi de suite, en décrivant une sorte de spirale qui les éloignait vers le fond de la nef.

Un homme courut dans la coursive, au pied des échafaudages, traversa le narthex, sans doute pour aller ouvrir les portes de l'église afin que puissent s'échapper les intrus ailés.

S'arrachant à la contemplation d'une plume s'élevant dans l'air, Jilly tourna brusquement la tête vers les échafaudages de l'aile ouest puis de l'aile est.

— Là-haut...

Le faîte des fenêtres cintrées dominait la nef à une hauteur de sept à huit mètres. Le sommet des échafaudages culminait un mètre encore au-dessus, pour permettre aux ouvriers d'accéder à la frise qui suivait la jonction des voûtes.

La plate-forme de travail, où les artisans, durant la semaine, menaient leurs restaurations, était large d'un mètre cinquante, faite de plaques de contreplaqué. La hauteur, associée à la pénombre régnant sous les arches, empêchait Dylan de distinguer d'éventuels ennemis.

Le mur du fond était aveugle ; mais il y avait une frise, et donc un échafaudage. Trois mètres à droite de Shepherd, une échelle permettait d'y accéder – un ensemble de tubes horizontaux recouverts d'un antidérapant.

Dylan s'approcha de l'échelle, posa la main sur un échelon et ressentit comme une piqûre de scorpion – une trace psychique sinistre.

Jilly dut lire son expression d'effroi.

— Quoi ? Que se passe-t-il ? bredouilla la jeune femme.

— Ils sont trois. Trois hommes, déclara-t-il, en retirant sa main de l'échelon et la secouant pour en chasser la noire énergie. Des fanatiques. Ils veulent tirer dans le tas, tuer le prêtre, et le plus de monde possible.

Jilly se tourna vers les portes de l'église.

— Dylan ! regardez...

Dylan suivit son regard et vit le curé et les deux enfants de chœur s'approcher de l'autel.

D'une porte latérale, deux jeunes gens en smoking s'avancèrent dans la travée centrale, le futur époux et son témoin.

— Il faut les prévenir, articula Jilly.

— Non. Si nous nous mettons à crier, ils vont se demander qui nous sommes, et ne rien vouloir entendre. Ils vont forcément mettre un certain temps avant de réagir... mais les tireurs, eux, ne vont pas hésiter. Ils vont ouvrir le feu. Ils n'auront pas la mariée, mais ils auront l'époux et une bonne partie des invités.

— Alors, il faut monter ! déclara-t-elle, en empoignant les barreaux de l'échelle.

Dylan posa la main sur son bras.

— Non. Les vibrations. Tout l'échafaudage va se mettre à bouger. On n'aura pas fait un mètre, qu'ils sauront qu'on arrive.

Shepherd se tenait dans une posture qui lui était inhabituelle – ni voûtée, ni avachie. Il avait la tête levée et contemplait une plume en suspension dans l'air.

Se plaçant devant la plume, Dylan chercha le regard de son frère.

— Shep, tu sais que je t'aime... J'ai besoin de toi pour aller là-haut.

Shep reporta son attention sur son frère aîné.

— Au pôle Nord, déclara-t-il.

Dylan resta un moment interdit, puis se souvint qu'il s'agissait de l'une des nombreuses réponses de Jilly devant la question monotone de Shep : *où trouve-t-on de la glace ?*

— Non, gamin. Oublie le pôle Nord. Reste ici, avec moi.

Shep battit des paupières, comme s'il était étonné.

De crainte que son frère ne ferme les yeux et n'aille se réfugier dans un coin de son esprit, Dylan s'empressa d'ajouter :

— Vite. Maintenant. Emmène-nous *d'ici* (il montra le sol à ses pieds) à *là* (il désigna le sommet de l'échafaudage au-dessus d'eux). Sur cette plate-forme là-haut. *D'ici* à *là*, Shep. *Icilà*.

L'hymne d'introduction s'acheva. Les dernières notes de l'orgue se perdirent en écho sous les colonnes et les arches.

— D'ici ? demanda Shep en désignant à son tour le sol.

— Oui.

— À là ?

Le gamin pointa du doigt la plate-forme au-dessus d'eux.

— Oui. D'ici à là.

— D'ici à là ? répéta-t-il avec un froncement de sourcils perplexe.

— Oui, gamin, d'ici à là.

— C'est pas loin.

— Non, c'est vrai, mon chéri, reconnut Jilly. Nous savons que tu peux faire des choses bien plus extraordinaires, des pliages bien plus importants, mais pour l'heure, c'est juste ce dont nous avons besoin. D'ici, à là.

Lorsque le silence revint dans la nef, l'organiste se lança dans le second morceau : l'Arrivée de la mariée.

Dylan regarda vers l'allée centrale et aperçut une jolie jeune femme sortant du narthex, escortée par un seyant jeune homme en smoking ; ils arrivèrent sous l'échafaudage, dépassèrent les bénitiers et s'avancèrent dans la nef. Elle portait une robe bleue, avec des gants assortis et tenait à la main un petit bouquet de fleurs. Une première demoiselle d'honneur. Toute concentrée sur le timing de la cérémonie, elle marchait de ce pas bizarre et haché, exigé par le protocole.

— Icilà ? demanda Shep.

— Icilà, confirma Dylan. Icilà, vite !

L'assemblée s'était levée et s'était tournée pour assister à l'arrivée de la mariée. Ils étaient tous tellement fascinés par la procession qu'aucun d'entre eux, à l'exception peut-être de la petite fille aux nattes, ne remarquerait la disparition soudaine de trois silhouettes dans le fond de l'église.

Avec ses doigts encore poisseux du sang de Jilly, Shepherd chercha, une fois de plus, la main de la jeune femme.

— Vous sentez la boule à facettes ? Comme ça tourne et ça se replie ?

— D'ici à là, lui rappela Jilly.

Au moment où la deuxième demoiselle d'honneur avec son escorte faisait son entrée, tout se brouilla devant les yeux de Dylan.

43.

À droite de Dylan, la frise sculptée, à gauche, un abîme à se rompre le cou. La plate-forme acheva de se déplier sous ses pieds et se mit à grincer sous la soudaine charge.

Le premier des trois tireurs – un barbu, avec une grosse tête et des cheveux hirsutes – se tenait assis à deux mètres d'eux, adossé au mur. Un fusil d'assaut était posé à côté de lui, avec six chargeurs pleins.

Bien que la musique eût repris, le fanatique n'avait pas rejoint sa position de tir. Un exemplaire d'*Entertainment Weekly* traînait à côté de lui, qu'il avait lu pour tuer le temps. Présentement, le quidam était occupé à dépiauter un bonbon au chocolat.

Surpris par la vibration qui traversa l'échafaudage, le tireur se retourna et ouvrit de grands yeux en découvrant Dylan, qui s'était matérialisé à moins de deux mètres de lui.

Au regard du bonbon, l'homme resta en pilotage automatique. Malgré son étonnement, ses mains poursuivirent leur ouvrage ; elles sortirent la friandise de son papier d'emballage et la portèrent à sa bouche.

Dylan, d'un coup de pied au menton, la lui fit recracher aussitôt, brisant peut-être quelques dents au passage...

La tête de l'amateur de chocolat partit en arrière,

heurta la frise. Ses yeux se révulsèrent sous le choc, et l'homme s'effondra, inconscient, sur le flanc.

Le coup déséquilibra Dylan. Il oscilla au-dessus du vide et se rattrapa *in extremis* au mur pour ne pas tomber à la renverse.

* * *

À leur arrivée sur la plate-forme, Dylan s'était retrouvé le plus près du tireur, Shep immédiatement derrière lui.

Jilly se déplia en troisième position, cette fois avec une conscience nouvelle du mécanisme de l'icilà. Elle lâcha la main de Shep et poussa une exclamation ; aucun mot ne pouvait exprimer sa stupéfaction. Elle commençait à comprendre – plus intuitivement que rationnellement – l'architecture intime de la réalité.

En d'autres circonstances, elle se serait assise pour réfléchir à tout ça, une méditation d'une heure, voire d'une année ; la révélation était si déstabilisante que Jilly avait l'impression d'être redevenue la petite fille timorée de son enfance – pour un peu, elle aurait porté son pouce à sa bouche et appelé sa mère. Mais le dépliage sur cette plate-forme d'échafaudage n'était qu'une étape ; ils étaient engagés dans une course contre la montre avec la Mort et ce n'était vraiment pas le moment de faire une régression infantile !

Si Dylan ne parvenait pas, tout seul, à mettre H.S ce type au fusil, elle ne pourrait rien faire pour l'aider, étant donné sa position excentrée... et ils mourraient tous les trois dans la fusillade. Aussi, sans attendre de voir comment Dylan s'en sortait, Jilly fouilla l'église du regard, dans l'espoir de localiser les deux autres tueurs.

Dix mètres plus bas, l'assistance regardait la deuxième demoiselle d'honneur remonter à son tour la travée centrale. Elle était à mi-chemin de l'autel. Protégés par la pénombre qui régnait sur la plate-forme, Dylan, Jilly et Shep, en toute discrétion, pouvaient respectivement frapper, épier, et trembler de peur.

La mariée n'avait toujours pas fait son entrée.

À pas mesurés et solennels, un petit garçon, faisant office de porteur d'alliances, suivait la dernière demoiselle d'honneur. Derrière lui, apparut une petite fille blonde de cinq ou six ans ; elle portait une robe blanche en dentelle, des petits gants blancs et des rubans assortis noués dans les cheveux. Elle tenait dans les bras un panier de pétales de roses, qu'elle semait au sol pour préparer la venue de la mariée.

Les notes de la marche nuptiale s'élevaient dans l'air, comme autant de promesses de bonheur. Les accords vibrants semblaient sur le point de faire crouler l'édifice, tant ils étaient chargés de joie et d'impatience.

Jilly repéra le deuxième tireur sur l'échafaudage côté ouest, au-dessus d'un vitrail, vers l'extrémité de la nef, avec un bon point de vue sur l'autel. Il était allongé sur les planches, le fusil pointé sur le marié et son garçon d'honneur.

Le tueur, qu'elle distinguait à peine dans l'ombre, semblait ne pas regarder la procession, mais se préparer froidement à la tuerie, repérant ses cibles, cherchant les meilleurs angles de tir.

Prenant, par le canon, le fusil du tireur assommé, Dylan se tourna vers Jilly et Shep.

— Vous les voyez ?

Elle désigna le mur ouest.

— J'en ai un. Mais pas le troisième.

Le champ de vision, du côté est, était bouché par l'enfilade de colonnes.

Dylan demanda à Shepherd de les replier sur l'échafaudage ouest, juste à côté de l'homme, avec lui en première ligne pour qu'il puisse régler son compte à ce salaud d'un bon coup de crosse.

— C'est pas loin encore, déclara Shep.

— Non. Juste un petit saut de puce, reconnut Dylan.

— Shep peut faire mieux.

— Oui, gamin, je sais. Mais il faut que ce soit aussi près.

— Shep peut faire beaucoup plus loin.

— Juste là-bas, ça ira très bien.

Au bras de son père, la mariée apparut dans la nef.

— Maintenant, mon chéri, le pressa Jilly. Maintenant. D'accord ?

— D'accord.

Mais ils restèrent sur la plate-forme sud.

— Shep ? s'inquiéta Jilly.

— D'accord.

L'organiste se lança dans « Voici la mariée ». Mais de leur position, la mariée était déjà passée. Elle avançait vers l'autel où l'attendait son futur époux.

— Gamin, qu'est-ce qui ne va pas ? Pourquoi ne sommes-nous pas déjà là-bas ? demanda Dylan.

— D'accord.

— Gamin, tu m'écoutes ? Tu m'écoutes vraiment ? insista Dylan.

— Shep réfléchit.

— Ne réfléchis pas. Nom de dieu. Fais-le !

— Shep réfléchit.

— Envoie-nous là-bas, vite !

— D'accord.

Les demoiselles d'honneur, les garçons d'honneur, le petit porteur d'alliances, la fillette aux pétales de roses, le père de la mariée, les futurs conjoints... tous étaient entrés dans la zone de tir du type sur l'échafaudage ouest, et sans doute dans celle du troisième tireur, qu'ils n'avaient pas encore localisé.

— D'accord.

Shep tendit le bras derrière le monde que nous voyons, derrière la réalité que nous détectons avec nos cinq sens, et attrapa un autre voile de la trame, un film d'une finesse infinie – une chose d'apparence toute simple, comme tout ce qui compose la création mais dont pourtant onze dimensions sont nécessaires pour en décrire la complexité. Il tordit ce coin du voile, forçant le temps et l'espace à se plier à sa volonté et projeta Dylan, Jilly et lui de la plate-forme sud à la plate-forme ouest, ou plutôt replia l'une sur l'autre – bien que cette distinction fût purement théorique puisque l'effet était identique.

Au moment où l'échafaudage ouest devint leur nouvelle réalité, Jilly vit Dylan lever le fusil d'assaut au-dessus de sa tête, avec l'intention de s'en servir comme d'un gourdin.

Allongé sur la plate-forme, le deuxième tireur scrutait le mur est. Une sangle, attachée à sa ceinture, était fixée à un piton dans le mur, à la manière d'un alpiniste, pour contrer les effets du recul et lui donner une certaine stabilité s'il décidait de tirer en position debout.

Celui-là avait la barbe courte, savamment mal rasée ; il portait des Dockers et un T-shirt décoré du symbole du patriotisme américain : une bouteille de Budweiser. Malgré ce déguisement, ce type-là n'aurait pas passé la douane au Nouveau-Mexique, là où même l'anodin Fred dans son pot de terre avait été examiné avec suspicion.

Le tireur s'était redressé sur un coude, pour pouvoir faire signe plus facilement.

Signe à qui ? – Au troisième tueur, évidemment !

Juste en face du faux amateur de Budweiser, le dernier homme – une ombre anguleuse parmi les ombres – s'était levé. Il devait être, lui aussi, assuré au mur de l'église ; il avait dans les mains une arme compacte, apparemment un pistolet-mitrailleur, un modèle à crosse rétractable qu'affectionnaient les commandos.

— Shep veut du gâteau ! déclara le garçon comme s'il venait de prendre conscience qu'il se trouvait à une cérémonie de mariage.

Dylan abattit la crosse de son arme sur la tête du deuxième tireur, tandis que Jilly mesurait la dangerosité de leur situation : dans une seconde, ils allaient être abattus avec le reste de l'assistance.

Le troisième tireur avait été témoin de leur arrivée miraculeuse ; voyant son camarade en mauvaise posture, il s'apprêtait à ouvrir le feu ; jamais ils n'auraient le temps de convaincre Shep de leur faire accomplir un nouveau saut de puce...

En fait, avant même que la crosse n'eût heurté le crâne du deuxième tireur, le troisième levait déjà son arme dans leur direction.

— Ici, là, lâcha Jilly. Ici, là !

Priant pour se rappeler le fonctionnement de la boule à facettes aux onze dimensions avec la même précision qu'elle se souvenait des cent dix-huit blagues sur les gros postérieurs, Jilly se débarrassa de son sac à main et pinça un coin d'air et replia l'échafaudage est sur leur plate-forme, espérant que le simple effet de surprise lui permettrait d'arracher l'arme au tueur avant qu'il ne presse la détente. Elle se replia, et elle toute seule, parce que, au dernier moment, elle songea à *La Mouche* et ne voulut pas être responsable d'un méli-mélo chromosomique entre Dylan et son frère.

Elle parvint presque à faire le voyage de plate-forme à plate-forme – *presque*.

Elle manqua son but de trois petits mètres.

Un instant, elle se tenait à côté de Shep sur l'échafaudage ouest et, l'instant suivant, elle se déplia au milieu du vide, à dix mètres au-dessus du sol de l'église.

Même si ce qu'elle venait d'accomplir, malgré l'imprécision de la trajectoire, restait une prouesse absolue et était la preuve que les hordes de nano-machines dans son cerveau l'avaient dotée, en l'espace d'une journée, de pouvoirs extraordinaires, Jillian Jackson ne savait pas voler. Elle se matérialisa juste devant le tireur – elle vit son étonnement, ses yeux écarquillés ; l'espace d'une seconde, elle sembla flotter dans l'air, mais l'illusion tourna court et elle se mit à tomber, comme une pierre de cinquante-cinq kilos, conformément à la loi universelle de la chute des corps.

*   *   *

Le terroriste, déguisé en Américain moyen, grâce à son T-shirt Budweiser, devait forcément avoir la tête dure, puisque la fermeture à la raison était la condition *sine qua non* à toute carrière dans ce secteur particulier de la violence. Mais la crosse de l'arme se révéla plus dure encore.

Pour un homme affublé d'une âme sensible d'artiste, Dylan éprouva un bien étrange plaisir au son du bois rencontrant l'os ; il allait doubler le coup lorsqu'il entendit Jilly dire : ici là. Avec une urgence dans la voix qui l'inquiéta.

Au moment où il se tourna vers elle, son corps, dans l'origami, était déjà réduit à un astérisque flottant dans l'air ; l'instant suivant à une virgule, puis à un point... et il disparut totalement. Le cœur de Dylan battit une fois, peut-être deux – disons qu'une seconde tout au plus s'écoula – et Jilly réapparut de l'autre côté de l'église, au milieu de rien, au-dessus de l'assistance.

L'espace de deux autres pulsations cardiaques, Jilly flotta dans le vide, défiant les lois de la gravité, comme si elle était portée par les notes de l'orgue, puis quelques invités poussèrent des cris en apercevant cette apparition en sustentation au-dessus d'eux. Puis le cœur de Dylan cessa de battre ; il vit Jilly tomber comme une masse sous les hurlements de la foule.

La jeune femme se volatilisa avant de toucher le sol.

44.

Il était arrivé au public de Jilly d'accueillir sa prestation par un silence, parfois même – quoique rarement – par des huées, mais jamais, au grand jamais, par des hurlements ! À vrai dire, Jilly aurait bien hurlé de concert avec eux, mais elle était trop occupée à replier l'espace dans l'espoir d'échapper à la gueule béante de la Mort et d'atteindre, enfin, le sommet de l'échafaudage est – sa destination première lorsqu'elle avait quitté Dylan et Shep.

Les flaques rubis et saphir des vitraux, les colonnes de marbre ouvragées, les rangées de bancs, les visages distordus d'horreur... tout se replia derrière elle. À en juger par la proportion de bleu dans le modèle kaléidoscopique qui se déroula devant elle, elle devait avoir, encore une fois, manqué sa cible.

Elle arriva, comme c'était prévisible, sur le toit de l'église, ayant dépassé son objectif de crainte d'être trop court. Autour d'elle, le ciel bleu azur, les nuages blanc et duveteux, le soleil doré...

Et les ardoises noires et lisses.

Des ardoises sur un toit bien trop pentu...

En découvrant la rue en contrebas, la jeune femme fut prise de vertige. Lorsqu'elle redressa la tête vers le clocher qui s'élevait dix mètres au-dessus du toit, son vertige s'aggrava encore.

Elle aurait dû quitter le toit aussitôt, mais elle se mit

à paniquer, terrorisée à l'idée de commettre une erreur de trajectoire ayant des conséquences plus dramatiques encore. Ne risquait-elle pas, cette fois, de se matérialiser avec la moitié du corps enchâssée dans une colonne de marbre, les jambes battant vainement dans le vide, alors que son tronc serait pris dans la pierre ?

Et maintenant qu'elle avait eu cette vision d'horreur, le mal était fait... Jamais, elle ne pourrait chasser de son esprit cette image et au prochain saut, elle allait se retrouver au cœur d'une colonne, devenir une partie intrinsèque de l'église – condamnée à suivre les offices religieux d'une façon bien plus assidue que lorsqu'elle était simple petite chanteuse dans la chorale du curé.

Elle aurait aimé rester sur ce toit une ou deux minutes, le temps de reprendre ses esprits et de retrouver confiance, mais elle n'en eut pas le loisir. Trois secondes, quatre tout au plus, après son arrivée, elle commença à glisser.

Peut-être les ardoises étaient-elles déjà noires lors de leur pose, ou bien grises, vertes ou roses – peu importait. Aujourd'hui, après plusieurs semaines sans pluie, ces feuillets de pierre étaient noirs et lisses parce qu'une fine couche de suie s'était déposée à leur surface, cadeaux des jours de pic de pollution où les fumées stagnaient au-dessus de la ville.

Une suie noire aussi fine que de la poussière de graphite. Et le graphite était un excellent lubrifiant.

Par chance, Jilly avait atterri près du faîte du toit ; elle ne tomba donc pas tout de suite dans le vide, pour descendre en piqué vers le macadam, les pics acérés d'une grille ou un élevage de pit-bulls affamés. Après trois mètres de glissade, elle perdit l'équilibre, manqua de tomber tête la première, mais parvint, *in extremis*, à rester sur ses deux jambes.

La descente se poursuivit. Tout schuss sur les ardoises ! Le tremplin de saut droit devant. De plus en plus vite, comme pour une qualification aux J.O.

Jilly portait des baskets à crampons, mais elle ne pouvait lutter contre la gravité. Elle avait beau agiter les bras comme un bûcheron canadien à l'épreuve du tronc roulant, rien n'y faisait ; elle perdit de nouveau l'équilibre. Son pied ripa et elle partit à la renverse, jambe en l'air, battant en vain dans le vide. Elle allait retomber sur le coccyx et ça allait être très douloureux... Pourquoi n'avait-elle pas le postérieur plus rembourré ? Pourquoi toutes ces années de boycott de beignets ? Pas la moindre graisse pour amortir le coup, voilà tout ce qu'elle avait gagné à suivre les conseils des diététiciens ! Et tout près, maintenant, le précipice...

Non ! Elle ne se laisserait pas mourir ! Elle n'était pas Jackson la Négative ni Jackson la Fataliste ! Elle pouvait choisir sa destinée, et non la subir, refuser d'être une victime consentante.

La boule à facettes, dans la beauté lumineuse de ses onze dimensions, se plia à sa volonté ; Jilly quitta le toit, la suie des ardoises... laissant la descente funeste en suspens et inachevée.

* * *

Alors qu'elle tombait, Jilly se volatilisa, et avec cette disparition, les cris de l'assistance redoublèrent d'intensité, tant et si bien que l'organiste délaissa son clavier. La plupart des cris se muèrent en un hoquet de stupeur absolue.

Shepherd, quant à lui, découvrant le spectacle, lâcha un « Ouah » chargé d'un certain enthousiasme.

Dylan reporta son attention sur la plate-forme de l'échafaudage du mur est, où se tenait le dernier tireur. Trop choqué peut-être pour mettre à exécution son plan original, il n'avait pas encore ouvert le feu. Son hésitation ne durerait pas indéfiniment ; dans quelques secondes, sa haine reprendrait le dessus et chasserait l'émerveillement d'avoir été témoin d'un miracle.

— Gamin, d'ici à là.

— Ouah...

— Emmène-moi de l'autre côté, gamin. Vers ce sale type là-bas.

— Shep réfléchit.

— Ne réfléchis pas, gamin. Fais-le. D'ici à là.

En bas, ceux qui n'avaient pas vu la chute et la disparition de Jilly regardaient avec incrédulité ceux qui avaient été témoins du phénomène. Une femme se mit à pleurer nerveusement et une voix stridente de fillette – sans doute celle aux nattes – retentit dans l'air :

— Je vous l'avais dit ! Je vous l'avais dit !

— Gamin...

— Shep réfléchit.

— Pour l'amour du ciel...

— Ouah...

Comme il fallait s'y attendre, l'un des invités – une femme dans un tailleur rose et arborant un chapeau de la même couleur – repéra le troisième tireur, qui se tenait tout au bord de la plate-forme, arrimé au mur par une sangle. La femme dut apercevoir le fusil, car elle tendit le doigt dans sa direction et se mit à crier.

Rien de plus efficace pour sortir le tueur de son hébétement et lui faire retrouver toute sa détermination...

* * *

Du toit, Jilly se déplia dans l'église, avec l'espoir de tomber sur le troisième tireur, et de lui écrabouiller, à coups de pied, le crâne, les tripes et les testicules, ou toute autre partie sensible de son corps. Mais elle se matérialisa sur une plate-forme vide, avec la frise peinte à sa gauche et les colonnes de marbre à sa droite.

Au lieu d'une vaste clameur, comme celle qui avait accompagné sa chute, un seul et unique cri, provenant, en contrebas, d'une femme en tailleur rose qui tentait de prévenir ses compatriotes du danger – là-haut ! là-haut ! en tendant le doigt non pas vers Jilly, mais quelque part derrière elle.

Se rendant compte soudain qu'elle faisait face au fond

de la nef et non pas à l'autel, Jilly se retourna et vit le troisième tueur, à dix mètres d'elle, penché au-dessus du vide, au bord de la plate-forme, occupé à observer la foule. Il tenait encore son pistolet-mitrailleur pointé vers le ciel, mais il commençait à réagir aux cris de la femme en rose.

Jilly s'élança. Vingt-quatre heures plus tôt, elle aurait pris ses jambes à son cou face à un homme armé d'une mitraillette, mais aujourd'hui, elle se précipitait vers lui !

Malgré sa gorge nouée, son cœur battant à tout rompre, aussi assourdissant qu'une grosse caisse de fanfare, et la peur qui se tortillait comme un serpent dans ses entrailles, il lui restait suffisamment de clarté d'esprit pour se demander si elle agissait par courage ou par folie. Sans doute était-ce un peu des deux...

Elle supputait également que cette pulsion irrépressible contre cet homme était un effet des nano-gadgets à l'œuvre dans son cerveau. Ces petites machines opéraient de profonds bouleversements dans sa personne, des changements plus fondamentaux et essentiels que ceux qui avaient donné naissance à ses superpouvoirs. Et cette pensée lui fit froid dans le dos.

Les dix mètres de course qui la séparaient du tueur prenaient des allures de marathon. Les planches semblaient se dérober sous ses pieds, comme les échelons d'une roue à hamster ; mais la jeune femme n'osait pas se lancer dans un nouvel origami spatio-temporel ; elle était encore bien trop imprécise.

Les *boum ! boum !* de ses pas sur la plate-forme faisaient vibrer tout l'échafaudage et détournèrent l'attention du tueur de son objectif. Il fit volte-face vers Jilly, mais trop tard ; elle le heurta de tout son poids, le projeta sur le côté, et attrapa la mitraillette.

Profitant de l'impact, elle tenta d'arracher l'arme, mais les mains du tueur restèrent refermées dessus ; elle aussi refusa de lâcher prise, même lorsqu'elle perdit l'équilibre et tomba de l'échafaudage.

Accrochée à la mitraillette, elle évita une nouvelle chute dans le vide. La sangle se tendit et empêcha l'homme d'être entraîné dans l'abîme par le poids de Jilly.

Se balançant à dix mètres au-dessus du sol, les yeux rivés dans ceux du fanatique – deux flaques noires de haine – Jilly fut submergée par une colère d'une intensité nouvelle, à la pensée de tous les fils de Caïn qui hantaient les monts et les vaux de ce monde, soldats de tous les combats et de toutes les utopies, mais menant aussi leur vendetta personnelle, assouvissant leur soif de sang et de pouvoir.

Avec tout le poids de Jilly au bout des bras, le tueur n'avait pas la force de secouer l'arme pour lui faire lâcher prise. Il se mit alors à tourner la mitraillette dans tous les sens, à droite, à gauche, à droite, à gauche... Le corps de Jilly, oscillant dans le vide, exerçait ainsi une nouvelle contrainte sur ses poignets.

La douleur dans les tendons devint rapidement insupportable, et sa paume blessée par l'écharde de bois n'arrangeait rien à l'affaire. Si elle lâchait, elle pourrait toujours se replier quelque part durant la chute, mais lui, il aurait encore son arme... Avant qu'elle ne puisse revenir à la charge, il aurait déchargé des centaines de balles sur la foule, qui, médusée par le spectacle, était encore massée dans la nef.

La colère de Jilly se mua en fureur absolue ; il y en avait assez de cette injustice, assez de voir ces bourreaux s'en prendre toujours à des victimes innocentes ! C'étaient les mères et les enfants qui étaient déchiquetés par les porteurs de bombe, les citoyens ordinaires qui se trouvaient pris sous le feu de deux bandes rivales, le marchand qui se faisait tuer pour quelques dollars, et aujourd'hui, cette jeune mariée et son futur époux et cette petite fille aux pétales de roses qui allaient être criblés de plomb alors que ce jour devait être synonyme de joie et de liesse.

Aiguillonnée par sa rage, Jilly tenta de contrer les mouvements de torsion du tueur en balançant ses jambes d'avant en arrière, à la manière d'un acrobate suspendu à un trapèze. Le tueur avait ainsi de plus en plus de mal à tourner le fusil.

Les poignets de Jilly étaient en feu ; mais lui, il devait

avoir l'impression que ses bras allaient se détacher de ses épaules. Plus elle tiendrait, plus elle avait une chance de le voir lâcher le fusil. Il ne serait plus alors un tueur potentiel, mais simplement un illuminé perché en haut d'un échafaudage avec une collection de chargeurs de rechange mais pas d'arme pour les utiliser.

— *Jillian ?*

Quelqu'un, dans l'assistance, l'appela par son nom, d'un ton étonné...

— *Jillian ?*

Ce devait être le père Francorelli, le prêtre qui l'avait confessée durant toute sa jeunesse, mais elle ne tourna pas la tête pour s'en assurer.

La sueur était son problème le plus épineux du moment. Celle du tueur tombait de son visage sur Jilly, ce qui la dégoûtait, mais le plus inquiétant, c'était sa propre transpiration... Ses mains étaient visqueuses. À chaque seconde, l'arme lui glissait un peu plus entre les doigts.

C'est alors que le sort lui donna un coup de pouce : sous la charge, le piton retenant la sangle se détacha du mur.

En tombant, l'homme lâcha enfin son arme.

— *Jillian !*

Et Jilly, dans sa chute, se replia.

* * *

Les mots « étonnement » et « stupéfaction » rendent compte de cet instant fulgurant où l'esprit est confronté à un événement imprévu et surprenant, quoique l'« étonnement » ait trait plutôt à l'intellect et la « stupéfaction » à l'affect. Il existe un mot moins usité, « l'émerveillement », pour exprimer un sentiment plus intense et profond, une expérience rare et totale où l'esprit tombe en arrêt devant un événement qui dépasse son entendement, qui défie l'imagination et toute tentative de description tant par sa nature que par ses implications.

Ce fut donc dans cet état d'*émerveillement* que Dylan,

sur l'échafaudage ouest, regarda Jilly courir sur la plate-forme est, heurter de plein fouet le tueur et basculer dans le vide, accrochée à la mitraillette, réalisant un salto digne des Wallendas Volants du cirque Barnum.

— Ouah, répéta Shep lorsque la sangle céda avec un bruit sec, précipitant Jilly et le tueur dans le vide.

Empêtrés dans les bancs, les invités tentèrent de s'écarter tant bien que mal de la trajectoire des corps et plongèrent au sol.

Jilly et le fusil s'évanouirent un mètre cinquante avant l'impact, mais le méchant, lui, poursuivit sa chute jusqu'à son terme. Son cou heurta le dossier d'un banc, les vertèbres cédèrent, et sous le choc, le tueur rebondit sur l'autre rangée tel un pantin désarticulé pour s'immobiliser entre un monsieur aux cheveux gris en costume bleu et une forte femme portant un ensemble beige et un chapeau à plumes à large bord.

Lorsque Jilly réapparut à côté de Shep, le terroriste, tué sur le coup, achevait sa pirouette pour prendre sa dernière pose que le photographe de la police scientifique immortaliserait avec son appareil.

— J'étais très en colère, expliqua la jeune femme en déposant la mitraillette à ses pieds.

— C'est le moins que l'on puisse dire, répliqua Dylan.

— Ouah, répéta Shepherd.

* * *

Des cris montèrent de l'assistance lorsque le cadavre du tueur termina sa chute sur les bancs, la tête dans un angle improbable. Puis un homme dans un costume gris repéra Jilly, à côté de Dylan et de Shep, au sommet de l'échafaudage et la désigna du doigt. Dans l'instant, des centaines de têtes se levèrent pour la regarder. À l'évidence, ils étaient tous en état de choc. Les cris cessèrent et un silence surnaturel s'abattit dans l'église.

— Ils n'en croient pas leurs yeux, chuchota Dylan.

Dans la foule, Jilly aperçut une femme portant une mantille. La femme du mirage dans le désert ?

Avant que les assistants aient eu le temps de se remettre de leurs émotions, Dylan prit la parole pour les rassurer :

— Tout va bien. C'est terminé. Il n'y a plus de danger. (Il désigna le corps au milieu des bancs.) Il y a deux complices, hors d'état de nuire sur les échafaudages, qui auraient besoin de soins. Quelqu'un veut bien appeler le 911 ?

Deux personnes seulement bougèrent dans l'assistance : la femme à la mantille, qui se dirigea vers les cierges pour dire une prière et le photographe de la cérémonie qui se mit à mitrailler Dylan, Jilly et Shep.

Parmi cette centaine de personnes, soixante-sept auraient été blessées, quarante auraient péri, s'ils n'étaient pas arrivés à temps. Jilly était submergée par une émotion si puissante, si exaltante, qu'elle n'oublierait jamais cet instant, dût-elle vivre encore cent ans.

Elle ramassa son sac à main qui renfermait ses ultimes possessions en ce monde : porte-monnaie, tube de rouge à lèvres, fond de teint... à aucun prix, elle n'aurait abandonné ces maigres possessions, parce que c'étaient les dernières reliques la rattachant à son ancienne existence – des sortes de talismans lui rappelant sa vie ordinaire d'antan.

— Shep..., murmura-t-elle, la voix tremblante. Je ne suis pas assez sûre de moi pour nous faire partir d'ici tous les trois. Tu veux bien t'en charger ?

— Emmène-nous dans un endroit tranquille, précisa Dylan. Un endroit où nous serons tout seuls.

La future mariée fendit la foule immobile, descendit l'allée centrale et s'approcha de Jilly. C'était une jolie jeune femme, lumineuse, vêtue d'une magnifique robe blanche qui aurait alimenté toutes les conversations si les événements n'étaient pas venus bousculer ce beau programme et donner à chacun mille autres sujets de discussion.

La jeune femme, levant la tête vers Jilly, Dylan et Shep, dans sa robe digne d'un conte de fées, brandit son bouquet de fleurs en signe de remerciements, et les fleurs se mirent à briller comme des flammes.

Peut-être la mariée s'apprêtait-elle à dire quelque chose, mais ce fut Jilly qui parla la première :

— Je suis désolée d'avoir gâché votre mariage. Vraiment désolée.

— Allons-y, articula Dylan.

— D'accord, répondit Shep et il replia l'église.

45.

Le désert dans cette région était si aride que même les cactus mouraient de soif. Les herbes éparses, d'un vert sombre l'hiver, étaient, en été, argentées et cassantes comme du verre.

Le paysage montrait plus de sable que de végétation, et davantage encore de cailloux.

Jilly, Shep et Dylan se tenaient sur le versant d'une colline qui descendait en pente douce sur un lit de roches ocre et noires. Devant eux, au milieu de l'ancienne plaine alluviale, de curieuses formations rocheuses rappelaient les restes d'une ancienne forteresse : trois colonnes de pierre, larges de dix mètres et hautes d'une trentaine, en reliques d'un portique ; plus loin, les ruines d'un mur crénelé, long de cinquante mètres, haut de vingt mètres, où l'on imaginait aisément un bataillon d'archers défendant la place par une pluie de flèches ; ici des tours, là des remparts, des bastions, là encore une barbacane à demi effondrée.

Aucun homme n'avait jamais habité cette contrée hostile, évidemment, mais Dame Nature avait créé un panorama qui encourageait les chimères.

— Le Nouveau-Mexique, annonça Dylan à Jilly. Je suis venu ici avec Shep, pour peindre ce paysage. Il y aura bientôt quatre ans. En octobre, quand le temps était plus clément. Il y a une piste juste de l'autre côté de cette colline, et une route bitumée à dix kilomètres. Précision superflue, puisque les routes, à présent, ne nous sont plus d'aucune utilité.

Aujourd'hui, ce paysage rocailleux était une véritable fournaise ; il faisait si chaud qu'il était facile d'imaginer le soleil blanc, de ses rayons ardents, forgeant, comme le voulait la légende, des fers de feu pour les montures des cavaliers fantômes qui hantaient le désert à la nuit tombée.

— Si nous trouvons de l'ombre, poursuivit Dylan, nous pourrons supporter la chaleur et rassembler nos idées, histoire de faire le point sur notre situation.

Colorées de rouge, d'orange, de pourpre, de rose et de brun, les formations rocheuses aux airs de château fort se trouvaient sur la trajectoire du soleil, qui avait amorcé sa descente vers le couchant. Leurs ombres fraîches qui s'étiraient au pied de la colline étaient couleur prune.

Dylan conduisit Jilly et Shepherd au bas du versant, et leur fit traverser la cinquantaine de mètres de plaine qui les séparait d'un chicot rocheux ressemblant aux ruines du donjon du roi Arthur. Ils s'installèrent côte à côte sur un banc de pierre usé par le temps, dos à la tour.

L'ombre, le silence, l'air immobile, le désert sans vie, le ciel vide, sans oiseau, étaient d'un tel réconfort pour les trois jeunes gens que, durant un moment, aucun d'entre eux ne pipa mot.

Finalement, Dylan aborda le sujet qui, à défaut d'être le plus urgent, lui parut le plus important.

— Tout à l'heure, dans l'église, lorsque l'autre s'est écrasé par terre, vous avez dit que vous étiez *très en colère*... vous vouliez dire, en colère *comme jamais*, n'est-ce pas ?

La jeune femme respirait lentement, attendant que s'apaise son tumulte intérieur.

— Je ne vois pas ce que vous voulez dire, répondit-elle enfin.

— Vous le savez très bien.

— Pas vraiment.

— Mais si, vous le savez, insista-t-il.

Elle ferma les yeux, laissa aller sa tête contre la pierre derrière elle, d'un air las de déni, dans l'espoir de protéger son petit secret.

— C'était de la rage pure, finit-elle par reconnaître. Une fureur blanche, mais pas quelque chose qui vous dévore, qui vous rend idiot. Cela n'avait rien de négatif ; c'était une colère...

Elle s'interrompit, cherchant ses mots.

— Une colère juste, revigorante, exaltante..., proposa-t-il.

La jeune femme ouvrit les yeux et le regarda fixement. Une demi-déesse, tout égratignée, reposant à l'ombre du palais de Zeus.

Visiblement, elle ne voulait pas aborder ce sujet. Une sorte de pudeur. Il y avait de la peur, aussi.

Mais elle ne pouvait pas plus éviter cette conversation qu'elle ne pouvait retrouver sa vie d'antan d'amuseuse publique – une existence qui ne datait, pourtant, que de vingt-quatre heures...

— Je n'étais pas seulement furieuse contre ces salauds, reprit Jilly. J'étais furieuse contre... contre...

Voyant que les mots ne lui venaient pas, Dylan termina pour elle sa pensée, car il avait été le premier à avoir éprouvé ce juste courroux, sur Eucalyptus Avenue, en voyant Travis ficelé au lit ; il avait donc eu plus de temps que Jilly pour y réfléchir.

— Vous n'étiez pas seulement furieuse contre ces salauds, mais contre le mal en général, contre le simple fait de son existence, furieuse à la seule idée que le mal puisse s'en sortir indemne.

— Seigneur, vous lisez dans les pensées ou moi dans les vôtres !

— Ni l'un ni l'autre, répliqua Dylan. Juste une petite question... dans l'église, vous mesuriez le danger ?

— Oh oui...

— Vous saviez que vous risquiez d'être criblée de balles, abattue... mais vous avez quand même fait ce qu'il fallait faire.

— Je n'avais pas le choix.

— On a toujours le choix. Vous pouviez vous sauver en courant, par exemple. Tout laisser tomber, vous en aller. Vous avez songé à cette possibilité ?

— Bien sûr.

— Mais y a-t-il eu un moment, *un seul moment*, où vous étiez prête à renoncer ?

— Allons, Dylan..., murmura-t-elle en commençant à sentir quelque chose peser sur ses épaules, un poids dont ils ne pourraient se libérer que dans la tombe. Oui, j'aurais pu renoncer. Bien sûr que oui. Je l'ai presque fait d'ailleurs.

— D'accord. Disons que le renoncement est possible pour chacun d'entre nous... Mais je reformule ma question : y a-t-il eu un seul moment où vous auriez pu renoncer à vos responsabilités, à savoir sauver ces gens, et *être en paix avec vous-même* ?

Elle le fixa des yeux.

Il soutint son regard.

— Quelle chienlit ! lâcha-t-elle de guerre lasse.

— Oui et non.

Elle réfléchit un moment, puis esquissa un frêle sourire :

— Peut-être avez-vous raison, reconnut-elle. Il y a, effectivement, du bon et du mauvais.

— Ces nouvelles connexions, ces nouveaux branchements neuraux effectués par ces nano-machines, nous ont donné une sorte de clairvoyance, un don plus ou moins fiable de prescience, l'art du pliage de l'espace-temps. Mais ce ne sont pas là les seuls changements en nous.

— Je le regrette bien.

— Moi aussi, j'aurais préféré en rester là. Mais cette colère, cette soif de justice semblent nous contraindre, chaque fois, à agir.

— C'est une force irrésistible, reconnut-elle. Une obligation, une obsession... il n'y a pas de terme pour définir ça.

— Cela ne nous pousse pas seulement à agir, mais aussi à...

Il hésita à terminer sa phrase, à dire en quoi leur existence ne serait plus jamais la même.

— D'accord, lâcha Shep.

— Que veux-tu dire, gamin ?

— D'accord. Shep n'a pas peur, déclara le garçon en contemplant le désert étincelant.

— Tant mieux. Dylan, non plus, n'a pas peur.

Dylan prit une profonde inspiration et se força à terminer sa pensée :

— Cette colère, cette compulsion nous poussent, certes, à agir quels que soient les risques, mais pas n'importe comment. Elles nous poussent à faire *ce qui est juste et bien*. Bien sûr, nous pouvons, toujours, user de notre librearbitre et abandonner la partie – mais notre mépris pour nous-mêmes serait alors intolérable.

— Proctor n'avait pas dû prévoir cet effet, avança Jilly. La dernière chose que voudrait un type comme lui, c'est bien de créer des légions de bienfaiteurs de l'humanité !

— Je suis d'accord avec vous. Ce type était une ordure. Il voulait créer une race de surhommes pour dominer le reste du monde.

— Alors pourquoi sommes-nous devenus comme ça ?

— Peut-être qu'à notre naissance, notre cerveau était déjà câblé pour faire le bien, pour nous montrer le bon chemin ?

— C'est en tout cas ce que me répétait ma maman, répliqua Jilly.

— Peut-être les nano-machines ont-elles juste fait des améliorations sur le circuit existant, redessiner les trajets pour trouver moins de résistance, et maintenant nous sommes câblés pour faire le bien, quels que soient nos préférences, nos désirs, quels que soient les dangers et les conséquences ; il nous faut faire le bien, peu importe le prix à payer.

Après un moment de silence, Jilly commença à énoncer la nouvelle loi comportementale qui allait désormais régir leur existence :

— À partir d'aujourd'hui, chaque fois que j'aurai la vision d'une catastrophe ou d'une violence imminentes...

— Chaque fois que j'apprendrai, par l'intermédiaire de traces psychiques, que quelqu'un, quelque part est en danger ou a des ennuis...

— ... nous serons appelés à intervenir...

— ... et à faire notre B.A ! conclut-il avec une pointe d'humour car il voulait tant la voir sourire...

Mais le sourire dépité qu'elle lui retourna, contourné comme dans un miroir déformant, ne lui donna nul baume au cœur.

— Vous pouvez, *vous*, porter des gants, précisa-t-elle, mais moi, aucun bandeau ne peut arrêter mes visions.

Il secoua la tête.

— Certes, je pourrais acheter une paire de gants, mais quant à les mettre pour ignorer les vils desseins de mes contemporains, c'est une autre paire de manches... Ce serait *mal*. Autrement dit, je peux acheter des gants, mais je ne peux pas les porter.

— Ouah, lâcha Shepherd.

Une réaction peut-être à la dernière tirade de Dylan, ou un commentaire devant la chaleur du désert, ou encore une exclamation concernant quelque événement venant de se produire sur sa planète personnelle, là où le garçon avait passé plus de temps que sur la terre du commun des mortels.

— Ouah ! répéta-t-il.

Ils avaient encore une foule de choses à discuter, des plans à élaborer, mais pour l'heure, personne n'avait le cœur ou l'énergie de continuer. Même Shep semblait à court de « ouah ».

L'ombre. La chaleur. L'oxyde de fer, la silice, les senteurs brûlées montant des pierres.

Dylan imagina qu'ils allaient rester, pour l'éternité, assis tous les trois sur ce banc de pierre, à rêver avec satisfaction aux bonnes actions qu'ils avaient déjà accomplies, sans plus avoir à prendre d'autre risques, à connaître d'autres abominations, qu'ils allaient se changer en pierre

comme les arbres du parc national de la forêt pétrifiée
dans l'Arizona toute proche et qu'il se passerait des siècles
avant que des archéologues du prochain millénaire ne
découvrent leurs dépouilles statufiées.

Finalement, ce fut Jilly qui rompit le charme.

— Je dois avoir une tête de déterrée.

— Vous êtes très belle, lui assura-t-il avec sincérité.

— C'est ça ! J'ai du sang sur tout le visage.

— L'entaille à votre front est refermée. Il y a une
petite croûte, un peu de sang séché, mais autrement vous
êtes superbe. Comment va votre main ?

— Ça lance. Mais je survivrai. (Elle ouvrit son sac à
main, sortit son poudrier et examina son visage dans le
petit miroir.) Je suis monstrueuse ! Trouvez-moi le Lagon
noir, c'est là qu'est ma place !

— Allons. Une petite douche et vous serez prête pour
aller au bal de Buckingham.

— Il faudrait au moins me laver au Karcher, ou me
passer au Lavomatic !

Elle fouilla de nouveau dans son sac à main et en sortit une lingette parfumée au citron. Elle se nettoya soigneusement le visage en surveillant ses gestes dans le
miroir.

Dylan se replongea dans ses rêveries de pétrification.

À en juger par son immobilité, son silence, la fixité
de son regard, Shep avait, en ce domaine, une longueur
d'avance sur son frère.

Les lingettes, étant conçues pour se rafraîchir les
mains après avoir mangé un Big Mac, une seule ne suffit
pas à ôter toutes les traces de sang séché.

— Vous auriez dû acheter le grand modèle, les lingettes pour tueur en série ! railla Dylan.

Jilly fouilla encore dans son sac.

— Je croyais pourtant qu'il m'en restait une autre.
(Elle ouvrit la petite poche intérieure, puis la poche latérale, fouilla encore.) Oh, je les avais oubliées, celles-là...

Elle sortit un petit sachet de cacahuètes.

— Shep préférerait sans doute des Cheez-Its, si vous
avez ça, quant à moi, je serais plutôt beignet au chocolat...

— Ce sachet appartenait à Proctor...

Dylan grimaça.

— Alors, il est sans doute aromatisé au cyanure.

— Il l'a fait tomber sur le parking devant ma chambre. Je l'ai ramassé juste avant de vous rencontrer.

Abandonnant ses efforts de pétrification, mais gardant un regard fixe sur le paysage lunaire, Shep déclara :

— Gâteau ?

— Non, répondit Dylan. Pas du gâteau. Des cacahuètes.

— Gâteau ?

— Des cacahuètes, gamin.

— Gâteau ?

— Bientôt. Bientôt, on mangera du gâteau.

— Gâteau ?

— Des cacahuètes, Shep. Et tu sais à quoi ressemblent les cacahuètes, à des trucs tout ronds et dégoûtants. Tiens, regarde...

Il prit le sachet des mains de Jilly ; les traces psychiques sur la cellophane, sous celles, agréables, de Jilly, étaient suffisamment fraîches pour faire flotter devant les yeux de Dylan le sourire vague et torve de Proctor. Mais il n'y eut pas que le sourire... il y eut une farandole d'images et d'impression, un pandémonium démoniaque.

Sans s'en apercevoir, Dylan s'était levé d'un bond ; il en prit conscience une fois qu'il eut fait quelques pas. Il s'arrêta net, se retourna vers Shep et Jilly.

— Le lac Tahoe.

— Au Nevada ? demanda Jilly.

— Oui. Enfin, non... Le lac Tahoe, mais la rive nord, du côté californien.

— Et alors ? Vous comptez y passer vos vacances ?

Tous ses nerfs fourmillaient. Dylan était pris par une force irrésistible.

— Il faut aller là-bas.

— Pourquoi ?

— Tout de suite.

— Pourquoi ?

— Je ne sais pas. Mais c'est ce qu'il faut faire.

— Nom de dieu, vous me fichez les jetons.

Il revint vers Jilly, la fit se lever et plaça le sachet de cacahuètes dans sa main valide :

— Vous sentez ça ? Vous sentez ce que je sens ?

— Le lac Tahoe, c'est grand...

— Une maison. Je vois une grande maison d'architecte, à la Frank Lloyd Wright, dominant le lac. Un toit à pente inversée, des murs de pierre, des baies panoramiques. Nichée au milieu de grands sapins. Vous sentez où c'est ?

— Je n'ai pas votre talent, lui rappela-t-elle.

— Vous avez bien appris à plier l'espace...

— Certes, mais je n'ai pas appris ça, dit-elle en retirant sa main.

Shepherd s'était levé. Il posa la main sur le sachet de cacahuètes...

— Maison.

— Oui, une maison, répliqua Dylan avec impatience, son besoin d'agir se faisant de plus en plus impérieux. (Il trépignait sur place comme un enfant ayant un besoin urgent d'aller faire pipi.) Je vois une maison.

— Je vois une maison.

— Une grande maison dominant le lac.

— Une grande maison dominant le lac.

— À quoi tu joues, gamin ?

Au lieu de répéter *À quoi tu joues, gamin*, comme le prévoyait Dylan, le garçon dit :

— Je vois une grande maison dominant le lac.

— Hein ? Tu vois la maison ? Tu la vois aussi ?

— Gâteau ?

— Des cacahuètes, Shep. Des cacahuètes.

— Gâteau ?

— Tu as la main dessus, Shep. Tu vois bien que c'est un sachet de cacahuètes.

— Des gâteaux à Tahoe ?

— Sans doute. Ils doivent en avoir plein là-bas.

Toutes sortes de gâteaux. Au chocolat, au citron, aux épices, à la carotte...

— Shep n'aime pas le gâteau à la carotte.

— Non, je me suis trompé. Ils n'ont pas de gâteau à la carotte, mais ils ont tous les autres gâteaux que tu aimes.

— Gâteau, répéta Shepherd.

Et le désert du Nouveau-Mexique se replia pour laisser place à un paysage verdoyant.

46.

De grands sapins coniques, la plupart dépassant les cinquante mètres de hauteur, formaient des palais de senteurs sur les pentes du lac, des chambres vertes majestueuses célébrant perpétuellement Noël, décorés de pommes de pin de toutes tailles, certaines minuscules comme des abricots, d'autres de la taille d'un ananas.

Le célèbre lac, miroitant derrière son écrin de feuillage, méritait sa réputation ; c'était l'étendue d'eau la plus colorée de la Terre. Du centre, où sa profondeur dépassait les cinq cents mètres, aux hauts-fonds du rivage, il scintillait de teintes innombrables, passant du vert au bleu jusqu'au rouge indigo.

Le temps d'une respiration, la splendeur nue du désert disparut pour laisser place à la luxuriance de Tahoe. Un instant plus tôt, Jilly redoutait scorpions et crotales, l'instant suivant, elle était environnée de papillons et d'oiseaux.

Shepherd les avait transportés sur un sentier de pierre qui saignait la forêt, ouvrant une voie entre les sapins et les fougères. Au bout du chemin se trouvait la maison, assemblage de pierre et de cèdre argenté, massive et à la fois d'une harmonie délicate avec ses hautes fenêtres, et ses avant-toits relevés.

— Je connais cette maison, déclara Jilly.
— Vous êtes déjà venue ?

— Non. Jamais. Mais j'ai vu des photos quelque part. Sans doute dans un magazine.

— C'est effectivement un sujet rêvé pour *Maison et Travaux*.

De larges marches de pierre menaient à la terrasse couverte.

En montant l'escalier du perron Jilly demanda à Dylan :

— Cet endroit est lié à Lincoln Proctor ?

— Oui. Je ne sais pas exactement comment, mais d'après les traces psychiques, il est venu ici au moins une fois, peut-être davantage.

— Cela pourrait être *chez lui* ?

Dylan secoua la tête.

— Non, je ne crois pas.

La porte d'entrée et ses fenêtres latérales étaient un chef-d'œuvre Art déco, une pièce monumentale, moitié bronze, moitié verre coloré.

— Et si c'était un piège ? s'inquiéta la jeune femme.

— Personne n'est au courant de notre venue. Cela ne peut être un piège. En outre... je ne ressens rien de tel.

— On ferait peut-être mieux, quand même, de surveiller les alentours un petit moment, voir qui entre et sort...

— Mon instinct me dit d'entrer. Je n'ai pas le choix. C'est comme si des milliers de mains me poussaient dans le dos. Je dois appuyer sur cette sonnette.

C'est ce qu'il fit.

Malgré son envie de détaler dans les bois, Jilly resta à côté de Dylan. Il n'existait aucun refuge sûr en ce bas monde pour la nouvelle Jilly ; là où elle était le moins en danger, c'était avec les frères O'Conner...

L'homme qui ouvrit la porte était grand, bien habillé, avec des cheveux prématurément blancs et des yeux perçants d'une teinte argent saisissante. Ces yeux-là pouvaient sans doute se montrer froids comme l'acier, mais pour l'heure, ils étaient chaleureux et sans l'ombre d'une menace, doux comme une bruine de printemps.

Sa voix, que Jilly pensait traitée par la fée électronique

pour mieux passer à l'antenne, avait le même timbre, la même tonalité grave et chaude qu'à la radio. Elle la reconnut dans l'instant.

— Jillian, Dylan, Shepherd, vous voilà, annonça Parish Lantern. Je vous attendais. Entrez, je vous en prie. Vous êtes ici chez vous.

Apparemment aussi surpris que Jilly, Dylan bredouilla :

— Vous ?... je veux dire, c'est vraiment vous ?

— Oui, c'est bien moi, du moins la dernière fois que je me suis regardé dans une glace. Entrez donc. Nous avons des tas de choses à nous raconter.

Le hall d'entrée, spacieux, était dallé de pierres blanches ; les murs lambrissés dans les tons miel, les deux chaises chinoises en bois de rose, couvertes d'un capitonnage émeraude et la table décorée d'un bouquet de tulipes jaunes, rouges et orange dans une grande vasque de bronze, apportaient une touche de couleur à l'ensemble.

Jilly se sentit curieusement la bienvenue en ce lieu, parfaitement à l'aise, comme un chien retrouvant ses maîtres dans leur nouvelle maison, après une longue errance.

Parish Lantern referma la porte derrière eux.

— Tout à l'heure, vous pourrez vous laver et vous changer. Quand j'ai appris dans quelles conditions vous arriviez, sans bagages, j'ai pris la liberté de demander à Ling, mon majordome, de vous acheter des vêtements propres, dans le style que vous affectionnez. Trouver des T-shirt Vile Coyote n'a pas été une mince affaire ! Ling a dû prendre l'avion pour Los Angeles mercredi pour s'en procurer à la boutique de souvenirs de la Warner.

— Mercredi ? répéta Dylan, d'un air incrédule.

— Il y a deux jours, je n'avais pas encore fait la connaissance de Dylan et de Shep, précisa Jilly. On ne s'est rencontrés que vendredi soir. Il y a à peine dix-huit heures.

Lantern hocha la tête en souriant.

— Dix-huit heures plutôt éprouvantes, n'est-ce pas ? Je veux que vous me racontiez tout ça. Mais avant toute chose...

— Gâteau, annonça Shep.

— Oui, lui assura Lantern. J'ai du gâteau pour toi, Shepherd. Mais la première des choses...

— Gâteau.

— Tu as de la suite dans les idées, jeune homme. C'est bien, j'aime les gens qui savent ce qu'ils veulent.

— Gâteau.

— Dieu du ciel, on dirait qu'une sangsue « gâtivore », venue d'un monde parallèle, te suce le cerveau. Si tant est que ce genre de petites bestioles existe, bien entendu...

— Pour ma part, je n'y ai jamais cru, précisa Jilly.

— Mais des millions de gens, si.

— Gâteau !

— Nous allons te donner une énorme part, lui promit Lantern. Mais dans un tout petit moment. Procédons par ordre. Si vous voulez bien me suivre...

L'animateur radio leur fit traverser une bibliothèque gigantesque qui aurait soutenu la comparaison avec une bibliothèque municipale d'une ville de cent mille habitants.

— Vous étiez au courant pour tout ça ? demanda Dylan à Jilly.

La jeune femme le regarda, surprise.

— Comment aurais-je pu le savoir ?

— Quoi, vous êtes une fan de Parish Lantern. Big Foot, les conspirations extraterrestres, tous ces trucs... ça vous connaît...

— Je doute que Big Foot ait grand-chose à voir avec ce qui nous arrive. Et je ne suis pas une conspiratrice extraterrestre.

— C'est exactement ce que soutiendrait une conspiratrice extraterrestre.

— Pour l'amour du ciel, arrêtez ça. Je suis une artiste comique, pas une extraterrestre !

— L'un n'empêche pas l'autre...

— Gâteau, insista Shep.

Au bout de la bibliothèque, Lantern s'arrêta et se retourna vers eux.

— Vous n'avez aucune raison d'avoir peur.

— Oui, oui, répondit Dylan. C'est juste une petite blague entre nous, un truc qui remonte à notre rencontre...

— Vieux de dix-huit heures, renchérit Jilly.

— Souvenez-vous simplement, insista Lantern de façon énigmatique, avec néanmoins une chaleur de grand oncle, que quoi qu'il arrive, vous n'avez rien à craindre.

— Gâteau.

— Chaque chose en son temps, mon garçon.

Lantern les fit quitter la bibliothèque pour rejoindre un salon monumental, meublé de canapés contemporains et de fauteuils tapissés de soie dorée, et décoré d'une collection d'objets Art déco et d'antiquités chinoises.

Formé de six grandes baies vitrées, le mur sud offrait une vue magnifique sur le lac multicolore, encadrée par deux grands épicéas.

Le panorama était si saisissant que Jilly s'écria : « Quelle merveille ! » avant de s'apercevoir que Lincoln Proctor les attendait dans la pièce, un pistolet à la main.

47.

Ce Lincoln Proctor, contre toute attente, n'était pas un amas de chairs carbonisées et d'os éclatés, mais Dylan rêvait de le mettre dans cet état ou pis encore. Pas la moindre mèche brûlée, pas la moindre trace de cendres sur la peau. Impossible de croire qu'il avait séjourné parmi les flammes de la De Ville de Jilly. Même son sourire était intact !

— Asseyez-vous, dit Proctor, et bavardons un peu.

Jilly resta debout, d'un air de défi et lui dit le fond de sa pensée. Dylan l'imita, mais en employant des mots beaucoup plus crus.

— Je comprends que vous ayez des raisons de m'en vouloir, répondit Proctor d'une voix chargée de remords. J'ai fait des choses terribles, impardonnables. Inutile de me chercher des excuses. Mais à présent, nous sommes tous dans le même bateau.

— Nous n'avons rien à faire avec vous, répliqua Dylan avec férocité. Nous ne sommes ni amis, ni associés, ni même vos cobayes. Nous sommes vos victimes, vos ennemis, et on va vous faire la peau à la première occasion.

— Vous voulez boire quelque chose ? s'enquit Parish Lantern.

— Je vous dois, au moins, une explication, déclara Proctor. Je suis sûr que, lorsque vous m'aurez écouté, vous comprendrez que nous avons un intérêt mutuel dans l'affaire, que nous sommes des alliés – par la force des choses, peut-être – mais néanmoins des alliés.

— Cocktail, cognac, bière, vin ? proposa Lantern.

— Qui est mort brûlé vif dans ma voiture ? demanda Jilly.

— Un client du motel qui a eu la mauvaise idée de croiser mon chemin, répondit Proctor. Il avait à peu près ma taille. Je l'ai tué, j'ai laissé sur lui ma carte d'identité, ma montre et autres effets personnels. Depuis ma semaine de cavale, j'avais avec moi une bombe dans ma mallette. Une petite charge, mais boostée au gel de pétrole. Je la gardais précisément à cette intention. Je l'ai déclenchée à distance.

— Puisque personne ne veut un verre, déclara Lantern. Je vais donc tranquillement finir le mien.

Il s'installa dans un fauteuil pour pouvoir suivre la conversation à distance et ramassa son verre de vin blanc qui traînait sur une desserte.

Tous les autres restèrent debout.

— Une autopsie prouvera que ce n'est pas vous, mais un pauvre type, rétorqua Jilly.

Proctor haussa les épaules.

— Certes. Mais ces messieurs en Suburban commençaient à se faire trop pressants... le coup de la bombe les a occupés un bon moment ; cette petite diversion m'a donné quelques heures de répit, l'occasion de pouvoir leur filer entre les doigts. Oh, c'est méprisable, je sais, de sacrifier un innocent pour gagner quelques heures ou quelques jours de liberté, mais j'ai fait bien pire dans ma vie. Bien pire. J'ai...

Jilly interrompit les confessions de Proctor.

— Qui sont ces types en Suburban ?

— Des mercenaires. Des anciens de la Spetznaz russe, des ex-membres des forces Delta américaines et de diverses unités spéciales à travers le monde. Des gars qui ont mal tourné et qui se louent au plus offrant.

— Et quel est leur employeur du moment ?

— Mes associés, répondit Proctor.

Dans son fauteuil, Lantern lança :

— Quand on a, à ses trousses, une armée entière, c'est déjà un beau morceau de gloire. Même 007 n'a jamais eu cet honneur !

— Mes associés sont des gens très riches, des dirigeants de grandes banques et de multinationales. Alors que je commençais à avoir quelques résultats encourageants avec mes sujets, les choses ont mal tourné... mes associés ont soudain compris que leurs fortunes personnelles et celles de leurs sociétés couraient de grands dangers, car ils risquaient d'être traînés en justice, et de devoir payer des milliards de dollars de dommages et intérêts. Des sommes faramineuses à côté desquelles les dédommagements versés aux cancéreux par les fabricants de tabac seraient roupies de sansonnet. Alors ils ont voulu tout arrêter, détruire tous mes travaux.

— Qu'est-ce qui a mal tourné ? demanda Dylan, d'un air pincé.

— Inutile de leur énumérer la liste complète comme vous l'avez fait pour moi, intervint Lantern. Parlez-leur simplement du cas de Manuel.

— Un dangereux psychopathe, précisa Proctor. Jamais je n'aurais dû l'accepter comme cobaye. Quelques heures après l'injection, il a développé le pouvoir de déclencher des feux par la simple force de son esprit. Malheureusement, il aimait un peu trop ça. Il adorait faire brûler des choses. Des choses et des gens. Il a causé pas mal de dégâts avant d'être neutralisé.

Dylan eut la nausée. Il faillit s'asseoir sur une chaise, mais il se souvint de sa mère et resta planté devant Proctor d'un air revêche.

— Comment trouviez-vous vos sujets pour vos expériences ? demanda Jilly.

Le sourire de Proctor redressa le coin de sa bouche.

— Des volontaires.

— Qui serait assez fou pour accepter de voir son cerveau bouffé par des nano-machines ?

— Je vois que vous vous êtes un peu renseigné. Ce

que personne ne sait, c'est que nous menions en secret nos expériences sur des humains dans un centre de recherche au Mexique. Les autorités, dans ce pays, se laissent facilement acheter.

— Du moins, leurs tarifs sont plus raisonnables que ceux de nos sénateurs ! railla Lantern.

Proctor s'assit sur le bord d'une chaise, mais garda son arme pointée sur eux. Il paraissait épuisé. Il arrivait sans doute d'Arizona, après avoir fait le voyage d'une traite ou presque. Son visage, d'ordinaire rose, avait viré au gris.

— Les volontaires étaient des repris de justice, des forçats. La lie de l'humanité. Si vous êtes condamné à passer le reste de votre vie dans une infâme prison mexicaine et qu'on vous propose de gagner un peu d'argent, voire un allègement de peine, vous êtes prêts à vous porter volontaire pour n'importe quoi. C'étaient des criminels endurcis, d'accord, mais ce que je leur ai fait était *inhumain*...

— Un truc vraiment pas bien, renchérit Lantern, comme s'il faisait la morale à un enfant dissipé.

— C'est vrai. Je le reconnais. C'était pas bien. J'ai...

— Bref, l'interrompit Dylan avec impatience. Quand certains de ces prisonniers ont vu leur Q.I. chuter de soixante points, comme vous m'avez dit, vos associés ont commencé à avoir des cauchemars, ils ont vu des légions d'avocats leur tomber dessus comme une horde de cafards.

— Non. Ceux qui s'effondraient intellectuellement ou qui s'autodétruisaient ne nous posaient pas de problèmes. Les responsables des prisons falsifiaient leurs dossiers et personne ne pouvait remonter jusqu'à nous.

— Ça aussi, ce n'est pas bien..., lâcha Lantern en émettant un claquement de langue dépité. Une vilaine action en entraîne toujours une autre.

— Mais si jamais quelqu'un comme Manuel, notre pyromane, s'évadait et passait la frontière en laissant derrière lui un nuage de cendres... gagnait San Diego, devenait là-bas complètement frappadingue et se mettait à incendier des pâtés de maisons entiers et faire des centaines de victimes, pour ne pas dire des milliers... alors, là, ça risquait de nous retomber dessus. Il pouvait parler à quelqu'un. Et alors les procès pleuvraient comme la pluie en novembre.

— Ce chardonnay est excellent, déclara Lantern. Vous êtes sûr de ne pas en vouloir ? Non ? Tant mieux, cela en fera plus pour moi ! Nous arrivons à la partie la plus triste de l'histoire. Triste et désolante. Une révélation digne d'une tragédie grecque. Allez-y, Lincoln, racontez-leur.

Le sourire de Proctor, jusqu'à présent, apparaissait et disparaissait alternativement sur son visage. Cette fois, il s'effaça tout à fait.

— Juste avant qu'ils ne ferment mon laboratoire et tentent de m'éliminer, j'ai mis au point une nouvelle génération de nanobots.

— *New et improved !* plaisanta Lantern. Comme un nouveau Coca ou des M&M avec de nouvelles couleurs.

— Oui. Nouveaux et plus performants, beaucoup plus performants, reconnut Proctor, n'ayant pas entendu – ou ne voulant pas entendre – le ton railleur de son hôte. Et je suis parvenu à les sauver. Vous êtes bien placés pour le savoir, Dylan. Et vous aussi Miss Jackson. Et toi aussi, Shepherd. Pas vrai, mon garçon ?

Shep se tenait la tête baissée, et ne répondit rien.

— Je suis très curieux de découvrir quels effets mes nanobots ont eus sur vous, déclara Proctor en retrouvant son sourire. Car cette fois, j'ai eu des sujets de bonne qualité, comme ç'aurait dû être toujours le cas. Vous êtes faits d'une meilleure argile. À force de travailler avec ces criminels, on courait à la catastrophe. J'aurais dû m'en apercevoir tout de suite. Tout ça est de ma faute. J'ai été stupide. Mais aujourd'hui, vous êtes là. Dites-moi où vous en êtes... Je veux tout savoir. Quels ont été les effets sur vous ?

Au lieu de répondre à Proctor, Jilly se tourna vers Parish Lantern.

— Et vous, quel est votre rôle dans tout ça ? Vous étiez l'un de ses financiers ?

— Je ne suis ni milliardaire, ni idiot, assura Lantern. J'ai invité Lincoln à quelques-unes de mes émissions parce que je trouvais que sa folie mégalomaniaque passait bien à l'antenne.

Le sourire de Proctor se figea. Si le regard pouvait tuer, Lantern aurait été réduit en tas de cendres fumant, à l'image des victimes de Manuel le pyromane.

— Je n'ai jamais été discourtois avec lui, ni ne lui ai jamais dit ce que je pensais de cette hérésie de vouloir modifier le cerveau humain. Ce n'est pas mon style. Si mon invité est un génie, je le laisse parler, convaincre les gens de la véracité de ses propos, si c'est un illuminé, je le laisse parler aussi ; les auditeurs s'apercevront vite, de toute façon, qu'ils ont affaire à un fou.

Même si cet affront avait ravivé certaines couleurs sur son visage, Proctor paraissait toujours aussi épuisé. Il se leva de sa chaise et pointa le pistolet vers Lantern.

— J'ai toujours cru que vous saviez regarder au long terme. C'est pour cette raison que je suis venu vous trouver, avec ma nouvelle génération de nanobots. Et c'est comme ça que vous me remerciez ?

Parish Lantern vida son verre de vin, savoura sa dernière gorgée. Ignorant Proctor, il se tourna vers Dylan et Jilly :

— Je n'avais jamais rencontré ce brave Lincoln face à face. Je l'ai toujours interviewé par téléphone. Il a débarqué chez moi il y a cinq jours et, par politesse, je ne l'ai pas fichu dehors à coups de pied aux fesses. Il prétendait vouloir me parler de quelque chose de très important, quelque chose qui pourrait faire l'objet d'un sujet dans mon émission. J'ai été bien aimable de l'inviter dans mon bureau pour un court entretien. Et pour toute reconnaissance, j'ai eu droit à du chloroforme et à une piqûre avec une grosse seringue, une chose énorme qu'on doit employer uniquement pour les chevaux ou les éléphants...

— Nous connaissons...

Lantern reposa son verre vide et se leva de son siège.

— Puis il m'a annoncé que ses associés, fous de terreur à l'idée des procès à venir, avaient décidé de le tuer, lui et tous ses sujets infectés, et qu'il ne valait mieux pas que j'aille à la police. En quelques heures, j'ai connu des changements radicaux en moi. La prescience fut l'une des premières malédictions à m'atteindre.

— Pour nous aussi, c'est une malédiction, renchérit Jilly.

— Mercredi, j'ai commencé à voir ce qui allait se passer aujourd'hui. À savoir que notre Frankenstein allait revenir pour voir comment je me portais, pour entendre mes éloges et ma reconnaissance devant son génie. Cet idiot pensait que j'étais son obligé, que j'allais le recevoir en sauveur et l'abriter sous mon toit !

Les yeux bleu pâle de Proctor étaient froids comme l'acier, comme cette nuit funeste où il avait tué la mère de Dylan.

— J'ai commis bien des fautes dans ma vie, de grandes fautes. Mais je n'ai jamais insulté les gens qui m'ont voulu du bien. Je ne comprends pas votre attitude, Lantern.

— Lorsque je lui ai dit que j'avais « vu » sa visite aujourd'hui, poursuivit Lantern, il est devenu excité comme une puce. Il s'attendait à que nous tombions tous à ses genoux pour lui baiser les pieds.

— Vous saviez que nous allions venir avant même que Proctor nous ait approchés et refilé son machin ? s'émerveilla Jilly.

— Oui, même si je ne savais pas trop qui vous étiez au début. J'ai du mal à expliquer tout ça moi-même, reconnut Lantern. Mais il y a une certaine harmonie des choses, un équilibre obligatoire...

— Comme une boule à facettes qui tourne, lâcha Jilly.

Parish Lantern souleva ses sourcils.

— Oui, on peut dire ça comme ça. Il y a des choses qui peuvent se produire, d'autres qui doivent se produire, et en regardant tourner cette « boule à facettes », on peut savoir ce qui va se passer, du moins un peu. À condition, bien sûr, d'avoir des visions.

— Gâteau, lança Shepherd.

— Dans un petit moment, mon garçon. D'abord, nous devons décider de ce que nous allons faire de cette ordure...

— Immondice, déchet, détritus.

— Oui, mon garçon, répondit l'apôtre des changements des pôles magnétiques et des conspirations interplanétaires. Tous ces termes s'appliquent aussi.

Lantern s'approcha de Lincoln Proctor.

— Restez où vous êtes ! lança le scientifique d'un air mauvais, en levant son arme.

— Je vous ai dit que la prescience était mon seul nouveau talent, reprit Lantern en continuant à avancer vers Proctor. Mais je vous ai menti.

Proctor fit feu sur son adversaire ; Lantern ne sourcilla pas au son de la déflagration, et encore moins à l'impact de la balle sur son corps. Le projectile, contre toute attente, ricocha sur sa poitrine et alla se loger dans le plafond avec un bruit mou.

Avec l'énergie du désespoir, Proctor fit feu deux fois encore ; les deux balles furent déviées elles aussi vers le plafond, formant un triangle parfait dans le plâtre avec le premier projectile.

Dylan était si habitué à assister à des miracles qu'il observa cette nouvelle prestation avec une sorte de respect teinté de fatalisme.

Pour Parish Lantern, prendre l'arme de son assaillant fut un jeu d'enfant. Proctor était sous le choc, les yeux écarquillés comme s'il avait reçu un coup de matraque sur le crâne.

Dylan, Jilly et Shep, de son pas traînant, vinrent se poster à côté de Lantern, se rassemblant comme les membres d'une cour de tribunal.

— Il a encore une seringue pleine, annonça Lantern. S'il veut avoir une idée de ce que ses saloperies nous ont fait, il n'a qu'à avoir le courage de se les injecter lui-même. Qu'en pensez-vous, Dylan ? C'est une bonne idée ?

— Non.

— Et vous Jilly ? Qu'en pensez-vous ?

— Non. Surtout pas, répondit-elle. Il n'est pas fait de bonne argile. On va créer un nouveau Manuel.

— Espèce de salope, lâcha Proctor. Aucune reconnaissance !

Dylan fit un pas vers lui, mais Jilly le retint par le bras.

— On m'en a dit bien pire.

— Quelqu'un a une meilleure idée ? s'enquit Lantern.

— On ne peut prendre le risque de le remettre à la police, déclara Jilly.

— Ni à ses associés, ajouta Dylan.

— Gâteau !

— Tu as les idées fixes, mon garçon. Mais d'abord nous devons nous occuper de son cas. Après, tu auras ton gâteau.

— D'accord. De la glace alors, annonça Shep et il replia l'espace.

48.

Plus tôt dans l'après-midi, dans la cuisine de leur maison de la côte ouest, Shep, quand il avait parlé de glace en regardant le réfrigérateur, n'exprimait peut-être pas un quelconque désir pour une boisson froide... il est possible qu'il ait eu une sorte de prémonition de leur confrontation finale avec Lincoln Proctor. D'ailleurs, se souvenait Jilly, Shepherd n'aimait pas les glaçons dans ses sodas...

Où trouve-t-on de la glace ? avait-il demandé, tentant d'identifier un paysage qu'il avait entr'aperçu l'espace d'une seconde.

Au pôle Nord, il y a beaucoup de glace, lui avait-elle répondu.

C'était la vérité vraie.

Sous un ciel bas, qui paraissait aussi dur que le couvercle d'acier d'une bouilloire, une plaine blanche, infinie, se fondait dans le crépuscule et la brume. Seul relief, une ligne de compression entre deux plaques de banquise, hérissée de blocs de glace qui se dressaient à la verticale telles des stèles d'un cimetière improbable – certaines de la taille de cercueils, d'autres plus hautes que des funérariums.

Le froid, avait prédit Shepherd.

Et il avait raison.

Aucun d'entre eux n'était vêtu pour une balade au pôle, et même si le blizzard ne soufflait pas, l'air glacé était mordant. Sous le changement brutal de température, Jilly se mit à grelotter et manqua de tomber à genoux.

Parish Lantern était visiblement ébahi de se retrouver à des milliers de kilomètres du lac Tahoe, dans cet environnement hostile, théâtre de tant de tragédies humaines et berceau de moult légendes de Noël, mais il fit preuve d'un calme d'airain.

— C'est impressionnant, se contenta-t-il de déclarer.

Seul Proctor montra des signes ostensibles de panique ; il se mit à tourner sur lui-même, en agitant les bras comme si ce panorama n'était qu'un trompe-l'œil qu'il espérait pouvoir déchirer pour retrouver les rives verdoyantes du lac. Il se serait bien mis à hurler d'effroi, mais le froid lui avait volé sa voix.

— Shepherd ? demanda Jilly en s'apercevant que la moindre goulée d'air lui brûlait la gorge et les poumons. Que faisons-nous ici ?

— Gâteau, répondit Shepherd.

Alors que le froid transformait la panique de Proctor en stupéfaction silencieuse, Parish Lantern attira à lui les trois jeunes gens pour un enlacement fraternel, afin de partager la chaleur de leurs corps. Leurs têtes se touchaient, leurs haleines blanches nimbaient leurs visages.

— Il fait très froid. On ne tiendra pas longtemps, articula-t-il.

— Pourquoi ici ? s'enquit Dylan.

— Gâteau, rétorqua Shep.

— Je crois que le gamin veut que l'on abandonne ce salopard ici, et qu'on lui donne son gâteau, conclut Lantern

— On ne peut pas faire ça, répliqua Dylan.

— Mais si, insista Shep.

— Non, intervint Jilly. Ce ne serait pas *bien*.

Lantern n'exprima aucune surprise en entendant les paroles de Jilly. Chez lui aussi, les nano-machines avaient créé la même compulsion à faire le bien. D'une voix grelottante, il bredouilla :

— Mais si nous le laissons là, cela règle d'un coup pas mal de problèmes. La police ne retrouvera jamais le corps.

— Il ne risque pas non plus d'envoyer à nos trousses ses associés.

— Ni de s'inoculer lui-même son machin.

— Il ne souffrira pas longtemps, insista Lantern. En dix minutes, il sera tellement engourdi qu'il ne sentira même plus la douleur. C'est une mort presque trop douce.

Jilly sentit de la glace se former quand elle passa sa langue sur ses dents. Elle frissonna de plus belle.

— Mais si nous faisons ça, on s'en voudra le reste de notre vie, parce que nous savons que ce n'est pas bien.

— Si, c'est bien, dit Shep.

— Non.

— Si !

— Gamin, intervint Dylan. Non, ce n'est pas bien.

— Il fait froid.

— Ramenons Proctor avec nous, gamin.

— Froid.

— Ramène-nous au lac.

— Gâteau.

Proctor attrapa Jilly par les cheveux, la tira en arrière, l'arrachant au groupe et referma son bras sur son cou.

Il cherchait à l'étrangler ! Elle se débattit, griffa sa main en vain. Il fallait lui faire lâcher prise, et vite, ce qui signifiait replier l'espace.

Ses ratés à l'église étaient encore frais à sa mémoire. Si le gouvernement décidait d'instaurer un jour des « permis de pliage », elle n'était pas près de l'avoir ! Elle craignait de laisser sa tête dans l'origami, mais sa vue se brouillait déjà, l'ombre gagnait la périphérie de son champ de vision... Elle n'avait plus le choix et opéra donc un icilà, le « là » en question se trouvant juste à un mètre derrière Proctor.

Voyant que sa tête était toujours sur ses épaules à son arrivée, elle se retrouva dans la position idéale pour botter les fesses de Proctor, ce qu'elle rêvait de faire depuis qu'il l'avait chloroformée la veille au motel.

Avant que Jilly ait eu le temps d'armer son coup, Dylan avait sauté sur Proctor. Celui-ci glissa, tomba lourdement au sol et sa tête heurta la glace. Recroquevillé en position fœtale, tremblant de froid, il cherchait à inspirer leur pitié avec son discours habituel ; il n'était qu'un faible, un menteur, une vilaine âme.

Même si sa vision s'éclaircit, le froid arctique collait les paupières de Jilly, lui tiraient des larmes qui gelaient aussitôt sur ses cils.

— Chéri, dit-elle à l'intention de Shepherd. Il faut vraiment que l'on parte d'ici. Ramène-nous au lac.

Shep s'approcha de Proctor de son pas traînant ; il s'accroupit à côté de lui et ils disparurent tous les deux.

— Non ! cria Dylan, comme si cela pouvait suffire à faire revenir son frère.

Le cri fut aussitôt avalé par les étendues glacées, comme s'il avait crié dans un oreiller.

— *Maintenant*, il y a de quoi s'inquiéter ! déclara Lantern, en tapant des pieds pour faire revenir le sang et battant des bras.

Il jeta un regard circulaire sur la banquise, comme s'il s'y cachait plus de dangers que dans un monde parallèle peuplé de sangsues encéphalophages.

L'air glacé faisait couler le nez de Dylan et une stalactite s'était formée au bout de sa narine gauche.

Quelques secondes après avoir replié l'espace, Shep réapparut – mais sans Proctor.

— Gâteau !
— Où l'as-tu emmené, chéri ?
— Gâteau.
— Quelque part ailleurs sur la glace ?
— Gâteau.
— Il va mourir congelé, gamin, dit Dylan
— Gâteau.
— Il faut faire ce qui est bien, insista Jilly.
— Pas Shep, répondit Shepherd.
— Si, toi aussi. Il faut faire ce qui est bien.
Shepherd secoua la tête et déclara :
— Shep a le droit d'être un peu méchant.

— Non, je ne crois pas. Sinon tu vas avoir des remords.

— Pas de gâteau ? demanda Shep.

— Ce n'est pas une question de gâteau, chéri.

— Shep peut être un peu méchant, un tout petit peu.

Jilly échangea un regard avec Dylan, puis se tourna vers Shep.

— Tu pourrais être méchant, chéri ?

— Un petit peu.

— Un petit peu ?

— Juste un petit peu.

Les cils de Lantern étaient incrustés de glace. Malgré les larmes de froid, Jilly y discerna une pointe de culpabilité quand il dit :

— Être un peu méchant peut se révéler nécessaire, parfois. En fait, quand le mal est trop grand, la seule chose bien à faire, c'est d'y mettre fin une fois pour toutes.

— D'accord, répliqua Shep.

Il y eut un long silence.

— D'accord ? répéta Shep.

— Je réfléchis, répondit Dylan.

Il se mit à neiger. Jilly n'avait jamais vu une neige pareille. Pas de flocons duveteux, mais des aiguilles de glace qui vous transperçaient.

— Trop, déclara Shep.

— Trop de quoi, chéri ?

— Trop.

— Trop de quoi ?

— Trop de réflexions, répondit Shepherd. Il fait froid.

Sur ce, il les ramena au lac Tahoe, sans Proctor.

49.

Le gâteau au chocolat fourré aux cerises et nappé de cacao, trônait sur la table de la cuisine de Parish Lantern, délicieux et bienvenu. Mais pour Jilly, il représentait aussi l'hostie d'une étrange communion. Ils mangeaient en silence, le nez dans leurs assiettes, tous imitant l'exemple de Shepherd O'Conner.

Tout cela était prévisible, songea-t-elle.

La maison était plus vaste qu'elle ne le paraissait de l'extérieur. Lorsque Lantern les conduisit dans l'aile réservée aux invités, vers les deux chambres qu'il avait préparées à leur intention, Jilly se crut dans un hôtel.

Malgré son passage éprouvant au pôle Nord, elle se sentait alerte. Le gâteau l'avait rassérénée. Peut-être un moindre besoin de sommeil comptait-il parmi ses nouveaux talents ?

Chaque chambre était pourvue d'une grande salle de bains, avec du marbre du sol au plafond, des appliques dorées, une cabine de douche, une grande baignoire et des porte-serviettes chauffants. Jilly prit une longue douche, puis avec la patience et la méticulosité d'une chatte faisant sa toilette, elle se refit une beauté. Ça, c'était le vrai luxe !

Lantern avait tenté de devancer les goûts de la jeune femme, depuis le shampooing et le savon jusqu'au fond de teint et le mascara. Parfois, il avait fait le bon choix, parfois non, mais il avait souvent vu juste. Une telle attention l'attendrit.

Toute pimpante, dans des vêtements propres, elle quitta l'aile des invités pour rejoindre le salon. Au cours de ses errances pour retrouver son chemin, elle fut définitivement convaincue que la décoration douillette et chaleureuse de la maison était un trompe-l'œil destiné à cacher son immensité. Derrière ces lignes courbes et élégantes, et ces baies donnant sur la nature, la bâtisse restait profondément mystérieuse, tel un donjon solitaire dissimulant toutes sortes de secrets malgré son apparence accueillante.

Cela aussi, c'était prévisible.

Une fois arrivée au salon, elle se dirigea vers la terrasse couverte que l'architecte avait construite en hauteur au milieu des sapins, pour offrir au visiteur une vue époustouflante sur le lac.

Quelques minutes plus tard, Dylan la rejoignit. Ils restèrent accoudés en silence à la balustrade, charmés par le panorama qui avait la luminosité vibrante d'un tableau de Turner en cette fin d'après-midi. Le moment des confessions était passé pour eux deux, et n'était pas encore revenu.

Lantern s'était excusé de ne pouvoir leur offrir tout le luxe et le confort qu'il proposait d'ordinaire à ses invités. Quand il avait pris conscience que l'injection des nano-machines allait le transformer radicalement, il avait donné congé à ses quatre domestiques pour la semaine, afin de pouvoir traverser cette métamorphose dans une relative intimité.

Seul Ling, son majordome, était resté. Dylan n'avait pas rejoint Jilly depuis deux minutes que l'employé fit son entrée en scène. Il apportait des cocktails sur un petit plateau laqué, décoré de festons de lis en incrustations de nacre. Deux dry-martinis parfaits – faits au verre à mélange, et non au shaker, comme le conseillent les puristes.

Ling était mince mais musclé et se déplaçait avec la grâce d'un danseur de ballet et l'assurance tranquille d'un champion de *tae kwon do* ; il avait environ trente-cinq ans, mais dans ses yeux d'ébène se mirait la sagesse centenaire de ses aïeux. Au moment où Jilly et Dylan prirent leurs verres, Ling inclina la tête et avec un doux sourire leur dit à chacun un mot en chinois, le même mot – une parole à la fois de bienvenue et un vœu de bonne fortune. Puis Ling s'en alla aussi discrètement qu'un fantôme. Si la terrasse avait été recouverte de neige, Jilly était certaine qu'il n'aurait laissé aucune empreinte derrière lui.

Pourquoi cela aussi avait-il un goût de déjà-vu ?

Pendant que Jilly et Dylan profitaient de leurs dry-martinis et de la vue, Shepherd traînait dans le salon. Il avait trouvé une encoignure à son goût, où il pourrait séjourner une heure ou deux, le temps de se ressourcer à la vision simple de la jonction de deux murs plans.

Il existe un dicton français : *chassez le naturel, il revient au galop*. Shepherd, dans son coin de mur, était le symbole tragi-comique de cette maxime. Il incarnait à la fois cette vérité universelle, tout en en révélant sa dimension tragique.

L'émission étant diffusée sur cinq cents radios, six soirs par semaine, à travers tout le pays, Parish Lantern, d'ordinaire, s'installait au micro avant même que le crépuscule pare de pourpre les eaux du lac. Dans son studio dernier cri du sous-sol, Lantern pouvait prendre les appels de ses dix millions d'auditeurs et converser avec ses invités au téléphone, sans avoir besoin de quitter son domicile ; avec l'assistance de Ling et d'un ingénieur du son, Lantern réalisait donc son émission chez lui. La régie finale se trouvait à San Francisco, où les appels étaient filtrés et relayés suivant les besoins. Après corrections et optimisation du signal retour, l'émission était retransmise sur le territoire en léger différé.

Ce samedi soir, toutefois, la première nuit après son injection avec le *machin* de Proctor, Lantern avait préféré diffuser un *best-off* plutôt que de se lancer dans une émission en direct.

Un peu avant de rejoindre leur hôte pour dîner, Jilly annonça à Dylan qu'elle allait appeler sa mère.

— Je n'en ai pas pour longtemps, promit-elle.

Elle laissa son verre vide sur le garde-fou et replia l'espace pour se matérialiser dans un coin sombre des jardins derrière l'hôtel Peninsula de Beverly Hills. Son arrivée passa inaperçue.

Elle aurait pu donner le coup de fil de n'importe où, mais elle aimait bien le Peninsula. Exactement le genre d'hôtel cinq étoiles qu'elle aurait rêvé pouvoir s'offrir lorsque sa carrière aurait décollé.

Elle trouva une cabine téléphonique libre, gava l'appareil de pièces et composa le numéro de la maison familiale.

Sa mère répondit à la troisième sonnerie. Reconnaissant la voix de Jilly, elle se mit à bredouiller :

— Tout va bien, ma chérie ? Tu n'es pas blessée ? Que t'est-il arrivé ? Dieu soit loué, tu es en vie ! Où es-tu ?

— Du calme, maman. Je vais bien. Je voulais juste te dire que je ne pourrais pas te voir pendant une semaine ou deux, mais je vais trouver un moyen pour que l'on puisse passer du temps ensemble.

— Jilly, ma chérie, depuis l'église, il y a des gens de la télé et des journalistes partout ; ils sont tous aussi grossiers que des fonctionnaires de la sécu au régime sans sel. Ils font le planton jusque devant la maison, avec leurs caméras, leurs antennes satellites, et tout le bazar, à faire un vacarme de tous les diables et à laisser des mégots et des détritus partout. De grossiers personnages, vraiment !

— Ne leur parle pas, maman. Pars du principe que je suis morte.

— Il ne faut pas dire des choses comme ça !

— Ne leur dis surtout pas que tu as eu des nouvelles de moi. Je t'expliquerai plus tard. Écoute, m'man, de sales types vont bientôt rappliquer. Ils vont annoncer qu'ils sont du F.B.I ou quelque chose du genre, mais ce n'est pas vrai. Fais l'idiote. Sois gentille avec eux, fais semblant d'être inquiète pour moi, mais par pitié ne leur dis rien.

— Comment veux-tu qu'une vieille borgne comme moi, avec un gros cul comme le mien, acariâtre et sans le sou, et pas fichue de marcher sans ses deux cannes, puisse savoir quoi que ce soit d'intéressant ! Tu rêves, ma petite fille !

— Je t'adore, m'man. Une chose encore. Je suis sûre que ton téléphone n'est pas encore sur écoute, mais cela ne va pas tarder. Alors quand je viendrai te voir, ce n'est pas moi qui appellerai.

— Ma chérie, tu me fiches la frousse. Depuis que ton abruti de père a eu la bonne idée de se faire tuer, je n'avais plus jamais eu peur comme ça.

— N'aie pas peur, maman. Je vais bien. Et pour toi aussi, tout ira bien. Je te réserve quelques surprises.

— Le père Francorelli est ici avec moi. Il veut te parler. Il est tout excité après ce que tu as fait au mariage. Jilly, ma petite fille, que s'est-il passé au juste là-bas ? On m'a raconté, bien sûr, mais tout cela n'a pas de sens.

— Je ne veux pas parler au père Francorelli, m'man. Dis-lui simplement que je suis désolée d'avoir gâché les noces.

— Gâché les noces ? Mais tu les as sauvés ! Tu les as tous sauvés...

— Disons que j'aurais pu être plus discrète. Hé, m'man, quand nous nous verrons dans deux semaines, cela te dirait de dîner à Paris ?

— Paris ? En France ? Pourquoi diable irais-je dîner à Paris ?

— Ou Rome alors ? Venise ? Hong Kong ?

— Jilly, ma petite chérie, je sais que tu ne toucherais à la drogue pour rien au monde, mais tu me fiches la chair de poule...

Jilly éclata de rire.

— Ce serait bien Venise ? Un restaurant trois étoiles. Je sais que tu aimes la cuisine italienne.

— J'adore les lasagnes. Par quel miracle pourrais-tu te payer un restaurant trois étoiles, sans parler du voyage en Italie ?

— Attends et tu verras. Au fait, m'man...

— Oui, ma chérie.

— Je n'aurais pas pu sauver ma peau, sans parler de tous ces gens, si tu ne m'avais pas montré comment ne pas laisser la peur me manger toute crue.

— Que Dieu te protège, ma chérie. Tu es l'amour de ma vie.

Jilly raccrocha et prit un moment pour se remettre de ses émotions. Puis elle glissa une nouvelle série de pièces pour passer un appel longue distance, un numéro que lui avait donné Dylan. Une femme répondit à la première sonnerie.

— J'aimerais parler à Vonetta Beesley, s'il vous plaît, annonça Jilly.

— C'est moi-même. Que puis-je pour vous ?

— Dylan O'Conner m'a demandé de vous appeler pour s'assurer que tout allait bien pour vous.

— Celui qui m'en imposera n'est pas encore né ! Dites à Dylan que je vais bien. Et que je suis contente d'apprendre qu'il est en vie. Il n'est pas blessé ?

— Pas une égratignure.

— Et le petit Shep ?

— Il est debout dans un coin, en ce moment, mais il a eu une grosse part de gâteau tout à l'heure. Et on va bientôt dîner.

— C'est un amour, ce gosse.

— C'est vrai. Dylan voulait que je vous dise aussi qu'il n'aura plus besoin de femme de ménage.

— Après ce qui s'est passé chez lui, ce n'est pas un balai qu'il faut pour nettoyer, mais un bulldozer ! Dites-moi, ma belle... vous pensez pouvoir vous occuper d'eux ?

— Je l'espère.

— Ils méritent qu'on les aime.

— Oui, ils le méritent, reconnut Jilly.

Une fois son second appel terminé, Jilly aurait aimé sortir de la cabine en cape et combinaison en latex, et s'envoler dans les airs telle Superwoman. Elle n'avait ni cape, ni combinaison, bien sûr, et ne savait pas voler. Au lieu de ce départ glorieux, la jeune femme jeta un regard circulaire pour s'assurer que le couloir où se trouvait la cabine était désert, puis, sans tambour ni trompette, elle replia l'espace pour rejoindre la terrasse surplombant le lac, où l'attendait Dylan.

La lune s'était levée bien avant le coucher du soleil. Vers l'ouest, la nuit achevait d'éteindre les derniers feux du couchant, tandis qu'à l'est, la lune pleine était quasiment rendue à son zénith – le lampion des amoureux.

Au moment où la dernière lueur disparaissait dans le ciel, Ling réapparut sur la terrasse et les conduisit à travers un labyrinthe de pièces inconnues, jusqu'au ponton devant la maison. Les lampadaires étaient éteints, mais l'allée de bois était illuminée par une série de bougies en suspension, flottant dans l'air à deux mètres au-dessus du sol.

Apparemment, Lantern avait trouvé d'autres applications à son nouveau don qui lui avait permis de dévier les balles de Proctor.

La grande bâtisse était construite sur cinq hectares de bois ; les murs d'enceinte et les grands arbres assuraient une discrétion absolue. Même de l'autre côté du lac, un curieux, équipé de jumelles, ne pouvait réellement voir ce qui se passait.

Ling de sa démarche gracieuse, semblant, lui aussi, flotter dans l'air à quelques centimètres des planches du ponton, les fit pénétrer dans le halo des chandelles pour les mener vers la passerelle d'appontage. Les clapotis de l'eau contre les piles étaient autant de notes cristallines.

Le majordome semblait trouver parfaitement anodin de passer sous des chandelles en lévitation. Rien ne semblait pouvoir rompre sa sérénité d'esprit. À l'évidence, sa discrétion et sa loyauté à l'égard de son employeur étaient d'airain, d'une solidité quasi surnaturelle.

Cela aussi, Jilly s'y attendait.

Au bout de la passerelle, un bateau de treize mètres ; une construction d'un temps où les bateaux de plaisance n'étaient pas faits de plastique, d'aluminium et de résine. Avec sa peinture blanche, son pont et ses boiseries de teck, ses pièces de cuivre rutilantes, le bateau semblait sortir d'un conte de fées.

Lorsqu'ils furent à bord, les bougies du ponton s'éteignirent une à une et tombèrent au sol.

Lantern démarra le bateau et se dirigea vers le large. Les eaux auraient été d'un noir d'encre si la lune généreuse n'avait parsemé leur surface de piécettes d'argent. Leur hôte jeta l'ancre au milieu du lac, comptant sur ses feux de position pour annoncer sa présence à d'éventuels navigateurs nocturnes.

Le carré, spacieux, accueillait une table pour quatre personnes et Ling put leur servir un dîner aux chandelles. En entrée, des raviolis aux champignons, coupés en carré. Les courgettes avaient été, elles aussi, taillées en cubes réguliers avant d'être sautées. La cassolette de pommes de terre aux oignons était présentée en bloc compact ; et les médaillons de veau avaient été soigneusement tranchés en rectangles, non seulement pour Shepherd, mais pour tout le monde, afin que le jeune O'Conner ne se sente pas à l'écart de ses compagnons de table.

Ling resta toutefois en cuisine, prêt à faire griller des toasts au fromage au besoin.

Tous les plats étaient délicieux. Le cabernet-sauvignon était exceptionnel. Le verre de Coca – pour Shep – sans glaçon, rafraîchissant à souhait. Et la conversation, bien sûr, fut passionnante, même si Shepherd limita ses interventions à un ou deux mots, en faisant un usage excessif de l'adjectif : *goûtu.*

— Vous aurez une aile de la maison à votre disposition, annonça Lantern. Et plus tard, si vous le voulez, on fera construire une deuxième maison sur la propriété.

— C'est très généreux de votre part, répondit Jilly.

— Ne dites pas de bêtises ! Mon émission de radio est une poule aux œufs d'or. Je ne me suis jamais marié, je n'ai pas d'enfants. Bien sûr, vous devrez vivre ici secrètement. On ne devra jamais connaître vos faits et gestes. Les médias, les autorités, l'humanité entière, vont vous traquer sans relâche, et cela va empirer au fil des années. Je vais peut-être devoir me séparer de certains de mes gens pour protéger notre secret, mais Ling a des frères et sœurs...

— C'est drôle, intervint Dylan, de nous voir ici, ensemble, à préparer l'avenir, tous unis, à ne faire qu'un depuis le départ. Nous savons tous ce que nous devons faire et comment.

— Nous ne sommes pas de la même génération, renchérit Jilly, mais nous sommes issus de la même culture. Tous baignés des mêmes mythes.

— C'est vrai, reconnut Lantern. La semaine prochaine, je changerai mon testament pour faire de vous mes héritiers. Je devrais passer par des avocats en Suisse et une série de comptes à l'étranger, avec des numéros plutôt que des noms. Vos patronymes sont bien trop connus dans le pays, et dans les années à venir, vous allez être encore plus célèbres. S'il arrive quoi que ce soit à l'un d'entre nous, les autres pourront continuer à vivre sans problème financier.

Dylan posa ses couverts, visiblement ému par la générosité de leur hôte.

— Les mots sont faibles... mais vous êtes quelqu'un d'exceptionnel.

— Allons, plus de remerciements, répliqua Lantern d'un ton sans appel. Je n'ai pas besoin de compliments. Vous êtes, vous aussi, exceptionnel, Dylan. Jilly aussi. Et toi aussi, Shepherd.

— Goûtu.

— Nous sommes différents du commun des mortels, nous ne serons plus jamais comme eux. Pas meilleurs, mais très différents. Nous n'avons plus notre place en ce monde, hormis ici. Notre mission désormais – une mission à laquelle nous ne devons pas faillir – c'est de nous servir de notre différence pour rendre le monde meilleur.

— Nous devrons aller partout où l'on aura besoin de nous, reconnut Dylan. Pas de tergiversations, pas de peur.

— Si, avec plein de peur, intervint Jilly. Mais nous ne devrons pas la laisser dicter sa loi.

— C'est exactement ça, la complimenta Dylan. Vous avez trouvé les mots justes.

Tandis que Ling remplissait leurs verres de vin, un

avion de ligne passa au-dessus du lac, haut en altitude, peut-être en route pour l'aéroport de Reno. Si la nuit sur le lac n'avait pas été aussi silencieuse, ponctuée seulement par le tintement des morceaux de lune sur la coque, ils n'auraient pas remarqué la rumeur lointaine des réacteurs. En relevant la tête, Jilly aperçut une minuscule silhouette ailée passant devant la lune.

— Il y a une bonne chose dans notre malheur, lança Lantern, nous n'aurons pas besoin de nous embêter à construire une Batmobile ou un Batplane !

Rire leur fit du bien.

— Être des superhéros durant le reste de notre vie, à défendre la veuve et l'orphelin, sera supportable, si nous pouvons rire un peu.

— Rire beaucoup, oui ! déclara Lantern. J'insiste ! J'aimerais que nous évitions de nous donner des noms trop suggestifs ; j'ai déjà commis cette erreur, mais je suis ouvert à toute proposition.

Jilly but une gorgée de vin.

— Vous voulez dire que Parish Lantern n'est pas votre vrai nom ?

— Qui s'appellerait ainsi ? C'est mon nom officiel à présent, mais je suis né Horace Bloogernud.

— Seigneur ! s'exclama Dylan. Vous aviez déjà le nom d'un héros de tragédie depuis le début !

— Quand j'étais jeune, je voulais déjà faire de la radio, et je savais quel genre d'émission. Un programme de fin de soirée sur l'étrange et le paranormal. Parish Lantern semblait le nom idéal, puisque c'est une vieille expression pour parler du clair de lune – *la lanterne de la paroisse.*

— Vous accomplissez votre œuvre au clair de lune, annonça Shepherd, mais sans l'angoisse qui avait fait vibrer sa voix la première fois qu'il avait prononcé ces mots, comme s'ils revêtaient un sens nouveau pour lui.

— C'est effectivement le cas, répondit Lantern. Et d'une certaine manière, nous accomplirons nos miracles au clair de la lune, parce que nous devrons rester le plus discrets et furtifs possibles. Ce qui m'amène à soulever le problème des déguisements.

— Des déguisements ? répéta Jilly.

— Par chance, reprit Lantern, hormis vous deux, personne ne sait que je suis infecté par les bidules de Proctor. Tant que je pourrai accomplir ma part de hauts faits, tout en gardant l'anonymat, je peux être l'interface entre notre petit groupe et le monde extérieur. Mais vous trois... vos visages sont connus, et vous aurez beau agir avec une grande discrétion, vos photos seront diffusées sur toutes la planète. Vous allez donc devoir...

— Jouer les Fantômas ! lâcha Dylan avec ravissement.

Cela aussi, songea Jilly, je m'y attendais.

— Quand tout sera dit et fait, poursuivit Lantern, la seule chose qui nous manquera, ce sera des noms ridicules de super-héros, de gros véhicules pleins de gadgets, des costumes en latex, et un super-méchant pour pimenter nos vies entre deux missions de sauvetage classiques.

— De la glace, marmonna Shepherd.

Ling s'approcha aussitôt de la table, mais avec quelques mots chinois, Lantern lui expliqua que personne ne voulait de glaçons.

— Shepherd a raison. Nous avons eu notre super-méchant pendant un petit temps, mais à présent il est congelé.

— De la glace !

Plus tard, pendant qu'il dégustait une tarte au citron avec un café, Jilly déclara :

— Si nous ne nous trouvons pas un nom, les médias vont en choisir un pour nous, et vous pouvez être sûrs qu'il sera ridicule.

— Vous avez raison, reconnut Dylan. Ces gars-là n'ont aucune imagination. Et nous devrons alors vivre le reste de notre vie en rongeant notre frein. Pourquoi pas ne pas prendre les devants et choisir un nom « collectif », quelque chose qui s'applique au groupe, un nom d'équipe, en quelque sorte.

452 Au clair de lune

— C'est une bonne idée, renchérit Jilly. Et montrons-nous aussi futés qu'Horace Bloogernud en son temps. Insérons l'idée du *clair de lune*.

— Le gang du clair de lune ? avança Dylan. Cela plaira aux journaux, non ?

— Je n'aime pas le mot *gang*, dit Lantern. Trop de connotations négatives.

— Le quelque chose du clair de lune..., marmonna Jilly, d'un air songeur.

Bien qu'il lui restât une demi-part de tarte dans son assiette, Shepherd posa sa fourchette. Et se mit à réciter :

— L'équipe, le groupe, le cercle, la société...

— C'est reparti, lâcha Dylan.

— ... la guilde, l'alliance, l'association, la coalition, le clan, la ligue, le club...

— Le club du clair de lune, lâcha Jilly, faisant rouler les mots dans sa bouche comme on teste du vin. Le club du clair de lune. Ce n'est pas mal du tout.

— La compagnie, la troupe, la bande, la famille...

— Cela risque de nous prendre un certain temps, annonça Lantern, en faisant signe à Ling de débarrasser les desserts (sauf celui de Shep) et d'ouvrir une autre bouteille de vin.

— Les voyageurs, les cavaliers...

N'écoutant que d'une oreille la logorrhée verbale de Shep, Jilly se surprit à songer à leur avenir, à la vie qui les attendait, à la destinée et au libre arbitre, à la force des mythes et au pouvoir de la vérité, à la loyauté et à l'allégeance... à la mort aussi – à cette mort certaine – et à cette nécessité absolue, désespérée, de vivre avec un but dans l'existence ; elle songea aussi à l'amour, au devoir, à l'espérance.

Le ciel est noir. Les étoiles lointaines, inaccessibles. La lune est plus proche que Mars, mais hors de portée néanmoins. Le lac est une flaque d'encre, pailletée de reflets d'argent sous la « lanterne de la paroisse ». Le bateau danse doucement sur son mouillage. Le club du clair de lune, ou quel que sera son nom, poursuit sa première réunion avec gravité et, à la fois, enthousiasme, avec du vin et du gâteau pour réchauffer les cœurs, chaque membre espérant que ce jour scellera le début d'une grande aventure – qu'ils vont être les pionniers d'une nouvelle frontière, les premiers à explorer cette boule à facettes qui tourne et tourne et se replie.

Ce volume a été composé
*par **Nord Compo***

Impression réalisée sur CAMERON
par BRODARD ET TAUPIN
La Flèche
en octobre 2004

Imprimé en France
Dépôt légal : Première édition octobre 2004
N° d'édition : 58674 – N° d'impression : 26465